*Unité en division : Les lettres de Lev Gillet
à Andrei Cheptytsky*

UNITE EN DIVISION :
LES LETTRES DE LEV GILLET
("UN MOINE DE L'ÉGLISE D'ORIENT")
À ANDREI CHEPTYTSKY – 1921-1929

Rédaction et introduction par Peter Galadza,
avec une réflexion par Antoine Arjakovsky

Parole et **S**ilence

Cet ouvrage est publié en partenariat avec l'Institut métropolite
Andrey Sheptytskypour l'étude du christianisme oriental et avec le soutien
financier de l'université Saint-Paul d'Ottawa (Canada).

Sommaire

Introduction à la correspondance entre Lev Gillet (« Un moine de l'Église d'Orient ») et son père spirituel, le métropolite Andrei Cheptytsky, 1921-1929

Peter GALADZA

Introduction et vue d'ensemble

En février 1992, alors que j'examinais le fonds récemment déclassifié du métropolite Andrei Cheptytsky[1], hébergé à la section de Lviv (Lvov) des Archives historiques centrales d'État de l'Ukraine[2], je trouvai le dossier n° 358/1/257 intitulé *Листи від кореспондентів з прізвищами на літеру Ж* (« Lettres des correspondants dont le nom de famille commence par la lettre G »). Il contenait 82 lettres et cartes postales manuscrites (188 folios) adressées par Lev Gillet à Cheptytsky entre novembre 1921 et avril 1929. Conscient de l'importance de ma découverte, je photocopiai immédiatement le dossier au complet, que je fis ensuite transcrire. À part bien sûr une certaine quantité d'informations obsolètes, on trouve dans cette correspondance des faits, des interprétations et des idées qui éclairent des facettes clés de la vie de Gillet et de celle de Cheptytsky, sans compter d'autres aspects de l'histoire de l'Église pendant l'entre-deux-guerres.

La première rencontre de Cheptytsky et de Gillet a lieu en Angleterre, lors du voyage du premier dans ce pays en 1921. À l'époque, Gillet est novice bénédictin dans l'Église latine. Le 30 novembre de la même année, il adresse sa première lettre au métropolite, puis huit autres avant de faire un premier séjour de neuf

---

1. Pour les aspects de la biographie de Cheptytsky, voir Paul Robert MAGOCSI, réd., *Morality and Reality: The Life and Times of Andrei Sheptytsky*, Edmonton, Canadian Institute of Ukrainian Studies, 1989. Pour une biographie du père Lev voir Élisabeth BEHR-SIGEL, *Un Moine de l'Église d'Orient, Le père Lev Gillet*, Paris, Cerf, 1993.
2. Центральний Державний Історичний Архів, м. Львів.

mois en Galicie, où il se rend brièvement à Lviv et le reste du temps au monastère studite d'Ouniv[3]. C'est à cet endroit que Cheptytsky le reçoit dans sa communauté studite et l'ordonne à la prêtrise. En juin 1925, Gillet est de retour en Europe occidentale, où il écrit onze autres lettres à Cheptytsky avant de rentrer en Galicie à l'automne 1926 pour une visite de trois mois et demi. Dix autres lettres sont écrites entre le retour de Gillet en Europe occidentale et son séjour suivant en Galicie, de février à mai 1927.

Après ce troisième séjour, Gillet adresse vingt-deux lettres au métropolite, et en décembre 1927, retourne à Lviv pour ce qui semble avoir été un bref séjour de deux semaines seulement. Ce quatrième voyage à Lviv est son dernier ; il est suivi de quatorze autres lettres à Cheptytsky avant l'entrée en communion de Gillet avec la juridiction orthodoxe du métropolite Euloge Guéorguievsky en juin 1928. Deux dernières lettres datent de la période qui suit la réception de Gillet dans l'Église orthodoxe.

Gillet retrouve aussi Cheptytsky à plusieurs reprises entre 1922 et 1926 lorsque le métropolite se rend à Rome et dans d'autres villes d'Europe occidentale.

Bien entendu, Cheptytsky répond à Gillet. D'après la correspondance de ce dernier, il lui aurait envoyé au moins quatorze communications. Curieusement toutefois, le dossier préparé par le postulant pour la béatification de Cheptytsky dans les années 1950 et 1960 ne renferme que deux lettres adressées à Gillet : la dixième et l'avant-dernière[4], où Cheptytsky tente frénétiquement de dissuader Gillet de poursuivre dans la voie de l'orthodoxie (voir plus loin). Les douze autres lettres n'ont-elles jamais été fournies au bureau du postulant ou ont-elles été exclues à dessein ?

En somme, les neuf années de la correspondance couvrent la période pendant laquelle Gillet, de moine bénédictin, devient tour à tour étudiant en théologie à la Faculté de San Anselmo à Rome,

---

3. Les références aux lettres sont fournies ci-après à la rubrique « Les lettres ».
4. « Lettre de Mgr Sceptyzky [*sic*] adressée au R.P. Gillet, en date du 23 février 1928 » ; et « Monastère d'Univ 26. V. 28. », *Postulatio Causae Beatificationis et Canonisationis Servi Dei Andreae Szeptycky, Archiepiscopi Leopoliensis Ukrainorum* [sic] *Metropolitae Halyciensis*, vol. 2, *Variae Epistoale et Relationes*, Rome, 1965, folios 58 verso à 60 verso. On peut se demander où sont les lettres de Cheptytsky à Gillet, à part celles qui se trouvent dans le dossier de béatification. Le père Lev ne gardait pas la correspondance qu'il recevait. Donc, si Cheptytsky n'a pas retenu des copies d'autres lettres qu'il lui adressait, on doit abandonner l'espoir de les retrouver.

candidat au monachisme studite et secrétaire privé de Cheptytsky en
Ukraine, agent général de liaison pour les œuvres parrainées par
Cheptytsky en Europe occidentale (en particulier celles associées à
son apostolat russe), travailleur social et hiéromoine à Nice, puis
prêtre assigné à divers ministères dans la métropolite des paroisses
russes orthodoxes en Europe.

Dans la vie de Cheptytsky, la même période coïncide avec les
tentatives désespérées du métropolite pour soutenir les aspirations
politiques ukrainiennes après l'annexion de la Galicie orientale par
la Pologne, avec les plans presque euphoriques d'expansion du
catholicisme oriental dans les anciens territoires tsaristes, avec la
marginalisation de l'exarchat catholique russe de Cheptytsky et de
l'œuvre unioniste en général par de hauts responsables du Vatican,
tout particulièrement Michel d'Herbigny[5], et avec l'accumulation
des soupçons concernant les allégeances catholiques de Cheptytsky,
surtout après la publication de la tragique encyclique de Pie XI,
Mortalium animos[6].

C'est donc l'une des périodes les plus importantes de la vie de
Cheptytsky comme de celle de Gillet. Pour le premier, elle correspond au moment où, ayant vu son prestige renforcé du fait de son
incarcération par les autorités tsaristes, il est encore en assez bonne
santé pour entreprendre toutes sortes d'activités. Pour le second,
c'est la période de son passage graduel de l'Église de Rome à l'Église
orthodoxe.

Les lettres – 1921-1924

La première lettre de Gillet à Cheptytsky (30 novembre 1921),
où il exprime l'espoir de se joindre à l'apostolat oriental du métropolite, montre que son évolution vers l'Église orthodoxe a été
graduelle : lorsqu'il fait allusion à une édition orthodoxe serbe des
liturgies grecques, il met le mot « orthodoxe » entre guillemets[7]
(84 r), une pratique alors répandue chez les catholiques, qui jugent

---

5. Pour une étude récente et approfondie sur d'Herbigny, voir l'ouvrage de
L. TRETJAKEWITSCH, *Bishop Michel d'Herbigny SJ and Russia: A Pre-Ecumenical
Approach to Christian Unity,* Würzburg, Augustinus-Verlag, 1990.
6. *Acta Apostolicae Sedis* 20, 1928, p. 5-16.
7. Les références aux numéros de folios (recto et verso) des lettres de Gillet
seront indiquées dans le corps du texte.

que ceux qui ne sont pas en communion avec l'Église de Rome emploient le terme de manière abusive. Il manifeste une profonde dévotion pour saint Josaphat (Kountsevitch) et laisse entendre que les traditions basilienne et bénédictine ont beaucoup en commun (*ibid.*). Il écrit aussi : *La réunion de la Russie et des pays slaves à l'Église, principalement par le moyen du rite gréco-slave, est mon grand objet d'intercession* (83 v). En passant, Newman et Soloviev sont pour lui les hommes d'Église les plus intéressants du XIXe siècle (*ibid.*). Et pour ce qui est des questions nationales, Gillet parle encore de Kiev comme d'une partie de la « Russie du Moyen Âge », au même titre que Moscou et Novgorod (84 r).

Plus généralement, cette première lettre traduit une profonde piété, imprégnée d'un esprit d'abnégation et d'obéissance, deux qualités qui ressortent dans toute la correspondance (et dans la vie de Gillet dans son ensemble).

Trois mois et demi plus tard, Gillet est à Rome, où il étudie la théologie et fait la connaissance de personnages clés du Vatican comme Michel d'Herbigny et Cyrille Korolevskij[8]. C'est là qu'il commence à étudier le slavon et à remarquer les différences entre Russes et « Ruthènes » (87 r).

Gillet écrit qu'il considérerait comme un honneur et une joie de se faire studite en terre slave, et qu'il est prêt à mourir pour cette cause (86 v). Un sentiment d'euphorie post-tsariste, presque de mégalomanie, se dégage d'une remarque : cet apostolat oriental aura un merveilleux avenir s'il peut rayonner comme autrefois le monastère des Cryptes de Kiev, la laure de Saint-Serge-et-la-Trinité (près de Moscou) et la laure de Sknyliv (près de Lviv) (87 r), que Cheptytsky a récemment érigée en fondation studite.

La lettre indique aussi que Gillet a été initié aux conflits politiques qui entourent l'œuvre unioniste : *Mgr de Ropp est ici* [à Rome] *et fait beaucoup de propagande dans le sens que vous savez* (87 r). L'archevêque Eduard von der Ropp (1851-1939) est le « métropolite de Moghilev à la fibre polonaise » qui, avec son clergé polonais, « croit détenir un monopole sur les catholiques en Russie[9] ». L'exarchat catholique russe de Cheptytsky lui est antipathique.

---

8. Pour une brève biographie de Korolevskij (né Jean-François Charon), voir C. KOROLEVSKIJ, *Métropolite André Szeptyckyj – 1865-1944*, Rome, Opera Theologicae Societatis Scientificae Ucrainorum, 1964, p. vii-xxvi.

9. TRETJAKEWITSCH, *Bishop Michel d'Herbigny*, p. 57.

La lettre suivante, envoyée d'Angleterre près de deux ans plus tard (mais après la rencontre entre Gillet et Cheptytsky à Rome) contient une curieuse allusion : Cheptytsky aurait exprimé l'espoir que les ecclésiastiques anglicans mariés souhaitant devenir catholiques puissent être reçus dans sa juridiction et travailler en terre slave pour y exercer un ministère autrement inaccessible. Inutile de dire que rien est devenu de cette idée, bien que Gillet prétende que *plusieurs anciens clergymen que le mariage empêche de devenir prêtres de rit romain saisiraient avec joie une telle occasion* (90 v).

La quatrième lettre, écrite en juin 1924, indique que Gillet est désireux de s'attacher à l'apostolat slave de Cheptytsky, car son monastère s'apprête à accueillir un nouvel abbé bénédictin, moins porté vers le catholicisme oriental, qui pourrait faire obstacle aux espoirs de Gillet de travailler en Orient. (Cela ne se produira pas.) Gillet supplie : *Laissez-moi venir auprès de vous à Uniow* [Ouniv] *ou à Léopol* (93 r) et manifeste sa dévotion envers Cheptytsky par des phrases comme *Excellence : je me remets entièrement entre vos mains* (*ibid.*) et *tuus sum ego* (93 v). Fait révélateur cependant, il proteste : *je ne viendrai certes pas avec des prétentions orgueilleuses avec la pensée de réformer l'Orient slave ou de lui apporter des lumières, mais seulement avec l'humble désir de l'aimer et de le servir*, ajoutant qu'il sera aussi heureux de faire un travail manuel qu'intellectuel (93 r). Nous verrons ci-après que ces sentiments prendront forme dans quelques brèves années.

Les quatre lettres suivantes montrent que c'est Cheptytsky qui finance le voyage de Gillet en Galicie (assez généreusement, pourrait-on ajouter, car Gillet dit avoir reçu beaucoup plus d'argent que nécessaire) (98 r), et que Lambert Beauduin et les bénédictins de la future communauté de Chevetogne sont très excités à l'idée du départ de Gillet pour l'Ukraine (101 r et 105 r)[10]. On se souviendra qu'à l'époque, Cheptytsky et Beauduin collaborent activement à un apostolat oriental afin de créer une sorte de confédération bénédictino-studite.

Une autre lettre montre que d'Herbigny lui-même s'intéresse à Gillet, à qui il écrit de Velehrad pour l'informer des événements du

---

10. L'étude la plus récente (et la plus exhaustive) sur Beauduin est celle de Raymond LOONBEEK et Jacques MORTIAU, *Un pionnier, dom Lambert Beauduin (1873-1960) : Liturgie et unité des chrétiens*, 2 vols., Louvain-la-Neuve, Éditions de Chevetogne, 2001. Voir pp. 349-360 pour un bref exposé de la collaboration précoce entre Cheptytsky et Beauduin.

dernier Congrès unioniste (*ibid.*). Curieusement, la relation entre Gillet et d'Herbigny, qui s'aigrira très bientôt comme on le sait, n'est pas mentionnée dans l'étude magistrale de Léon Tretjakewitsch sur ce jésuite de la Curie romaine[11].

Après le premier séjour en Galicie (juillet 1925 - juillet 1926)

Les neuf mois que Gillet passe en Galicie, notamment à Ouniv, le transforment à plusieurs égards. Premièrement, il est clair qu'il gagne la confiance totale de Cheptytsky, qui fait de lui l'un de ses secrétaires chargés de la correspondance avec l'étranger, puis lui confie un rôle de liaison avec des figures clés de l'Occident; il devient donc une sorte d'envoyé spécial. Cheptytsky demande même à Gillet de lui rédiger des ébauches d'articles savants qui par la suite seront publiés sous le nom de Cheptytsky. Deuxièmement, il tombe amoureux de la pauvreté évangélique des studites, un sentiment qui scellera en partie sa destinée. Troisièmement, il devient conscient du besoin d'éviter toute action pouvant être interprétée par les orthodoxes comme étant du prosélytisme. Et quatrièmement, il devient plus sensible aux différences entre Ukrainiens et Russes; autrement dit, il commence à comprendre que l'ancien Empire russe regroupait de nombreuses nationalités *distinctes*.

Quant à son rôle d'envoyé spécial, dès son retour en France, Gillet relate par écrit à Cheptytsky ses efforts pour trouver un site approprié et des candidats pour un monastère studite en Europe occidentale (109-110). Nous verrons que c'est là une passion qui absorbe tant Gillet que Cheptytsky, mais qui ne se concrétisera jamais, principalement en raison de l'opposition catholique romaine (et plus précisément vaticane).

Gillet accepte aussi un rôle d'intermédiaire auprès de personnalités politiques, surtout celles de l'émigration russe. La libération de l'exarque Léonide Féodorov étant une priorité pour Cheptytsky, Gillet relate ses conversations avec un haut fonctionnaire russe de la Société des Nations, un certain comte du Chayla, disposé à inclure Féodorov dans un échange de prisonniers (112 r). Comme nous le savons, Féodorov sera brièvement libéré par les Soviétiques en 1925, mais il sera arrêté de nouveau et ne quittera plus la Russie; il mourra

---

11. On y trouve uniquement deux annotations qui relient Gillet et d'Herbigny.

en exil à Viatka après plusieurs années d'incarcération dans le camp de Solovki, tristement notoire[12]. Néanmoins, une lettre ultérieure montre que Cheptytsky prend contact avec la relation de Gillet (115 v).

En passant, le comte du Chayla offre, en juillet 1925, d'aider des membres de l'exarchat russe de Cheptytsky en Occident à entrer en URSS – mais, comme le souligne Gillet, seulement à des fins de rapprochement avec les personnalités ecclésiastiques orthodoxes, et non pour y faire du prosélytisme (111 v et 112 r).

Mais le fait le plus révélateur de ce travail de liaison est la confiance dont jouit Gillet auprès de Michel d'Herbigny pendant cette brève période en 1925. À l'été, Gillet se rend à Rome ; à la congrégation orientale, d'Herbigny le met au courant de la question de l'exarchat catholique russe, des studites de Cheptytsky, du statut politique de la Galicie orientale, des problèmes de nationalités et de langues dans l'ancien empire tsariste, du débat sur le célibat et du nouveau concordat polonais avec Rome (115 r). Gillet en communique quelques détails par écrit à Cheptytsky, notamment le fait que d'Herbigny et d'autres à Rome croient que les séminaristes de Lviv ont eux aussi fait la grève pour protester contre le célibat obligatoire (115 v), et que d'Herbigny est impressionné par l'approche modérée de Cheptytsky sur cette question, qu'il juge préférable à la position rigide adoptée par l'évêque Homychine de Stanislaviv (*ibid.*).

En ce qui concerne son rôle d'intermédiaire de projets spéciaux, au milieu de l'année 1926 Gillet transmet à Cheptytsky des renseignements sur un projet du Vatican, qui veut transférer les moines d'Amay en Bulgarie (126 r), et lui fait part de son opinion sur l'opportunité de créer une maison commune de bénédictins et de studites, non pas en Europe occidentale, mais en Estonie, une région proche de la frontière russe, encore assez perméable à l'époque. Comme l'écrit Gillet, *les jours de fête, les Russes de Russie soviétique passent librement la frontière pour venir assister aux offices religieux en Esthonie [sic]* (126 v). À propos de la pauvreté évangélique et, dans l'ensemble, de son goût pour la vie studite, dans sa toute première lettre après son retour d'Ouniv, en juillet 1925, Gillet se plaint de

---

12. L'étude la plus récente et aussi la plus fiable sur Féodorov est celle d'Алексей Юдин, *Леонид Феодоров*, Moscou, *Христианская Россия*, 2002.

l'aisance des monastères bénédictins et ajoute : *Oh! mes studites, mes frères studites! je ne trouve pas de vie aussi évangélique que leur vie, je ne trouve rien en Occident qui approche de leur* смиренный [*sic*] любовь [leur humble amour] (110 v). Une semaine plus tard, il écrit : *Me retrouvant dans un monastère bénédictin, je sens très vivement la situation de cette atmosphère bénédictine : paix, harmonie, beauté. Mais tout me semble trop « stylisé ». À Uniov, c'est l'Évangile. Les studites ont vraiment choisi la meilleure part : je ne crois pas qu'ils aient beaucoup de choses à emprunter aux bénédictins* (113 v).

Dans la même lettre, il parle de son désir de partager la vie des réfugiés russes en faisant des travaux manuels (114 v). C'est la première allusion à un tel espoir, qui finira par se réaliser.

Un mois plus tard, dans la lettre suivante, il s'épanche sur l'affection et l'admiration profonde qu'il ressent depuis son séjour en Galicie pour les *prosti lioudi* (petites gens). *Je ne peux pas me rappeler sans émotion la population laïque d'Uniov [Ouniv], qui sait si bien prier. Comme ce peuple est bon!* (118 r). C'est dans cette lettre qu'il résume pour Cheptytsky ses préférences pour *i)* la vie monastique plutôt qu'une œuvre de promotion du catholicisme oriental, *ii)* les studites plutôt que les bénédictins et *iii)* le peuple plutôt que les intellectuels (117 v).

Quant aux leçons évidentes qu'il a apprises de Cheptytsky dans le domaine de l'ecclésiologie et du proto-œcuménisme, notons que dans la première lettre qui suit son retour en France, Gillet place entre guillemets le mot « réunir » en rapport avec le rapprochement des orthodoxes et des catholiques, ce qui laisse entendre qu'une certaine unité existe déjà (110 r). Plus tard, il informera même Cheptytsky que l'un des proches de ce dernier, le cardinal Mercier, a conseillé au baron Taube, un ancien parlementaire russe manifestant le souhait de se convertir, de rester orthodoxe (127 r).

La situation compliquée du catholicisme oriental face à l'Église orthodoxe transparaît dans la même lettre, où Gillet relate sa conversation avec le prêtre orthodoxe Pierre Isvolsky, recteur de l'église russe de Bruxelles et ancien procureur du synode de Saint-Pétersbourg (ayant lui-même de fortes sympathies catholiques). Selon Isvolsky, il est de beaucoup préférable pour un orthodoxe de fréquenter une église latine plutôt qu'une église catholique orientale pour éviter tout risque de confusion (127 v).

Cette conversation avec Isvolsky met cependant en lumière un engagement commun en faveur de la réunification des Églises plutôt que des conversions individuelles, ce à quoi Cheptytsky s'engagera plus tard par écrit, en paraphrasant presque Isvolsky, qui déclare que chaque conversion d'un orthodoxe au catholicisme en empêche dix autres (*ibid.*).

Pour en venir à la question des nationalités, après son séjour en Galicie, Gillet se plaint à Cheptytsky de l'indifférence dont fait preuve l'Occident à l'égard des réalités ukrainiennes : *Ces jeunes gens* [qui étudient en Europe occidentale pour se préparer à une mission religieuse en pays slave] *s'obstinent à nier l'Ukraine ; ils n'ont aucune notion de l'histoire ou de la littérature ukrainiennes. J'ai de plus en plus l'impression que Rome ne voit que par les yeux des émigrés russes et ignore, elle aussi, tout de l'Ukraine. J'ai même eu la preuve qu'à Rome on entretient dans une sorte de défiance envers l'Ukraine les jeunes clercs qui s'intéressent aux choses russes. Je crois, comme Votre Excellence, qu'il faudra s'appliquer à donner aux jeunes un égal intérêt, un égal respect, un égal amour pour toutes les nationalités de l'ancien empire russe* (117 r). Il parle ensuite dans les mêmes termes d'un membre de la Curie vaticane nommé Strotmann : *Encore un qui ne voit la Russie* [l'ancien Empire russe] *qu'à travers Moscou* (117 v).

Pendant et après le deuxième séjour en Galicie (septembre 1926 à février 1927)

En septembre 1926, Gillet est de retour à Lviv. De là il écrit une lettre à Cheptytsky, qui voyage hors de Galicie. Cette toute première communication qui suit son retour indique qu'il est maintenant conscient de la propension de Michel d'Herbigny au mensonge. Certains indices donnent à penser que c'est Clément Cheptytsky, frère du métropolite et higoumène d'Ouniv, qui l'a informé des problèmes entourant les procédés du jésuite. Il se plaint à Cheptytsky que tout ce qu'écrit d'Herbigny est « décevant » (130 r).

En six mois, son irritation par rapport à d'Herbigny deviendra l'un des grands thèmes de la correspondance, alors que le puissant membre de la Curie vaticane exerce un contrôle qui se veut absolu sur les relations catholiques avec les émigrés russes et les Églises d'URSS, tant catholiques qu'orthodoxes. Son approche conduit entre autres à la marginalisation de l'exarchat catholique russe de Cheptytsky, que d'Herbigny juge illicite. Gillet écrit à Cheptytsky qu'aux dires du père Vladimir Abrikosov, l'un des premiers prêtres de l'Exarchat, d'Herbigny *a tout fait pour ruiner votre œuvre.* Abrikosov lui aurait suggéré que les amis de l'Exarchat se resserrent autour de Cheptytsky et poursuivent leur travail en silence.

On se souviendra aussi qu'en 1925, d'Herbigny a essayé d'exploiter les faiblesses de la juridiction du patriarche Tikhon et d'aider les « rénovateurs » de l'Église vivante, geste qui a provoqué la colère de nombreux observateurs de l'Union soviétique[13]. L'impudence de Mgr d'Herbigny, son exclusivisme sotériologique, et donc son dédain envers les orthodoxes, le rendent également impopulaire auprès des « collaborateurs orientaux » de Cheptytsky, sans parler d'autres sphères[14].

De cette deuxième période post-galicienne, il nous reste un long rapport de Gillet à Cheptytsky sur ses conversations avec le baron Constantin Wrangel (à ne pas confondre avec le général monarchiste Piotr Wrangel, bien que les deux aient été antisoviétiques). Fait étonnant, Constantin Wrangel, un émigré russe orthodoxe, a trouvé un emploi à l'Institut oriental pontifical à Rome, où pendant quelques années il travaillera pour d'Herbigny. Avec le temps, il deviendra un important intermédiaire entre, d'une part, les personnalités politiques et les dirigeants orthodoxes émigrés, et de l'autre, les catholiques s'intéressant aux affaires émigrées et soviétiques (ecclésiastiques et séculières).

En janvier 1927, Wrangel informe Cheptytsky, par l'entremise de Gillet, que dans les cercles d'émigrés la guerre est jugée imminente (143 r). Aux dires de Wrangel, un gouvernement monarchiste victorieux dans l'ancienne URSS voudrait assurer la liberté du catholicisme, mais n'admettrait pas les politiques prosélytisantes de Rome, c'est-à-dire l'approche de Michel d'Herbigny. À cela on préférerait l'exarchat de Cheptytsky (143 v et 144 r). Ceci explique en partie la persistance des espoirs de Cheptytsky pour un apostolat oriental.

Le rapport de Gillet nous renseigne aussi sur la conception que se font les monarchistes du sort de l'Ukraine après le soviétisme. Comme on s'y serait attendu, le modèle proposé est celui d'un Hetmanat dépendant du tsar (143 v). Quoi qu'il en soit, Wrangel demande à Gillet de prier Cheptytsky de l'aider à nouer de nouvelles relations entre les monarchistes russes et les partis politiques de Galicie orientale (c'est-à-dire ukrainiens) (144 r).

---

13. Voir TRETJAKEWITSCH, *Bishop Michel d'Herbigny,* p. 141.
14. *Ibid.*, p. 67-88.

Durant la période qui suit le deuxième séjour de Gillet en Galicie, les efforts pour créer un monastère studite en Europe occidentale s'intensifient. Au début, Gillet – à l'inspiration de Cheptytsky – propose de fonder un monastère près de Nimègue (Nijmegen), en Hollande, et un autre en France, et fait état des efforts de David Balfour, un bénédictin rattaché à Amay, pour repérer au nom de Cheptytsky des terrains où édifier une fondation bénédictino-studite en Palestine (139 r et v). Bien entendu, aucun de ces plans n'aboutira, mais le lien de Cheptytsky avec Balfour est important, car ce dernier est lui-même connu dans les cercles vaticanais et se convertira à l'orthodoxie en 1932[15]. Comme nous le verrons, de telles « défections » ont porté ombrage à Cheptytsky dans certains cercles catholiques.

Au début de 1927, Gillet écrit à Cheptytsky au sujet de l'idée d'un monastère en France que l'évêque auxiliaire de Paris, Emmanuel Chaptal, attend avec impatience que le métropolite établisse une maison studite près de la ville (138 v). Les objections de d'Herbigny ont donc probablement joué le plus grand rôle dans l'échec de tels projets. Quoi qu'il en soit, à la fin du mois, Clément Cheptytsky écrit à Gillet pour lui laisser savoir que tous les plans de création de fondations studites en Occident devront attendre une année de plus (141 r). Gillet est profondément déçu, car il veut faire de tels monastères des vestiges vivants de l'Exarchat, où les moines se prépareront à travailler dans l'ancienne URSS.

Cette période est marquée par un autre événement : le ministère de Gillet auprès des réfugiés ukrainiens, et non plus seulement russes. Peu après son retour de Galicie, Gillet avise Cheptytsky que les autorités catholiques romaines de Paris veulent qu'un prêtre ruthène soit affecté à leur territoire (138 r et v). Plus tard, Gillet fait parvenir à son correspondant ses estimations du nombre de Ruthènes en France. Il croit qu'ils sont probablement 75 000 dans le nord du pays et 20 000 dans le sud (152 r). Bien entendu, ces chiffres sont extrapolés des recensements gouvernementaux de l'émigration polonaise, la seule catégorie qui comprenne les Galiciens (*ibid.*).

Gillet écrit que les Ruthènes sont divisés entre ceux qui fréquentent les églises orthodoxes russes et les fidèles des églises catholiques

---

15. Voir LOONBEEK et MORTIAU, *Un pionnier, dom Lambert Beauduin*, p. 1109-1115.

romaines polonaises. Il signale que certains Ruthènes catholiques ont demandé un lieu de culte à l'archevêque de Paris, mais n'ont pas poursuivi leurs efforts en ce sens (138 r et v).

Quoi qu'il en soit, Gillet s'occupe des réfugiés ukrainiens catholiques, liturgiquement et autrement, dans l'espoir de préparer le terrain à son éventuel successeur ukrainien. Curieusement toutefois, dans la même lettre il demande à Cheptytsky si ce dernier veut vraiment qu'il continue à se *mêler des affaires ukrainiennes* (140 r).

Enfin, cette série de lettres est fascinante en raison de la description que fait Gillet du climat théologique à l'Institut de théologie orthodoxe Saint-Serge, où il s'installera moins de deux ans plus tard :

> Leur orthodoxie est très différente de la vieille orthodoxie des 7 premiers conciles. Elle est surtout lyrique, émotionnelle, teintée de protestantisme, de théosophie et de slavophilisme. Dostoïevskyi est la loi et les prophètes. Boulgakof rejette ouvertement la norme des conciles, disant que c'est encore là une norme extérieure, objective, « latine », et que seul le témoignage du Saint-Esprit dans le cœur des fidèles leur indique où est l'Église (147 v).

Dans le paragraphe suivant, Gillet professe son admiration pour l'importance accordée à la liturgie et à la confession fréquente à Saint-Serge, mais son évaluation plutôt critique explique en partie pourquoi, durant cette période, Cheptytsky et d'autres ramènent parfois les différences entre l'orthodoxie et le catholicisme à une question d'influence protestante.

Après le troisième séjour en Galicie (mai 1927 à décembre 1927)

L'année 1927 est une année pivot dans la vie de Gillet. Il en passe la plus grande partie à Nice, où il s'occupe des réfugiés russes d'une communauté qui, à la fin de l'année, aura fermé après la conversion spectaculaire de son pasteur, le père Alexandre Deubner, à l'orthodoxie. Formé à Rome, fils de l'un des premiers prêtres de l'exarchat russe de Cheptytsky, Deubner fait figure de symbole[16]. Le coup de théâtre que sera son départ touchera profondément Gillet et alimentera sa désillusion envers l'Église catholique (voir plus loin).

---

16. Pour plus de détails à son sujet, voir TRETJAKEWITSCH, *Bishop Michel d'Herbigny*, p. 162, 239, 275-276.

Pendant une partie de l'année, Gillet préconise encore l'achat d'un terrain où établir un monastère studite en Occident, mais en septembre, Cheptytsky l'avise qu'en raison des inondations dans les Carpates, les ressources prévues devront être acheminées vers l'aide humanitaire (180 r). Gillet se résigne, et le projet de fondation en Europe occidentale recule à l'arrière-plan.

Gillet réoriente aussi ses activités personnelles en 1927. Comme il l'a mentionné à Cheptytsky, il préfère travailler auprès des *prosti lioudi* que de fréquenter les intellectuels ; la correspondance mentionne donc à quelques reprises des discussions avec Wrangel et d'Herbigny, mais elle porte principalement sur l'action de Gillet au nom des réfugiés qui vivent dans le dénuement à Nice.

La communauté où travaille Gillet a été établie sous les auspices du diocèse catholique romain local ; un évêque émérite très en vue de l'ordre des bénédictins, Gérard van Caloen[17], s'y est installé pour prendre la direction de cet organisme de charité, qui coordonne notamment l'assistance de la Croix-Rouge, les secours catholiques et même quelques secours orthodoxes. La communauté niçoise possède aussi une petite chapelle catholique russe, qui périclitait jusqu'à ce que le père Deubner y soit nommé pasteur à l'été 1927. Comme on peut le deviner, sa reviviscence sera de courte durée : la chapelle fermera après la conversion de Deubner.

Avant de nous tourner vers l'affaire Deubner, soulignons qu'en 1927, Gillet adopte sans réserve la pauvreté évangélique prêchée et pratiquée par Cheptytsky depuis tant d'années. Il héberge une famille de réfugiés dans le logement étroit qui lui est fourni, ce qui l'oblige à coucher dehors l'été ou dans un coin de la cuisine lorsque les nuits sont froides. Il écrit qu'il mène une vie encore plus austère qu'à Ouniv [Univ] (172 r). Cheptytsky reçoit de Gillet de longues descriptions des souffrances des réfugiés : prostitution masculine, toxicomanie, dislocation des familles...

Dans ce contexte, il est bon de mentionner que Gillet signale à Cheptytsky que certains orthodoxes, mécontents du conflit de juridictions entre les métropolites Euloge Guéorguievski et Antoine Khrapovitsky, sont attirés par le catholicisme. Mais c'est aussi la période où les orthodoxes en France – surtout en raison du prosélytisme

---

17. Pour une biographie, voir C. Papeians de Morchoven, *L'abbaye de Saint-André-Zevenkerken : Un projet audacieux de Dom Gérard van Caloen*, Zevenkerken, 1998.

des alliés de d'Herbigny – commencent à douter de la sincérité des efforts exercés en leur nom.

La correspondance fait le point sur la situation entre les deux camps orthodoxes. En passant, Cheptytsky semble avoir voulu éviter de prendre parti dans la bataille entre les partisans d'Euloge et ceux de l'évêque du synode de Karlovtsi : Gillet écrit qu'après avoir assisté à un service à la cathédrale d'Euloge, il n'a pas salué le métropolite pour que personne ne doute de la neutralité de Cheptytsky (147 r). Nous savons pourtant que Khrapovitsky deviendra ennemi de Cheptytsky, surtout après la guerre, mais qu'Euloge continuera à le respecter. En 1925, Cheptytsky a même été reçu avec tous les honneurs épiscopaux à la cathédrale d'Euloge à Paris ; l'événement est mentionné dans l'article nécrologique écrit par Gillet sur le « Kyr André » et a sans doute beaucoup fait sourciller dans les cercles catholiques[18]. Il convient de citer ici un passage de la lettre écrite par Gillet le 17 juillet 1927, où il transmet à Cheptytsky un commentaire fait par Euloge à une admiratrice du métropolite, la grande-duchesse Maria Pavlovna. En entendant les louanges chaleureuses de celle-ci, Euloge ajoute :

> Eh bien, ce que vous m'avez décrit, je l'ai éprouvé moi-même en parlant avec le Métropolite André. J'ai eu tout d'un coup une grande émotion intérieure, et j'ai senti chez cet homme tant de sincérité, tant d'amour pour notre peuple russe, que j'ai la conviction que Dieu veut se servir de lui comme d'une force pour agir dans l'histoire de notre peuple (173 v).

Pour en revenir à l'affaire Deubner, le plus révélateur dans la communication de Gillet à Cheptytsky concernant ce dernier est sans doute l'éclairage qu'elle jette sur « l'ecclésiologie opérative » de certains membres de l'Exarchat. En juillet 1927, Gillet rapporte certains éléments de ses conversations avec Deubner, qui vient d'être affecté à Nice :

> Je ne crois pas trop dire en avançant que Nice est maintenant l'un des points où l'œuvre religieuse pour les Russes va le mieux, et, certainement, c'est le seul point où, en tout, on travaille dans le sens de l'Exarchat et de l'orthodoxie-catholique, – remarquez que nous ne disons pas dans le sens du catholicisme de rit byzantino-russe,

---

18. Testis [Gillet], « Metropolitan Andrew Sheptitsky », *Eastern Churches Quarterly* 5 (1944), p. 345.

car, pour nous, l'orthodoxie catholique russe est quelque chose d'autre, de spécifique – nous ne sommes pas des catholiques qui pratiquons le rit oriental, – nous sommes des orthodoxes, admettant toute la tradition orthodoxe russe (et ses saints), en communion avec la chrétienté occidentale et son patriarche, – c'est le point de vue Fédorof-Abrikosof, – et remarquez aussi que nous ne nous disons pas католическый [*sic*], mais каѲолическый [*sic*][19]. Deubner met un abîme dans ce Ѳ (171 v)!!!

Gillet ajoute : *Je crains parfois que l'universalisme chrétien ne perde un peu dans cette conception d'une orthodoxie-catholique russe que, par ailleurs, on associe étroitement (au moins dans le cœur, sinon en chaire) avec le nationalisme moscovite et la dynastie impériale (le « tsar christophile ») (ibid.).*

Comme nous l'avons indiqué, à l'automne 1927, le père Alexandre Deubner, qui selon Gillet s'est toujours jugé victime de discrimination de la part des catholiques latins et qui, à Nice, subit les allégations d'inconvenance d'une certaine Mademoiselle Vadot (que Gillet considère comme étant « sadique » et « démoniaque » [192 r]), quitte la paroisse de Nice et se convertit à l'orthodoxie, laissant derrière lui aigreur et dévastation. Gillet mentionne que l'évêque de rite romain de Nice, dont la mentalité est semblable à celle de l'évêque Homychine, est trop heureux de pouvoir liquider la communauté (*ibid.*).

Ayant de plus en plus de doutes quant aux vrais motifs derrières l'action sociale niçoise dans laquelle il s'était engagé, en décembre 1927 Gillet se sent contrait d'effectuer un quatrième et de fait dernier séjour en Galicie. Mais deux jours avant son départ, il est convoqué par la police, qui lui fait subir un long interrogatoire où il est accusé d'espionnage pro-soviétique. La police française détient des informations selon lesquelles il serait en relation directe avec Trotski et Zinoviev (196 v). Heureusement, Gillet parvient à convaincre la police qu'il est victime des machinations de la femme dérangée qui a déjà menacé Deubner, et il est dûment remis en liberté.

---

19. Dans les deux cas, Gillet utilise incorrectement les lettres « ы » au lieu de « и ».

Après le quatrième séjour en Galicie (31 décembre 1927 – 4 avril 1929)

Les lettres de Gillet écrites entre le 31 décembre 1927 et la fin février 1928, à son retour d'un séjour de deux semaines en Galicie en décembre 1927, ne donnent presque aucune indication de la tourmente qui s'annonce. Il parle du biais en faveur de la Grande Russie chez les moines de Chevetogne, de leur volonté de croire aux mythes slavophiles (199 v) et de leur absence de conscience sociale (207 r et v) ; il discute d'une offre de Beauduin, prêt à contribuer à l'achat d'une maison studite au Luxembourg (199 v) ; et il mentionne qu'il espère que Deubner retournera dans le giron de l'Église catholique (205 r). On trouve un seul présage de ce qui s'en vient, dans la remarque suivante : *tout ce qui s'est fait du côté catholique pour les Russes depuis quatre ou cinq ans a à peu près échoué* (201 r), une allusion à la débâcle de Nice et aux situations où l'on a appliqué des tactiques inspirées par d'Herbigny.

Par ironie, au moment exact où d'Herbigny, à l'insu de Gillet, orchestre la liquidation de l'exarchat de Cheptytsky, nous relevons les mots suivants dans une lettre du 28 janvier :

> Il faut que le Vladyko [c.à.d. Cheptytsky] se rende bien compte de son nom, – le nom de Sheptytsky – est actuellement celui qui exerce le plus de prestige sur les Russes. Ils attendent du Métropolite quelque chose, sans savoir exactement quoi. Ce qui est certain, c'est que la politique de Mgr d'Herbigny, des jésuites, a échoué, ne représente plus rien pour les Russes... Chose curieuse, loin de mépriser la Galicie comme une terre d'uniates, beaucoup de Russes la considèrent comme le foyer de l'essence russe et des traditions russes, même des traditions religieuses (208 r).

L'estime de Gillet pour la Galicie est résumée dans le paragraphe précédent, où il s'exclame : *Je désire tellement voir Son Excellence bientôt ! J'ai une telle crainte de devenir étranger à la Galicie ! Tant de choses que je voudrais savoir sur les studites – ce que devient le [nouveau] monastère de Lwow, etc. (ibid.)*

Pour en revenir au prestige de Cheptytsky, dans une lettre antérieure Gillet a ajouté un post-scriptum : *Vraiment V. Exc. ne se rend pas compte de sa popularité immense en Hollande. [...] Si vous paraissiez en Hollande, vous obtiendriez tout ce que vous voudriez (202 r). Il ne fait aucun doute que cette dernière phrase fait allusion aux emplacements possibles d'un monastère.*

Durant cette période, Gillet parle de ses espoirs de créer une colonie agricole pour les réfugiés en France et décrit longuement sa nouvelle conviction, selon laquelle il faut susciter une réceptivité chez les émigrés avant de créer des institutions pour eux (205 r et v).

Le 23 février, Cheptytsky envoie une note à Gillet, conservée dans le dossier de béatification, où il l'informe que la *Commissio pro Russia* du Vatican, c'est-à-dire l'organisme de d'Herbigny, lui rappelle – « dans une lettre presque brutale » – qu'il n'a aucune juridiction en Russie ni en Europe, et qu'il doit remettre définitivement tout projet de voyage en Europe occidentale, où Cheptytsky espère visiter les membres de son exarchat. Cheptytsky demande à Gillet s'il sait quelles personnes ou quelles organisations ont pu être à l'origine de cette interdiction. Dans la dernière phrase, il demande : « N'est-ce pas un écho de l'affaire Deubner[20] ? » La nouvelle est si troublante qu'il faut plus d'une semaine à Gillet pour répondre. Sa lettre du 3 mars représente un point tournant dans sa vie (210 r-211 v). Pour commencer, il mentionne l'encyclique du 8 janvier, *Mortalium animos*, et comme nous le savons d'autres sources[21], la condamnation papale de l'œcuménisme l'a plongé dans une profonde dépression. Gillet tente de convaincre Cheptytsky qu'il doit protester contre les limites imposées à son autorité et rallier les membres de l'Exarchat, même s'il faut pour cela se rencontrer à Monaco, où les exigences relatives aux passeports sont souples (210 v).

Cette lettre contient aussi de l'information qui aide à mieux comprendre les soupçons qui commencent à peser, dans certains cercles, à l'endroit des allégeances catholiques de Cheptytsky. Gillet écrit : *je dois dire que le père Alexandre* [Deubner], *qui parle quelquefois inconsidérément, a parfois insinué, devant des orthodoxes, que vous souffriez profondément d'être paralysé par l'autorité catholique et que vous finirez peut-être bien, si l'on vous poussait à bout, par vous joindre à l'Église orthodoxe* (ibid.).

Se rendant compte que Rome n'autorisera pas Cheptytsky à s'engager dans des œuvres spécifiquement ecclésiastiques en

---

20. *Postulatio Causae Beatificationis et Canonisationis Servi Dei Andreae Szeptycky, Archiepiscopi Leopoliensis Ukrainorum* [sic] *Metropolitae Halyciensis*, vol. 2, *Variae Epistoale et Relationes*, Rome, 1965, p. 59 recto.

21. É. Behr-Sigel, *Un moine de l'Église d'Orient : Le père Lev Gillet*, Paris, Cerf, 1993, p. 142.

Occident, Gillet s'emploie à proposer plusieurs possibilités moins canoniques de nature. Il suggère d'abord d'éviter de créer de nouvelles œuvres « confessionnelles » et de se contenter d'appuyer celles déjà fondées par les orthodoxes (213 r). Sans le dire, il propose donc l'approche employée par de nombreux anglicans. Il envisage ensuite la possibilité de créer un centre d'art sacré qui réunirait les iconographes galiciens de l'école de Boïtchouk, soutenus par Cheptytsky, et les iconographes orthodoxes de Paris (214 v).

Mais avec chaque semaine qui passe, il devient évident que Gillet a décidé de se consacrer aux personnes – au sens le plus individuel du terme – plutôt qu'aux œuvres. Il adresse une longue lettre à Cheptytsky lui demandant s'il peut se dévouer à une seule famille, et en particulier au mari de la famille, pris au piège de l'immoralité et de la souffrance. Il croit que de partager la vie de ces indigents est la voie la plus sûre pour trouver le Christ. Il écrit :

> Le batiouchka[22] est payé pour prêcher et célébrer et il ne mène pas la vie de ses fidèles, et voilà pourquoi son influence risque presque toujours d'être superficielle. Si l'on veut agir sur l'ouvrier russe, il faut vivre sa vie toutes les minutes, travailler manuellement avec lui, et, si l'on donne, donner non avec l'argent superflu, mais avec l'argent qu'on gagne à la sueur de son front et dont on a soi-même besoin pour vivre (223 r).

Par ironie, cet engagement à personnaliser son ministère s'accroît en parallèle avec son mécontentement envers le catholicisme. Le 2 avril, il écrit qu'il ne croit plus nécessaire de demeurer catholique (227 r). Avant que Cheptytsky ne lui suggère que les événements récents ont faussé ses perceptions, il déclare qu'ils n'ont fait qu'éclaircir une réalité qu'il nie depuis trop longtemps. Selon Gillet, les événements récents manifestent la tragédie du catholicisme orthodoxe, de l'histoire de la Galicie et de la propre vie de Cheptytsky (227 v). Il soutient ensuite que Rome est devenue impériale et juridique, et que l'orthodoxie est *plus proche de la tradition et de l'esprit chrétien primitifs* (228 v). En réponse à de présumées objections quant à la dégénérescence de l'orthodoxie russe, il affirme que la révolution a créé une situation nouvelle où les prêtres et les diacres, forcés à se faire ouvriers ou chauffeurs de taxis, se sont purifiés (*ibid.*).

---

22. Diminutif russe du mot « père », il est utilisé pour désigner les prêtres. Dans certains contextes, comme celui-ci, il peut avoir une connotation péjorative.

À cet égard, il est important de souligner une évolution de son attitude. Deux ans auparavant, il pouvait écrire à Cheptytsky que la plupart des Russes qu'il voyait, orthodoxes ou catholiques, lui semblaient *ou des aventuriers ou des fanatiques et des anormaux* (125 v). À peine quelques mois plus tôt, en parlant de la réaction d'un prêtre catholique russe respecté à la conversion de Deubner, il déclare que ce prêtre ne comprend pas que Deubner ait pu entrer dans une Église *de tchinovniks*[23] *et de « popes grossiers »* (204 v).

Après avoir énuméré les raisons théologiques et spirituelles pour lesquelles il croit devoir se convertir à l'orthodoxie, Gillet aborde la question de ses liens personnels avec Cheptytsky et soutient que c'est sa trahison perçue du métropolite qui lui causera le plus de douleur. *Vous et le Père Higoumène* (Clément Cheptytsky), *je vous considère comme des saints. Vous m'avez traité avec une bonté sans mesure... [mais] je sens que j'ai le devoir de ne pas laisser intervenir dans un débat de conscience des considérations purement personnelles* (229 r).

Il conclut en disant qu'il sait que Cheptytsky ne pourra pas lui pardonner ce que le métropolite considère comme des erreurs doctrinales, mais qu'il espère qu'il lui pardonnera la douleur qu'il lui cause. Il demande ensuite la permission d'obéir à sa conscience et de rester en relation avec Cheptytsky, peu importe la suite des événements. Enfin, il promet de toujours commémorer Cheptytsky dans la liturgie (229 v-230 r).

D'après une lettre ultérieure, il semble que Cheptytsky lui ait répondu avec gentillesse, mais aussi que Gillet n'est pas encore devenu orthodoxe. Il écrit même : *Grâce à Dieu, le pas que vous pouviez craindre n'a pas été fait* et ne sera pas fait. *La crise semble surmontée* (234 v).

Curieusement donc, le 26 mai, Cheptytsky envoie à Gillet une lettre lui ordonnant de cesser son travail parmi les réfugiés russes et de se consacrer pendant toute une année à une vie d'étude et de contemplation, soit dans l'un des monastères de Galicie, soit dans un monastère contemplatif en Occident. Il écrit qu'il ne faut d'aucune manière permettre aux ennemis de l'Église de se servir des noms de Gillet et de Cheptytsky pour détruire l'œuvre de l'Union, à laquelle tous les deux sont prêts à sacrifier leur vie[24]. Cheptytsky

---

23. Fonctionnaires.
24. *Postulatio Causae Beatificationis et Canonisationis Servi Dei Andreae Szeptycky,* p. 60 verso.

aurait donc appris d'une autre source que Gillet prévoit malgré tout entrer en communion avec l'Église orthodoxe.

Gillet envoie une réponse le 5 juin, le jour même où il reçoit la lettre de Cheptytsky datée du 26 mai. La réponse de Gillet renferme plusieurs détails importants. Premièrement, Gillet écrit qu'à deux reprises récemment, des représentants « semi-officiels » de l'Église orthodoxe russe lui ont demandé si Cheptytsky n'envisagerait pas d'adhérer au patriarcat de Moscou. Gillet affirme : *J'ai répondu que, selon moi, vous ne quitteriez jamais l'Église romaine et que s'imaginer autre chose était entretenir une illusion* (238 r). Néanmoins, on peut comprendre pourquoi certains catholiques ont été enclins à dénoncer Cheptytsky à Rome pour ses « tendances schismatiques[25] ».

Gillet écrit ensuite : *Je ne me conçois pas prêtre et moine catholique romain ailleurs qu'en Galicie et sous votre égide* (238 r). Il avait espéré rentrer en Galicie, mais pas seulement pour un an comme Cheptytsky le lui avait suggéré.

Par la suite, il affirme n'avoir jamais vraiment surmonté ses doutes quant à son obédience à Rome. Il est heureux que dans une lettre récente (qui n'est *pas* dans le dossier de béatification), Cheptytsky lui écrive : *Ne tenez pas compte de moi. Cherchez avant tout la vérité et la grâce* (239 r). Mais comme l'indique Gillet, Cheptytsky lui a envoyé une deuxième lettre (absente elle aussi du dossier de béatification) où il invoque, en fin de compte, des facteurs personnels, accompagnée d'une missive de son frère Clément. D'après la réponse de Gillet, il est clair que la lettre de Clément l'a ému aux larmes, mais qu'elle contient néanmoins l'exigence que Gillet respecte ses vœux monastiques studites. Gillet répond : *Cet argument, l'opposeriez-vous à un moine orthodoxe qui se sentirait attiré par l'Église romaine ?* (*ibid.*)

Le métropolite aurait aussi affirmé que la conscience peut être trompeuse, ce à quoi Gillet répond en demandant si la conscience est fausse lorsqu'elle mène à un plus grand sacrifice (*ibid.*). Gillet fait bien sûr allusion au fait qu'en se convertissant, il renoncera à la maigre sécurité financière dont il jouit, sans parler de ses liens familiaux. En passant, il note qu'il ne peut plus désormais, en toute

---

25. Pour plus de détails sur ces dénonciations, voir P. GALADZA, *The Theology and Liturgical Work of Andrei Sheptytsky (1865-1944)*, Orientalia Christiana Analecta 272, Rome, 2004, p. 359-362.

conscience, accepter de l'argent des Cheptytsky, et qu'il a donné à une personne démunie les dix dollars que Clément lui a envoyés récemment (239 v).

Il conclut cette lettre en disant qu'il n'y a pas encore eu *communicatio in sacris*, que dans huit jours il écrira à Cheptytsky pour lui expliquer tout ce qu'il éprouve, et qu'il donnera alors sa réponse à son ordre de se retirer pendant un an dans un monastère pour y réfléchir (*ibid.*).

On présume que Gillet consacre ces huit jours à une forme de retraite. Trois semaines après ce temps de réflexion, c'est-à-dire le 15 juin, il écrit à Cheptytsky pour lui transmettre l'information suivante : il est retourné à Nice pour Pâques, où l'évêque orthodoxe Vladimir lui a dit que seule la question du Vatican sépare l'Orient de l'Occident, et que les orthodoxes sont libres d'accepter les énoncés de Ferrara-Florence concernant le *filioque* (241 r). Gillet ajoute qu'à Nice, même dans les cercles latins, il a clairement fait savoir qu'il n'a pas l'intention de suivre l'exemple de Deubner. Il écrit ensuite qu'il s'est senti poussé à étudier les questions ecclésiologiques qui le tourmentent et qu'il s'est tourné, du côté catholique, vers les ouvrages de Spačil, Batiffol et d'Herbigny, et du côté orthodoxe, vers Boulgakov et Kartachev (241 v).

Puis il expose ses conclusions en six points :

1) *On a le droit d'user de son jugement privé, comme l'indique d'ailleurs l'apologétique catholique, pour discerner où sont la révélation et l'Église.*

2) *La place actuelle de la papauté dans l'Église latine […] est un état de fait résultant du long effort historique accompli par la papauté pour obtenir une juridiction vraiment impériale sur la chrétienté.*

3) *L'Église catholique d'Orient continue en ligne droite l'« una, sancta, catholica » des Pères ; l'Église romaine s'y embranche, mais s'en écarte.*

4) *Les tentatives d'Union, Florence, Brest, ont été surtout des desseins politiques (Gillet cite le rôle des empereurs byzantins et des rois de Pologne).*

5) *Adhérer à l'Église russe n'est pas adhérer à une Église récente, mais à une des communautés ethniques [sic] qui constituent l'Église catholique ancienne.*

6) *L'orthodoxie n'est pas l'adhésion à la lettre morte des conciles œcuméniques, considérée comme un bloc cristallisé, mais la vie de*

la vérité dans la sobornost' *[conciliarité], par la charité, sous l'action du Saint-Esprit.*

Il en conclut : *Je n'ai plus le droit de me dire catholique romain* et *Je n'ai pas le droit de demander place dans un monastère studite actuel* (*ibid.*). Il affirme ensuite qu'il veut à tout prix éviter le scandale, et qu'il lui serait possible de ne pas ébruiter sa décision. Enfin, il souligne à quel point il regrette la douleur que la nouvelle causera à Cheptytsky et demande l'autorisation de rester en communication avec lui (*ibid.*).

Presque un an plus tard, en avril 1929, Gillet écrit sa dernière lettre à Cheptytsky pour l'informer qu'il se trouve en Angleterre en tant que membre de la délégation russe à une conférence anglicane-orthodoxe. Il semble que l'on ait rapporté à Cheptytsky que Gillet continue à parler de lui comme de « son évêque ». Gillet affirme : *Il faut vraiment être stupide ou mal intentionné pour interpréter l'expression « mon évêque » (que j'ai pu en effet employer, sans que je me rappelle au juste où et quand) dans le sens d'une approbation donnée par Vous à mon attitude actuelle. Je déclare donc bien haut, devant tous ceux que cela regarde à un titre quelconque, que je sais parfaitement que vous me désapprouvez et que j'agis contre votre volonté formelle* (231 r)[26]. Ceci devrait dissiper le mythe de la supposée bénédiction par Cheptytsky du geste de Gillet. Il explique ensuite qu'il parle parfois de Cheptytsky comme de son évêque parce qu'il se considère comme un prêtre de l'archéparchie de Lviv, mais en communion avec les orthodoxes, et que le lien qui unit un évêque et son ordinand subsiste toujours (231 v).

Dans cette lettre, nous apprenons que Cheptytsky a transmis à Gillet un ordre du Vatican qui exige que Gillet se présente à Rome pour y être interrogé (Cheptytsky appuie cet ordre). Gillet demande à Cheptytsky de lui épargner la douleur d'avoir à obéir. Il conclut : *Vous pouvez me frapper, m'excommunier, – et cependant, je sens que vous resterez toujours pour moi mon évêque, mon seul évêque* (232 r et v).

Dans une lettre à Ildefonse Dirks, en date du 23 décembre 1930, Clément Cheptytsky réfère à la rupture de Gillet avec l'Église catholique en ces termes : « N'avez-vous pas de nouvelles de

---

26. Les archivistes ont mal classé cette dernière lettre, lisant « 1928 » pour « 1929 ». C'est pourquoi elle porte un numéro de folio antérieur.

L. Gillet? Il me semble impossible qu'au fond de son cœur il ne regrette pas – mais est-ce que l'orgueil ne sera pas le grand empêchement pour lui faire rebrousser chemin[27]? » Compte tenu de son naturel humble, il est très difficile de concevoir que l'orgueil a motivé les actions de Gillet.

De toute façon, Gillet poursuit dans la voie qu'il a choisie en 1928, quoique son admiration pour Cheptytsky n'ait jamais diminué. En mars 1961, il témoigne à Rome au procès de béatification de Cheptytsky et, parmi ses chaleureuses marques d'appréciation, il souligne que son œuvre pastorale et sa constante disponibilité envers le peuple en fait l'image moderne des grands hiérarques du IVe siècle.

Lorsque nous réfléchissons aujourd'hui à l'héritage intellectuel et spirituel du métropolite Andrei Cheptytsky, il est important de souligner qu'en un sens, l'œuvre exceptionnelle de Lev Gillet, l'un de ses fils spirituels, en fait partie. Bien entendu, Gillet s'est ensuite engagé dans une voie que Cheptytsky réprouvait, mais à bien des égards, c'est là le fruit de *Mortalium animos* et de la politique vaticane plus que des gestes posés par Cheptytsky; et l'on ne peut que rêver à l'impact que Gillet aurait pu avoir sur le catholicisme oriental si seulement la rigidité de la théologie curiale n'avait pas triomphé en 1928.

---

27. Lettre d'Uniov (Univ), fol. 239 v, Fonds Dirks, Correspondance, Archives d'Amay-Chevetogne.

Père Lev Gillet et Mgr Andrei Cheptytsky : Les degrés de conscience dans l'Église

Antoine Arjakovsky

> « *L'heure n'est pas encore venue : il y a parmi nous beau-*
> *coup de Jérusalem et de Garizim contradictoires. Et cependant*
> *l'heure est déjà venue, parce que, dans la mesure où nous nous*
> *donnons totalement à l'Amour, nous avons atteint humblement,*
> *silencieusement, l'Unité qui est à notre portée. [...] Les véritables*
> *adorateurs, dit Jésus, adoreront le Père en esprit et en vérité*[28]. »

Les personnalités de Lev Gillet et Andrei Cheptytsky ont trouvé ces dernières années une actualité grandissante. Plusieurs importantes publications leur ont été consacrées[29]. La très précieuse et précise étude du père Peter Galadza[30], professeur à l'Institut Sheptytsky d'Ottawa, sur la correspondance dans les années 1920 entre le père Lev Gillet et le métropolite Andrei Cheptytsky[31], confirme ce mouvement de la mémoire collective.

---

28. Un moine de l'Église d'Orient, *La colombe et l'Agneau*, Chevetogne, éditions de Chevetogne, 1979, p. 117

29. Parmi lesquelles : E. BEHR-SIGEL, *Un moine de l'Église d'Orient, le père Lev Gillet*, Paris, Cerf, 1993 ; Le père Lev Gillet, un moine de l'Église d'Orient, revue *Contacts*, n° 165, 1994 ; A. CHIROVSKY, *Pray for God's Wisdom, The Mystical Sophiology of Metropolitan Andrey Sheptytsky*, Ottawa, Sheptytsky Institute, 1992 ; *Mitropolit Andrei Sheptytsky i Greko-katoliki v Rosij*, kn. I, Lviv, UCU, 2004 ; A. ARJAKOVSKY, *La génération des penseurs religieux de l'émigration russe*, Kiev, Paris, L'Esprit et la Lettre, 2000.

30. Le père Peter Galadza, membre de la commission mixte de dialogue aux États-Unis entre l'Église catholique et les Églises orthodoxes est aussi l'auteur d'une très riche et volumineuse étude sur le métropolite ukrainien : P. GALADZA, *The Theology and Liturgical Work of Andrei Sheptytsky (1865-1944)*, Roma, Ottawa, Orientalia Christiana Analecta 272, Sheptytsky Institute, 2004.

31. P. GALADZA, « Lev Gillet ('A Monk of the Eastern Church') and His Spiritual Father, Metropolitan Andrei Sheptytsky : An Analysis of Their Correspondence, 1921-1929 », *Logos : A Journal of Eastern Christian Studies*, vols. 43-45, 2002-2004, pp. 57-82.

Afin de saisir le sens de cet intérêt soutenu à l'égard de ces deux figures de l'œcuménisme chrétien, il convient dans un premier temps de dire quelques mots sur l'évolution de l'ecclésiologie contemporaine. On présentera dans un second temps les deux personnages, auxquels on ajoutera un troisième protagoniste, et la portée de leur rencontre dans les années vingt du siècle dernier.

L'évolution de l'ecclésiologie

Certains signes indiquent qu'aujourd'hui le monde chrétien prend conscience plus amplement, plus profondément, que l'Église est un corps divino-humain, un corps vivant unissant le temps à l'éternité, un corps trinitaire embrassant toute humanité.

Le Conseil œcuménique des Églises, qui réunit près de quatre cents Églises dans le monde, prépare actuellement un nouveau texte sur l'Église qui sera discuté à son assemblée générale de Porto Alegre en mars 2006. Côté catholique romain, la réflexion œcuménique prioritaire est la question de l'autorité dans l'Église, comme le souhaitait dans son encyclique *Ut Unum Sint* le pape Jean-Paul II. La publication en janvier 2005 du texte « Un seul maître » sur l'autorité doctrinale dans l'Église par le Groupe des Dombes, l'un des plus anciens et des principaux groupes de dialogue théologique entre protestants et catholiques en Europe, illustre cette actualité. Enfin le dialogue théologique mondial entre orthodoxes et catholiques va reprendre en 2006 précisément sur la question de la primauté dans l'Église.

Les théologiens chrétiens ont toujours "su" que l'Église était le corps du Christ. Mais à l'époque moderne cette corporéité de l'Église était, pour parler schématiquement, soit assimilée à un corps naturel soit impensée.

Longtemps en effet on a considéré en Occident l'Église comme une réalité abstraite, comme un concept. Ses caractéristiques, à savoir son unité, sa sainteté, sa catholicité et son apostolicité, devaient être égales et homogènes en tous lieux et en tous temps. Il s'agissait d'un donné qui ne pouvait que coïncider avec un vécu. Selon l'historien catholique Guy Bédouelle, à l'époque du cardinal Robert Bellarmin (1562-1621), « la fidélité catholique se resserre sur une conception de l'Église comme société et non d'abord comme mystère[32] ».

---

32. G. BÉDOUELLE, *L'histoire de l'Église*, Luxembourg, Saint-Paul, 1997, p. 138.

En Orient en revanche l'Église fut longtemps une réalité impensée, un corps mystique inarticulé. Pour l'Orient, l'important est la relation personnelle entre chaque croyant et la Trinité. Jean Meyendorff et Olivier Clément ont montré que le palamisme au XIVe siècle était un véritable humanisme chrétien[33]. Cependant comme l'écrit le théologien J.M.R. Tillard, un fervent ami du monde orthodoxe, « Grégoire Palamas s'intéresse assez peu à la dimension corporative de l'Église de Dieu, à son être de *koinonia* fraternelle[34] ». Avec le temps, cette théologie, reprise par les penseurs slavophiles russes, a tendu à dissocier l'Église mystique de l'Église visible tant celle-ci semblait s'être complètement identifiée à l'État. Le père Alexandre Schmemann et le père Bobrinskoy ont admis que, de ce fait, est apparue en Orient « une crise de la communion des Églises orthodoxes entre elles », ainsi qu'une « crise de la conscience et de la pratique eucharistiques », enfin « un décalage entre l'orthodoxie et l'orthopraxie[35] ».

Le XXe siècle a mis à bas les visions rationaliste ou irrationaliste de l'Église. Hans-Urs von Balthasar a rappelé qu'il fallait envisager l'Église comme un *qui* et non comme un *quoi*. Konrad Raiser a parlé des quatre notes de l'Église comme quatre champs de forces, pouvant entrer dans ce monde en contradiction les unes avec les autres, et ne trouvant leur harmonie que dans la tension fondamentale existant entre l'Église et le Royaume de Dieu sur la terre. Le père Serge Boulgakov a rappelé la vision des Pères de l'Église comme *sobornost'*, comme conciliarité, ce qui signifie que si le Christ est la vérité, alors celle-ci ne dépend pas de concepts homogènes et pseudo-universels mais de la qualité des relations entre les hommes en général, et entre les chrétiens en premier lieu. Il convient donc de comprendre de façon antinomique la tension entre Église visible et Église mystique.

De tous côtés, des théologiens chrétiens ont réalisé que les frontières de l'Église-Royaume sont plus larges que celles de l'Église-institution. Aujourd'hui de nombreux chrétiens de confessions différentes reçoivent la bénédiction de leurs pasteurs et évêques pour communier ensemble malgré les interdictions canoniques. L'Église

---

33. J. MEYENDORFF, *Initiation à la théologie byzantine*, Paris, Cerf, 1975.
34. J.-M. TILLARD, « Préface », dans Jacques Lison, *L'Esprit répandu, la pneumatologie de Grégoire Palamas*, Paris, Cerf, 1994, p. IX.
35. B. BOBRINSKOY, *Le mystère de l'Église*, Paris, Cerf, 2003, p. 9.

orthodoxe russe a autorisé l'intercommunion entre catholiques et orthodoxes dans les années 1970. Les théologiens catholiques et protestants du Groupe des Dombes en France et en Suisse ont reçu également une telle bénédiction. On sait que le pape Jean-Paul II a donné à plusieurs reprises la communion à des pasteurs protestants. Partout dans le monde des couples mixtes, réunissant catholiques et protestants, ou orthodoxes et catholiques, reçoivent de leurs pasteurs des autorisations pour que l'un des conjoints puisse communier dans l'Église de son époux ou de son épouse sans perdre pour autant son identité d'origine. Ceci implique aussi la reconnaissance de la part des pasteurs du ministère de celui qui a marié les époux. Les cas de reconnaissance du baptême d'une communauté ecclésiale autre que la sienne propre sont innombrables.

Ainsi donc, l'Église ne doit pas être comprise comme une réalité abstraite conceptualisable par des critères quantifiables. Il y a des degrés de conscience, c'est-à-dire des degrés de participation, dans le corps ecclésial. Les pèlerins d'Emmaüs n'ont compris que progressivement qu'ils cheminaient avec le Ressuscité et pourtant c'était le même Jésus-Christ qui était avec eux et les enseignait entre Jérusalem et Emmaüs. Si la source de toute connaissance est le cheminement avec le Christ ouvrant progressivement les Écritures, la rencontre avec lui n'est pas intellectuelle. Elle a lieu lors de la fraction du pain. L'ecclésiologie eucharistique est la forme de vie ecclésiale qui permet à chacun, même aux « cœurs lents à croire », de re-connaître Dieu.

Inversement l'ecclésiologie eucharistique ne doit pas se transformer en justification de la désunion entre familles d'Églises. Certes les hommes ne « savent » rien de l'amour trinitaire et de ce fait peuvent être amenés à rejeter hors des limites de l'Église ceux qui ne confessent pas les mêmes vérités révélées. Mais précisément en raison de cet apophatisme nécessaire, les Écritures rappellent le danger de refuser ou d'empêcher les invités de se rendre à la noce. Le Christ racontait à ses disciples qu'au Royaume, le Père invite à sa table tous ceux, « mauvais et bons », que ses envoyés trouvent sur les chemins.

La seule condition est de se réjouir de cette invitation, de se parer « en habit de noces » (Mt 22, 12)[36]. Le malheur des orientaux

---

36. « Ces serviteurs s'en allèrent par les chemins et rassemblèrent tous ceux qu'ils trouvèrent, mauvais et bons. Et la salle de noce fut remplie de convives. Entré pour regarder les convives, le roi aperçut là un homme qui ne portait pas de vêtement de noce. Mon ami, lui dit-il, comment es-tu entré ici sans avoir de vêtement de noce ? »

selon John Erickson, doyen de l'Institut orthodoxe saint Vladimir, est de n'avoir pas pensé jusqu'au bout le mystère de l'Église et d'avoir identifié subrepticement l'eucharistie avec le Royaume de Dieu. Or l'eucharistie en ce monde n'est pas encore l'accomplissement complet du Royaume. Ce sacrement, du fait du contexte encore non transfiguré entièrement dans lequel il s'accomplit, est un avant-goût seulement du Royaume. Ce rappel devrait permettre aux Orientaux de comprendre l'Église de façon plus dynamique et surtout de tirer les conséquences de l'incarnation de Dieu. Chaque être humain est invité à un festin de noces, celui de l'Église, épouse inépousée, avec le Christ qui seul dispose de tout pouvoir sur la terre et au ciel.

Ainsi on redécouvre aujourd'hui l'Église comme un corps tissé de lumière. Les chrétiens ne peuvent plus se définir à l'âge de la mondialisation par leurs seules racines confessionnelles. Les théologiens prennent conscience que l'Église historique opère actuellement une mutation. Les historiens travaillent plus sur des espaces-temps spécifiques que sur des pseudo-structures inamovibles et imperméables. Les historiens de l'Église quant à eux cherchent à discerner ces niveaux de réalité de la communion ecclésiale afin de montrer le rôle de l'Esprit, et donc de l'inconceptuel, du mytho-logique, – ce qui ne signifie pas de l'irrationnel –, dans l'histoire des hommes. Dans cette perspective l'histoire du mouvement œcuménique, ou plutôt l'étude des espaces-temps de communion entre les chrétiens, est source d'intelligence.

L'espace-temps d'une rencontre

Il y eut un espace-temps entre 1923 et 1927, dans la relation entre trois hommes engagés dans leur foi, un espace-temps de communion qui n'a pas encore été intégré pleinement à la mémoire ecclésiale.

Elisabeth Behr-Sigel, théologienne orthodoxe française, a donné le sous-titre suivant à sa biographie du père Lev Gillet (1893-1980), « un libre croyant universaliste, évangélique et mystique[37] ». Celui que nous connaissons comme le « moine de l'Église d'Orient » doit

---

37. E. BEHR-SIGEL, LEV GILLET, *Un moine de l'Église d'Orient, un libre-croyant universaliste, évangélique et mystique*, Paris, Cerf, 1993.

être compris, selon sa biographe, avant tout comme un disciple du
Christ, tout comme Vladimir Soloviev, le philosophe russe orthodoxe auquel il s'identifiait secrètement. Ce dernier, le 18 février
1896, s'était uni par le sacrement de l'eucharistie avec l'Église catholique romaine et était resté fidèle jusqu'à la fin de ses jours à son
Église d'origine. « Jamais, ni en 1928, ni plus tard », Lev Gillet ne
remit en question « l'ecclésialité de l'Église latine ou la réalité de la
grâce accordée par ses sacrements[38] ». On comprend mieux l'attachement qu'il portait à son nom d'auteur de moine de l'Église
d'Orient. Comme le rappelle Olivier Clément, Lev Gillet à la fin de
sa vie disait en souriant : « Je suis un prêtre de l'Église romaine en
pleine communion avec l'Église orthodoxe[39] ! » Le père Lev Gillet
fut pourtant reconnu comme archimandrite tant par le patriarche de
Moscou que par le patriarche de Constantinople. Ses livres ont reçu
la bénédiction tant du métropolite Antoine de Souroge que de Mgr
Kallistos de Diokléia. Sa popularité au sein de l'Église orthodoxe
antiochienne n'est pas à démontrer.

Le métropolite Andrei Cheptytsky (1865-1944) fut lui aussi à sa
façon, selon le cardinal Lubomyr Husar, un apôtre de l'unité de
l'Église[40]. Toute sa vie il chercha à montrer que l'Église n'est pas
divisée entre confessions mais entre ceux qui croient en l'unité et
ceux qui ne parviennent pas à la voir sous la poussière de ce monde.
Des congrès unionistes de Velehrad à partir de 1907 à la défense des
orthodoxes ukrainiens en 1938, Cheptytsky consacra sa vie à vaincre
les méfiances du monde latin et du monde gréco-russe à l'égard
d'une Église défendant sa double fidélité à Byzance et à Rome.
Selon Cheptytsky une Église en communion avec le Saint-Siège
apostolique romain peut demeurer une Église locale attachée à sa
tradition tant sur le plan théorique que pratique. « Aucun orthodoxe
ne pourrait discuter cette conception de l'Union », selon Lubomyr
Husar. Il suffit de lire les mémoires du métropolite russe orthodoxe
Euloge (Gueorguievski), – qui est considéré par beaucoup aujour-
d'hui comme l'un des plus grands évêques orthodoxes du XXᵉ siècle –,
pour se rendre compte de la profonde estime qu'il eut pour le

---

38. E. BEHR-SIGEL, *op. cit.*, p. 170.
39. *Ibid.*, p. 8.
40. L. HUSAR, « La mission œcuménique des Églises catholiques orientales
d'après la vision du métropolite Cheptytsky », dans A. ARJAKOVSKY, *Entretiens avec
le cardinal Lubomyr Husar*, Paris, Parole et Silence, 2005, pp. 119-166.

métropolite Andrei (Cheptytsky). Or leur rencontre à Lviv en 1919 eut lieu alors que le contexte de l'époque était, côté catholique, celui de l'unionisme, tandis que le souci de russification de la Galicie était ce qui prévalait côté orthodoxe. Le métropolite gréco-catholique, qui avait pourtant été envoyé en exil par l'Église russe, écrivit lui-même une lettre à Georges Clémenceau, président du Conseil, pour libérer Mgr Euloge et Mgr Antoine Hrapovickij ! Et le métropolite Euloge, malgré tous ses a priori contre les 'uniates' garda jusqu'à la fin de ses jours le souvenir chaleureux et bienveillant du métropolite Andrei[41]. Aujourd'hui un procès de canonisation du métropolite Andrei est en cours dans l'Église catholique.

Un troisième personnage doit ici être intégré au récit afin de mesurer les enjeux de la relation entre le père Lev et le métropolite Cheptytsky entre 1923 et 1928. Il s'agit de dom Lambert Beauduin, moine du Mont-César à Louvain, professeur de théologie dogmatique, dont plusieurs études ont actualisé récemment la mémoire[42].

Dom Lambert Beauduin (1873-1960), fut le promoteur d'une ecclésiologie de communion contre la vision de la société parfaite et pyramidale du concile de Trente. Il est l'un des principaux créateurs du mouvement liturgique au XXᵉ siècle, avec notamment sa fameuse conférence en 1909 au Congrès des Œuvres catholiques de Malines sur « La vraie prière de l'Église[43] ». Il fut également l'un des acteurs des « Conversations de Malines » organisées par le cardinal Mercier avec Lord Halifax et Fernand Portal. C'est lui qui rédigea le texte de 1925 lu par le cardinal « L'Église anglicane unie mais non absorbée » dans lequel il envisageait l'Église d'Angleterre comme un patriarcat à la manière orientale. Professeur au Collège international bénédictin Saint-Anselme à Rome en 1921, Lambert Beauduin y fit la connaissance de jeunes catholiques fascinés par l'Orient comme Léon Gillet, mais il y rencontra aussi Mgr Cheptytsky qui estimait que l'ordre bénédictin devait être un acteur privilégié du rapprochement œcuménique. Sa proximité avec l'Église orthodoxe fut telle qu'après guerre,

41. Métropolite EULOGE, *Put' moiei jizni*, Paris, YMCA, 1947, Moscou, Mos rab., 1994, pp. 303-307.

42. R. LOONBECK et J. MORTIAU, *Un pionnier Dom Lambert Beauduin (1873-1960)*, *Liturgie et unité des chrétiens*, Louvain-la-Neuve, Chevetogne, 2001.

A. HAQUIN, « Dom Lambert Beauduin, À propos d'une biographie récente », *Ephemerides Theologicae Lovianenses* 80/1 (2004), pp. 93-101.

43. Cf. également son livre *La piété de l'Église* de 1914.

il fut invité par le père Eugraph Kovalevsky à donner des cours à l'Institut de théologie orthodoxe saint Denys l'Aréopagite. En 1944-1945 il donna un cours sur les liturgies occidentales et le rite gallican. Ses supérieurs lui interdiront cet enseignement en 1946 à un moment où la guerre froide apparaît et où le contexte œcuménique se tend. Il écrira au père Eugraph : « Absence ne veut pas dire oublier[44] ». Dom Lambert Beauduin fut l'un des principaux inspirateurs des textes réformateurs du concile Vatican II.

Les trois hommes Gillet, Cheptytsky et Beauduin se sont rencontrés malgré certaines appréhensions mutuelles. Celles-ci étaient liées à la méfiance que les orthodoxes éprouvaient à l'égard des « uniates », ce qui gênait le dialogue entre romains et slaves. Mais elles étaient également la conséquence des craintes des gréco-catholiques vis-à-vis de l'universalisme latin. Plus fondamentalement ces appréhensions étaient l'héritage de siècles de divisions entretenues par les empires politiques et les ecclésiologies confessionnelles exclusives qui s'y étaient forgées.

En dépit de ce poids du passé dom Lambert fut fasciné par la personnalité de Cheptytsky et considéra dans ses *Mémoires* comme « décisive » la conférence que ce dernier prononça en février 1923 à Rome sur le rôle des Occidentaux dans l'œuvre de l'Union des Églises.

De son côté, le métropolite fut séduit par l'énergie de Beauduin et de Gillet. Il dira en 1925 de Louis Gillet, moine bénédictin ordonné prêtre gréco-catholique à Ouniv en Ukraine qu'il est « un don de Dieu pour les stoudites[45] ».

Inversement Lev Gillet, après être devenu prêtre orthodoxe à Paris en 1928, considérera que le métropolite Andrei n'ayant pris aucune mesure disciplinaire à son égard, son lien canonique avec la laure d'Ouniv n'était pas aboli. Il fut peiné par la mort de son père spirituel en 1944 et par la dispersion des moines d'Ouniv en 1946. Plus grave fut, selon Elisabeth Behr-Sigel, « l'incorporation forcée de l'Église grecque catholique d'Ukraine au patriarcat de Moscou qui, non seu-lement n'émet aucune protestation, mais semble s'en réjouir[46] ».

---

44. « Un pionnier », *op. cit.*, t. II, p. 1258.
45. Lettre d'A. CHEPTYTSKY à C. KOROLEVSKY le 21 avril 1925, cité par A. BABYAK, *Le métropolite André Cheptytskyi et les synodes de 1940 à 1944*, Lviv, Missioner, 1999, p. 347.
46. E. BEHR-SIGEL, *op. cit.*, p. 391.

Elisabeth Behr-Sigel ajoute que la souffrance ressentie à ce sujet par le père Lev apparaît dans ses lettres à dom Clément Lialine.

Ensemble Gillet, Cheptytsky et dom Lambert Beauduin élaborèrent un projet fou, celui de restaurer un monachisme unifié d'Orient et d'Occident. Tous les biographes l'attestent, c'est l'amitié spirituelle entre ces trois hommes née à Rome au début des années 1920 qui fut à l'origine de la création du monastère catholique pour l'Union d'Amay sur Meuse, aujourd'hui abbaye de Chevetogne[47].

Mgr Cheptytsky avait créé en 1903 l'ordre religieux des studites afin de renouer avec l'esprit du monastère du même nom fondé en 463 par Stoudios à Constantinople. À Rome Cheptytsky avait transmis à Gillet et Beauduin la règle qu'il avait rédigée en 1906 puis retouché en 1920 à destination de ses moines studites. Il y écrivait les points suivants : « La vie monastique ne possède qu'une règle, l'Évangile de Jésus-Christ, et qu'un but, le salut des âmes », [...] « outre le saint Évangile, il vous faut connaître et pratiquer les Règles des saints Pères saint Basile et saint Théodore studite, ainsi que les préceptes de nos bienheureux pères Macaire, Dorothée, Benoît ». [...] « Plus elles sont anciennes, les saintes traditions de l'Orient, plus elles rattachent les Orientaux à la Sainte Église catholique et d'autant plus fidèlement devons-nous les conserver », etc[48].

En décembre 1923, dom Lambert Beauduin rédigea un projet d'érection d'une institution monastique en vue de l'apostolat de l'Union des Églises qui rejette l'idée de prosélytisme. Il obtint un bref du pape Pie XI *Equidem verba* le 21 mars 1924[49] qui suggère que soient créés dans divers pays des communautés monastiques vouées au travail pour l'union de sorte qu'une congrégation monastique de rite slave puisse être constituée. À l'invitation du métropolite Andrei dom Lambert Beauduin se rendit à Lviv en avril 1925. Il y retrouva Lev Gillet et le métropolite. Ils rédigèrent ensemble un *typikon* qui unissait en une congrégation unique Ouniv, le Studion de Lviv et la future communauté occidentale.

---

47. R. LOONBEEK, J. MORTIAU, *Un pionnier Dom Lambert Beauduin (1873-1960), Liturgie et unité des chrétiens*, 2 vols., Louvain-la-Neuve, Collège Erasme, Éditions de Chevetogne, 2001.
48. A. et K. CHEPTYTSKY, *Typicon*, Rome, TPV, 1964, pp. 9-10.
49. Ce qui n'est pas étonnant, c'est Beauduin lui-même qui a rédigé l'ébauche de *Equidem verba*.

Les frères Andrei et Clément Cheptytsky, Dom Lambert et le père Lev signèrent le 9 avril 25 « le *typikon* de la confédération des monastères de l'Orient et de l'Occident pour l'œuvre d'union des Églises ». Ce typikon était placé sous l'égide de la Règle des Pères. Il accordait une importance particulière à la théologie symbolique et adaptait les vœux traditionnels de pauvreté, de chasteté et d'obéissance à l'apostolat en faveur de l'union des Églises.

L'objectif était triple : la pratique du monachisme primitif tel qu'il existait au temps où l'Église était indivise ; les recherches scientifiques et études théologiques propres à frayer les voies de l'Union de façon non unioniste ; des entreprises apostoliques organisées entre l'Orient et l'Occident pour rapprocher les Églises et préparer de loin l'union visible et hiérarchique du troupeau du Christ, par une union spirituelle plus intime des esprits et des cœurs[50].

Un peu plus tard, en mai 1925 paraît *Une œuvre monastique pour l'Union des Églises,* projet auquel s'est rallié l'abbé du Mont-César à Louvain. Le 18 mai Lambert Beauduin proposa à l'abbé de Kerchove du Mont-César à Louvain la fondation d'un monastère de l'Union en Belgique par Mgr Cheptytsky. Dom Kerchove accepta.

Le bref *Equidem verba* bridait à la Russie et aux bénédictins le projet de L. Beauduin et de A. Cheptytsky mais ils surent l'interpréter de façon large en septembre 1925 aux colloques de Bruxelles et de Louvain sur l'unité. La conférence de Bruxelles eut lieu les 21-25 septembre. Le « hiéromoine Lev » insista sur le fait que la rupture entre Constantinople et Rome n'affectait pas l'Église de Russie apparue plus tard. Il prononça une conférence en faveur du projet d'œuvre monastique nouvelle pour l'union des Églises, qui donnera l'esprit d'Amay en faveur, – formule prophétique –, de l'union *des* Églises !

La même année dom Lambert Beauduin créa le monastère de l'Union à Amay, en Belgique, communauté de rite latin pratiquant alternativement la liturgie latine et la liturgie byzantine. Le monastère voulait favoriser le travail intellectuel, notamment l'étude approfondie de l'antiquité chrétienne, la formation spirituelle et l'apostolat. En avril 1926 paraît la revue *Irénikon* qui souhaitait travailler dans un esprit œcuménique et non unioniste.

---

50. « Un pionnier », *op. cit.*, p. 598.

Mais bientôt le contexte va se dégrader. Dès l'automne 1926, après notamment l'intervention d'un orthodoxe au congrès de Bruxelles (le comte Perowsky envoyé de Berlin par le baron Taube, Synode de l'Église russe hors frontières), dom Lambert renonce à une formule d'union juridique avec le métropolite Cheptytsky. Ce dernier regretta que la communauté soit fondée en Belgique et non à Grottaferrata comme il l'avait envisagé. Mais surtout en janvier 1928 paraît l'encyclique *Mortalium Animos* interdisant aux catholiques de prier avec des orthodoxes. Lev Gillet se convertit à l'orthodoxie la même année. Le monastère d'Amay sur Meuse et la revue *Irénikon* accueillis pourtant avec enthousiasme dans la revue *La Voie* en 1926 par Georges Fedotov, professeur à l'Institut orthodoxe Saint-Serge, seront progressivement récupérés par les visées unionistes de Mgr d'Herbigny. Dom Lambert Beauduin sera exilé de son monastère de 1932 à 1951...

Conclusion

Prendre au sérieux la définition de l'Église comme un corps nous invite à redéfinir les notions d'espace et de temps.

Prendre conscience des fondements sophianiques de l'espace et du temps nous conduit à réfléchir sur la notion des degrés de conscience comme expressions du corps de gloire ecclésial.

Jean-Luc Marion a donné la définition suivante du temps. « Le temps se déploie essentiellement sur le mode d'un événement, comme l'arrivage imprévisible d'un ailleurs, dont nul ne connaît le jour ni l'heure et dont le présent ne peut que se donner comme un don inattendu et immérité[51]. » On peut dire en ce sens que l'espace-temps de la rencontre entre Cheptytsky, Gillet et Beauduin pulse aujourd'hui à nouveau en la mémoire, comme « le temps où l'ailleurs (se) passe et fait le présent de son passage[52] ».

Ne faut-il pas considérer l'intensification de cette pulsation, au-delà de la crise de l'identité confessionnelle de l'Église, comme l'émergence d'une représentation nouvelle de l'Église. Le corps ecclésial est dans cette représentation la divino-humanité *in actu*, le lieu de la rencontre entre la Sagesse créée et la Sagesse incréée.

---

51. J.-L. MARION, *Le phénomène érotique*, Paris, Grasset et Fasquelle, 2003, p. 66.

52. *Ibid.*, p. 66.

Après tout le point commun entre les trois hommes ne serait-il pas en définitive, au-delà des aléas de leur rencontre, la Sagesse de Dieu ?

Lev Gillet et Lambert Beauduin ont tous deux connu personnellement le père Serge Boulgakov, théologien sophiologue. Lev Gillet a traduit en français son grand livre *L'orthodoxie* et l'a défendu en 1937 avec les autres professeurs de Saint-Serge lorsqu'il fut attaqué de prêcher des vues hérétiques sur la Sophia. Lambert Beauduin éprouvait également une grande admiration à l'encontre du théologien russe. Si Boulgakov ne semble pas avoir rencontré personnellement Cheptytsky, ce dernier a cependant développé de son côté une pensée sapientielle originale. Tous s'accordaient dans tous les cas pour rechercher un nouveau chemin sapientiel à la conscience ecclésiale.

Boulgakov a formulé de la sorte cette vision sophianique de l'Église : « Selon l'expression du *Pasteur* d'Hermas, Dieu a créé le monde pour l'Église. Cela revient à dire qu'elle est à la fois le fondement et le but du monde, sa cause finale et son entéléchie. Par l'Incarnation et par la Pentecôte, le monde de l'homme est destiné, dès sa création à être déifié. Qu'elle soit virtuelle ou actuelle cette déification est la réalisation suprême du monde et elle est effectuée par l'Église. Celle-ci est comme une échelle qui joint le ciel à la terre et qui communique la vie divine à la création. Il s'en suit que, pour autant qu'elle est fondée en Dieu, l'Église est la Sagesse Divine. De même par sa vie terrestre et historique, elle est la Sagesse créée. En bref les deux aspects de la Sophie s'y combinent et s'y trouvent entièrement unis, sans séparation et sans confusion. La Sagesse divine transparaît dans la Sagesse de créature[53]. »

Dans cette vision, au même titre que le temps ne se définit plus comme l'ordre des successifs, l'espace ne se définit plus comme « l'ordre de tous les étants qui peuvent exister ensemble et en même temps sans se rendre mutuellement impossibles ». Dans l'ordre sophianique, c'est-à-dire dans l'ordre de l'amour tout *ici* ne peut devenir un *là-bas* et vice versa.

Dans l'ordre de la grâce, « Je me situe exactement *ici* là où va mon baiser[54] ».

---

53. S. BOULGAKOV, *La Sagesse de Dieu*, Paris, L'Âge d'Homme, 1983 (1936), p. 87-88.
54. J.-L. MARION, *Le phénomène érotique, op. cit.*, p. 220.

La correspondance de Lev Gillet
à Andrei Cheptytsky

Avant le premier séjour en Galicie

N°M 30 novembre 1921 Farnborough fol. 82r
★★★★★

N° 2 19 mars 1922 Rome fol. 86r
★★★★★

N° 3 26 décembre 1923 Farnborough fol. 89r
★★★★★

N° 4 28 juin 1924 Farnborough fol. 92r
N° 5 14 juillet 1924 Farnborough fol. 97r
N° 6 7 août 1924 Farnborough fol. 100r
N° 7 15 août 1924 Farnborough fol. 104r
N° 8 29 août 1924 Farnborough fol. 106r
N° 9 19 septembre 1924 Artemare fol. 108r
★★★★★

Pendant le premier séjour en Galicie

N° 10 sans date

fol 244r [*sic*]

N° 11 sans date "Esquisse d'un article pour les jésuites de Liège"
fol. 24 ? [*sic*]

N° 12 sans date "Excellence, J'apprends que Vous…"
sans numéro de folio

Après le premier séjour en Galicie

N° 13 12 juillet 1925 Lyon fol. 109r
N° 14 13 juillet 1925 Paris fol 111r
N° 15 20 juillet 1925 Louvain fol 113r
N° 16 26 août 1925 Louvain fol. 115r
N° 17 6 septembre 1925 Louvain fol. 119r

N° 18   8 septembre [1925]   Maredsous   fol. 246r [*sic*]
N° 19   sans date   "Permettez moi, Excellence…"
                                               fol. 248r [*sic*]
N° 20   29 octobre 1925   Paris   fol. 120r
N° 21   29 novembre 1925   Amay
                              fol. 121r
N° 22   26 décembre 1925   Lyon   fol. 122r
★★★★★
N° 23   4 janvier 1926   Louvain   fol 123v
N° 24   11 janvier 1926   Bruxelles   fol. 124r
N° 25   14 janvier 1926   Amay   fol. 125r
N° 26   30 juillet 1926   Louvain   fol 126r

Pendant et après le deuxième séjour en Galicie

N° 27   6 septembre 1926   Leopol   fol 129r
N° 28   Entre 6 septembre
         et 27 novembre   Leopol   fol. 245r [*sic*]
N° 29   27 novembre 1926   Leopol   fol 132r –
         lettre à Lambert Beauduin
N° 30   sans date "Je prie Son Excellence de vouloir bien…"
                                               fol. 250r [*sic*]
N° 31   sans date "Je prie Son Excellence de m'excuser…"
                                               sans numéro de folio
N° 32   Lundi 5 h "Je pars demain…"   fol. 259r [*sic*]
N° 33   sans date [Mots illisibles] "…enveloppe déchirée…"
                                               fol. 259v
N° 34   sans date "Puisque Mgr Barton Brown…"
                                               fol. 260 r [*sic*]
N° 35   21 décembre 1926   Rotterdam   fol. 133v [*sic*]
N° 36   24 décembre 1926   Amay   fol. 134v
N° 37   28 décembre 1926   Wépion   fol. 135r
★★★★★
N° 38   "Notes sur la possibilité d'une fondation studite à Nimègue"
                                               fol. 253r [*sic*]
N° 39   6 janvier 1927   Amay   fol. 137v [*sic*]
N° 40   sans date   "Sur la possibilité d'une
                              fondation studite en Palestine"
                                               fol. 261r [*sic*]

N° 41	20 janvier 1927	Paris	fol. 136r [sic]
N° 42	25 janvier 1927	Lyon	fol. 138r
N° 43	janvier 1927	Paris	

N° 43 "Rapport sur les conversations avec le baron Constantin Wrangel"
fol. 143r

N° 44	30 janvier 1927	Lyon	fol. 141r [sic]
N° 45	1er février 1927	Valence	fol. 146r
N° 46	7 février 1927	Valence	fol. 150r

Après le troisième séjour en Galicie

N° 47	28 mai 1927	Valence	fol. 154r
N° 48	10 juin 1927	Nice	fol. 156r
N° 49	11 juin 1927	Nice	fol. 165r
N° 50	16 juin 1927	Nice	fol. 166r

N° 50 lettre à Iouri Vladimirovitch [Lengauer]

N° 51	7 juillet 1927	Nice	fol. 167v
N° 52	17 juillet 1927	[Paris]	fol. 168r
N° 53	17 juillet 1927 En route de Paris à Nice		fol 17?
N° 54	11 août 1927	Nice	fol. 175r
N° 55	29 août 1927	Nice	fol. 178r
N° 56	15 septembre 1927	Nice	fol. 180r
N° 57	17 septembre 1927	Nice	fol. 186v
N° 58	8 novembre 1927	Nice	fol. 187v
N° 59	14 novembre 1927	Nice	fol. 188v
N° 60	22 novembre 1927	Nice	fol. 189r
N° 61	28 novembre 1927	Nice	fol. 191r
N° 62	1er décembre 1927	Nice	fol. 193v
N° 63	3 décembre 1927	Nice	fol. 194v
N° 64	12 décembre 1927	Valence	fol. 196r
N° 65	14 décembre 1927	Valence	fol. 198v

Après le quatrième séjour en Galicie

| N° 66 | 31 décembre 1927 | Maredsous | fol. 199r |

*****

| N° 67 | 19 janvier 1928 | Valence | fol. 203v |
| N° 68 | 28 janvier 1928 | Lyon | fol. 204r |

N° 68 Lettre à André Cheptytsky et son frère Clément

N° 69	9 février 1928	Marseille	fol. 195r [*sic*]
N° 70	27 février 1928	Marseille	fol. 209v
N° 71	3 mars 1928	Marseille	fol. 210r
N° 72	5 mars 1928	Marseille	fol. 213r
N° 73	mars 1928	Marseille	fol. 217r
N° 74	11 mars 1928	Marseille	fol. 224r
	Lettre à mons.	Paris	
N° 75	11 mars 1928	Marseille	fol. 226r
N° 76	Sans date	Lettre à André Cheptytsky et son frère Clément sans numéro de folio	
N° 77	2 avril 1928	Marseille	fol. 227r
N° 78	24 avril 1928	Nice	fol. 234v
N° 79	23 mai 1928	Valence	fol. 235v
N° 80	5 juin 1928	Valence	fol. 236r
N° 81	15 juin 1928	Lyon	fol. 241r
★★★★★			
N° 82	4 avril 1929	Angleterre (Londres ?)	fol. 231r [*sic*]

Les lettres

N° 1

fol. 82 r
The Abbey, Farnborough[55], Hants
30 novembre 1921

†Pax

Monseigneur,

Votre Grandeur a bien voulu m'autoriser à lui donner quelquefois de mes nouvelles. Je me permets donc de le faire, et de vous
annoncer tout d'abord que ma profession monastique a eu lieu le
jour de la fête de la Toussaint. J'envoie à Votre Grandeur un exemplaire des litanies et de l'oraison que tous les nouveaux profès de
notre Congrégation composent eux-mêmes à l'occasion de leur
profession : je n'ai pas négligé les saints de l'Église d'Orient, et je leur
eusse fait une place plus large, si je n'avais dû me limiter. J'ai ajouté
à mon prénom celui de Paul, pour marquer à quelles sources je
voudrais principalement puiser l'esprit chrétien et la vie chrétienne.

Maintenant que me voilà moine, je pense que je vais bientôt
commencer ma préparation éloignée aux Ordres. Votre Grandeur
sait que le nouveau droit canon fixe, pour l'Église latine, la durée des
études ecclésiastiques à six ans.

---

55. En 1881, l'impératrice française Eugénie choisit des terres à Farnborough,
en Angleterre, pour y édifier un mausolée pour feu son fils le prince Louis et pour
son mari Napoléon III, ainsi qu'un monastère bénédictin qui devait prier pour le
repos des âmes impériales. Construite entre 1883 et 1888, l'abbaye, dédiée à l'ar-
change saint Michel, était selon le célèbre théologien et écrivain anglais Ronald
Knox « la France transplantée telle quelle en Angleterre ».

Ma profession monastique a été pour le R^me père Abbé Dom Cabrol[56] et pour moi une de préciser et de mettre au point le résultat des conversations qui avaient eu lieu, d'une part occasion entre Votre Grandeur et le Père Abbé, d'autre part entre Votre Grandeur et moi-même, relativement à mon propre avenir. Le Père Abbé estimait que, à la veille de ma profession, il fallait que la situation fût parfaitement claire et sans équivoque. – Voici, si je ne me trompe, comment se présente cette situation. Votre Grandeur se rappelle que la possibilité de ma participation future à votre tâche avait été considérée. Le Père Abbé insiste sur le fait qu'il n'a pris et ne peut prendre aucun engagement à mon sujet ; il peut seulement envisager certaines éventualités, et il se réserve de prendre plus tard les décisions qu'il jugera bonnes. Quant à moi, mon devoir strict, en faisant profession, est d'émettre les vœux de stabilité et d'obéissance sans condition ni réserve ; je dis que c'est mon devoir strict, car une réserve mentale rendrait la profession invalide. Mais, si je veux rester loyal envers l'Abbé et le Monastère dont je suis le fils reconnaissant, mon devoir va plus loin ; je dois faire profession, non seulement sans condition ou réserve, mais encore sans aucune arrière-pensée, c'est-à-dire sans m'attacher à un plan d'avenir que j'aurais formé moi-même, sans arrêter de projets personnels, sans me dire que telle chose future, bien qu'elle ne me soit pas promise, m'est en quelque sorte due. Bref, je dois simplement m'en remettre à mes supérieurs, ce qui est le seul moyen de me garder de l'illusion et de la volonté propre. J'ai fait profession dans cet esprit. Je tire de ceci les conclusions suivantes quant à un travail possible en pays slave : si Dieu, manifestant sa volonté par mes supérieurs, m'appelle plus tard à collaborer avec Votre Grandeur, j'entreprendrai cette tâche, – avec l'humble sentiment de mon indignité et de mon insuffisance, certes – mais avec une grande joie, car j'éprouve toujours pour cette œuvre l'immense attrait que je vous exprimais. Si, au contraire, je ne suis pas appelé à travailler dans cette direction, je suivrai docilement les ordres qui me seront donnés, et je m'efforcerai de faire œuvre de chrétien et de moine là où Dieu le voudra, et comme il le voudra. Je voudrais être une page blanche sur laquelle Dieu, représenté par

---

56. Fernand Michel Cabrol (1855-1933) fut moine bénédictin à Solesmes, en France, avant de devenir le premier abbé de Farnborough en 1903. Il acquit très vite une réputation d'érudition et devint un influent « archéologue liturgique ».

l'Église et mes supérieurs, écrira ce qui lui plaira. Je demande que sa volonté se fasse en moi et par moi, et non la mienne. J'espère avoir exposé avec clarté la situation à Votre Grandeur. Mes sentiments personnels n'ont pas changé, mais je renonce à *vouloir* par moi-même, laissant à d'autres le soin de vouloir pour moi ; ce qu'ils voudront, dans quelque sens que ce soit, je le ferai ; je suis prêt à tout. C'est d'ailleurs, autant que je me rappelle, cette attitude de soumission et d'attente paisible que me conseillait Votre Grandeur. Que Dieu fasse connaître sa volonté !

Ce que je puis faire dès maintenant et ce que je ferai toujours, c'est de collaborer avec vous, Monseigneur, par une prière persévérante. Croyez qu'il y a là autre chose qu'une de ces assurances banales que l'on prodigue volontiers et qui n'engagent à rien. L'Église corps mystique du Christ et l'union de tous les hommes dans le Christ : voilà ce que je mets au centre de ma vie spirituelle. Dès lors, il est naturel que l'unité de l'Église soit ma principale intention de prières, et je pense surtout aux chrétientés orientales, qui ont un droit d'aînesse, et plus spécialement – par attrait personnel – aux chrétientés slaves. Je dis tous les jours le Notre Père, dans le texte paléo-slave, pour que Dieu bénisse votre œuvre. La réunion de la Russie et des pays slaves à l'Église, principalement par le moyen du rite gréco-slave, est mon grand objet d'intercession. Je suis prêt à offrir à Dieu, pour cette cause, tout ce [que] sa grâce pourrait rendre méritoire dans ma vie monastique. J'ai d'ailleurs à acquitter une dette de reconnaissance envers la pensée religieuse russe ; pour ne citer qu'un seul nom, je dois beaucoup – je dois infiniment – à certaines pages de Vladimir Soloviof[57], qui m'ont vraiment fait trouver et sentir le Christ. Newman[58] et Soloviof, si

---

57. Philosophe et auteur religieux russe, Soloviev (Solovieff/Solovyov) (1853-1900) milita avec énergie et créativité pour le rapprochement entre orthodoxes et catholiques, comme en témoigne son ouvrage *La Russie et l'Église universelle* écrit en français en 1889. Sa réception de l'Eucharistie des mains d'un prêtre catholique en 1896 fut interprétée à l'époque comme une « conversion au catholicisme », bien que Soloviev n'eut jamais attribué un tel sens à son geste.

58. John Henry Newman (1801-1890) se fit très tôt remarquer pour son zèle anglican et son érudition à Oxford, où il fut l'une des grandes figures du mouvement d'Oxford, dont l'objectif était de faire retrouver à l'Église anglicane ses racines catholiques. Newman resta dans les ordres anglicans de 1825 à 1843, mais ses doutes croissants à l'égard de l'anglicanisme le poussèrent à mener une vie quasi monastique. En 1845, il fut reçu dans l'Église catholique. Ordonné prêtre à Rome en 1847, Newman retourna en Angleterre pour y fonder le premier Oratoire de

proches à certains égards, sont les deux figures catholiques du siècle dernier qui m'attirent le plus.

Je crois que le Père Abbé – à mon grand plaisir – me fera un peu étudier les liturgies grecques. Nous avons ici des textes assez nombreux ; nous avons même le texte paléo-slave des liturgies mais seulement dans une édition orthodoxe serbe. J'ai lu avec beaucoup d'intérêt l'étude de M. Bocian[59] sur la liturgie ruthène dans les *Chrysostomika*[60]. Et je me suis un peu mis au courant de l'histoire de l'Église slave-unie ; je regrette que saint Josaphat[61] soit encore si peu connu dans l'Église latine, – je pourrais dire la même chose de tous les saints slaves, et aussi du monachisme slave dont le rôle a été si important. J'ai également fait connaissance avec les œuvres de saint Théodore de Stoudion[62], que j'ignorais avant que vous m'en parliez ; j'ai été frappé de la physionomie en quelque sorte bénédictine de ce saint si humain, si cultivé [,] si liturgiste. Je suis très convaincu que nous tous, moines de l'ancienne tradition, basiliens ou bénédictins, nous possédons dans notre héritage propre – l'Écriture Sainte, la liturgie, les Pères de l'Église, – des forces vives plus puissantes pour agir sur le monde que toutes les techniques de la piété et de l'apostolat

---

Saint-Philippe Neri et contribuer à la fondation d'une université catholique en Irlande. Il publia des ouvrages phares comme les *Méditations sur la doctrine chrétienne* et la célèbre *Apologia pro vita sua*. Toute sa vie fut placée sous le signe de la controverse et de la souffrance, mais en 1879, il devint le tout premier cardinal créé par Léon XIII, qui avait entièrement mesuré la portée de ce geste.

59. Fils spirituel du célèbre liturgiste ukrainien Isidore Dolnytsky, Joseph (Iosyf) Bocian (Botsian) fut recteur du séminaire gréco-catholique de Lviv, puis évêque de Lutsk, un ministère qui lui fut conféré en secret lorsqu'il s'exila pour la première fois avec Cheptytsky en 1914. L'un des premiers spécialistes de l'œuvre de Cheptytsky, il publia en 1926 un article résumant les écrits pastoraux du métropolite de 1899 à 1918.

60. *CHRYSOSTOMIKA. Studi e ricerche intorno a s. Giovanni Crisostomo a cura del comitato per il xv o centenario della sua morte*, vol. I–III, Rome, Libreria Pustet, 1908.

61. Né dans une famille orthodoxe vers 1580, Josaphat Kountsevitch (Kuncevyč/Kuncewicz/Kuntsevych), était archevêque catholique oriental de Polots'k à sa mort en 1623. Sa vie fut profondément marquée par la complexité politico-ecclésiastique de l'Europe de l'Est à l'époque de la Contre-Réforme. Son nom figure au calendrier universel de l'Église catholique, qui le canonisa en 1867 et le fête le 12 novembre, date de son martyre aux mains d'opposants de l'Union de Brest (1596).

62. Moine, réformateur et auteur de centaines de lettres, d'hymnes, de sermons et d'autres ouvrages sous l'Empire byzantin, Théodore Studite se fit connaître lorsqu'il s'opposa au mariage adultère de l'empereur Constantin VI. Déporté en 799, il réinstalla sa communauté monastique en banlieue de Constantinople, dans le monastère abandonné de Stoudios.

modernes. Quelle chose splendide ce serait, si, aujourd'hui, des monastères de l'ancien rite pouvaient, tout en gardant leur caractère monastique, faire rayonner autour d'eux le christianisme catholique dans les pays slaves et jouer le grand rôle que jouèrent, dans la Russie du Moyen Âge, les laures de Kief, de Moskou, de Novgorod!

Je ne demande pas et je n'ose espérer que Votre Grandeur m'écrive, car je sais, Monseigneur, combien vous avez d'autres soucis, et de quelle importance. Mais si, un jour, je recevais un mot de Votre Grandeur, j'en serais profondément reconnaissant et heureux. Le seul titre que j'ai à absorber quelques minutes de votre temps est que, de Farnborough, j'unis par la prière mes très faibles efforts à ceux de votre Église. Nous avons quelques échos des difficultés auxquelles votre apostolat se heurte actuellement. Je suis anxieux de savoir si une Église unie pourra se reconstituer en Oukraïne [*sic*] et en Grande-Russie[63], et si le mouvement qu'avaient commencé M. Deibner[64] et les disciples de Soloviof aura un lendemain. Je me permettrai, à des intervalles éloignés, de donner de mes nouvelles à Votre Grandeur, car peut-être vous sera-t-il agréable de garder contact avec les sympathies et les prières qui, de ce coin d'Angleterre, s'unissent à vos efforts.

Nous avons célébré aujourd'hui la fête de saint André. J'ai particulièrement prié pour vous, Monseigneur, qui portez ce nom, et pour la grande terre russe qui vénérait en saint André son patron. La légende de notre bréviaire attribue à saint André ces paroles, en présence de la croix où il allait être fixé : *O bona crux, diu desiderata.* Mon souhait de fête n'est pas que la croix vous soit épargnée, Monseigneur; j'oserai, au contraire, souhaiter à Votre Grandeur la bonne croix, longtemps désirée, car je sais qu'un tel souhait répond à vos intentions les plus profondes. Je pense, comme vous, que l'Évangile régnera par la croix, – par de nombreuses croix, (en donnant à ce mot son sens le plus fort). Cette fête de saint André coïncidait avec le renouvellement annuel de nos vœux monastiques

---

63. Il s'agit de la Russie proprement dite. On emploie le terme "Grande-Russie" par opposition à la "Petite-Russie", c'est-à-dire l'Ukraine.

64. Né dans une famille orthodoxe, Ivan Deubner (Deibner/Dejbner) (1873-1936) était un juriste laïc de Saint-Pétersbourg qui devint secrètement catholique en 1899 et fut rapidement ordonné prêtre par Cheptytsky à Lviv, sans formation théologique préalable. Le métropolite lui offrit plus tard un poste clé au sein du futur exarchat russe.

(nos vœux sont perpétuels, mais nous les redisons chaque année avec une certaine solennité) ; ainsi, le premier renouvellement de ma profession monastique se trouvait placé sous le patronage de saint André, du saint qui veille sur les grands intérêts religieux dont vous avez la charge, intérêts qui me tiennent à cœur et qui, peut-être, plus tard, me toucheront de plus près encore. En pensant à cela, comme la phrase de S. André sur la croix m'a paru chargée de sens !

Je me rappellerai toujours, Monseigneur, combien vous avez été bon et paternel pour moi, lors de votre passage ici. Vous demandant de vous souvenir de moi devant Dieu et de me bénir, je prie Votre Grandeur de vouloir bien agréer l'hommage de mon humble respect et de mon attachement dévoué dans le Christ.

fr. Louis Gillet, O.S.B.

N° 2

fol. 86 r
Rome, 19 mars 1922

Monseigneur,

Vous rappelez-vous un jeune Français, novice bénédictin à Farnborough, en Angleterre, qui servit votre messe là-bas et parla avec vous de la Russie ? – Depuis lors, j'ai fait ma profession monastique. Je vous ai écrit pour vous en faire part ; mais, ayant adressé ma lettre à Lemberg, je sais maintenant qu'elle n'a pu parvenir à Votre Grandeur. (Cette lettre, d'ailleurs, ne contenait rien de compromettant !) Je suis donc devenu moine ; profès simple de l'abbaye de Saint-Michel de Farnborough. Mon Abbé, Dom Cabrol, m'a envoyé à Rome, à Saint-Anselme (collège bénédictin international)[65] pour y commencer les études en vue du sacerdoce. Votre Grandeur sait que, d'après le nouveau Code de droit canonique, ces études doivent durer six ans. J'ignore si je les continuerai à Saint-Anselme ou ailleurs.

---

65. L'Institut pontifical Saint-Anselme (San Anselmo/Sant' Anselmo) de Rome fut fondé par le pape Léon XIII en 1887. Cette faculté internationale de théologie pour les bénédictins, qui devint en 1934 « l'Athénée pontifical de Saint-Anselme », est réputée pour son enseignement liturgique.

Si votre Grandeur s'en souvient, nous avions parlé, à Farnborough, du rôle du monachisme dans l'avenir religieux des pays slaves. Je suis toujours dans les mêmes dispositions qu'alors. Le Père Abbé, me parlant de cette question, a bien spécifié qu'il n'avait pris et ne pouvait prendre aucun engagement à mon égard ; il peut seulement envisager certaines éventualités et se réserver de prendre la décision qu'il jugera bonne. De mon côté, j'ai fait profession d'obéissance sans réserve ; je ne puis former aucun projet personnel. Je n'ai qu'à m'en remettre à ce que Dieu voudra. Votre Grandeur verra peut-être, avec mon Père Abbé, ce qu'il y aura lieu de faire plus tard. Mais mes sentiments personnels demeurent les mêmes : si la volonté de Dieu m'appelait à travailler en pays slave, – dans le monachisme studite, par exemple – je considérerais cet appel comme un grand honneur et une grande joie. Je suis prêt à donner ma vie pour cette cause, – et quand je dis donner ma vie, j'entends bien : la donner matériellement, donner mon sang, si c'est nécessaire. Ce que je puis faire dès maintenant et ce que je fais déjà, c'est de prier beaucoup pour que vos efforts soient bénis, pour que la grande terre qui a donné saint Antoine[66], saint Hilarion[67], saint Serge[68], saint Vladimir[69], soit encore et toujours la sainte Russie. Oh, quel avenir, si l'on pouvait reprendre l'œuvre des laures de Kief et de Troïtza, – et celle de Sknilof !

---

66. Saint Antoine des Cavernes naquit vers 983 dans la région de Tchernihiv (Chernigov) et mourut en 1073 à Kiev. Après être entré dans un monastère du mont Athos, en Grèce, il fut tonsuré et prit le nom d'Antoine (Antonii). Par la suite, il retourna en Ukraine pour aider à fonder le monastère des Cavernes de Kiev, où il vécut une stricte vie d'ermite. On dit qu'en plus de guérir les malades, il faisait d'autres miracles. Son culte commença à la fin des années 1100, et il fut sans doute canonisé au début des années 1200.

67. Saint Hilarion (Ilarion) est reconnu comme un saint par les orthodoxes, mais non par les catholiques orientaux. Premier métropolite non grec à être élu à Kiev (en 1051), il est surtout célèbre pour son *Sermon sur la Loi et la Grâce*, qui eut une grande influence sur la littérature slave.

68. Saint Serge de Radonège (Radonezh) : Né vers 1314 dans une famille de la noblesse, tonsuré moine en 1337, puis ordonné prêtre, il établit en 1340 le premier de 40 monastères, ce qui lui valut le titre de saint patron de la Russie et de père du vaste mouvement monastique de Russie septentrionale. Après sa mort en 1392, on déterra ses reliques pour constater qu'elles ne s'étaient pas corrompues.

69. Saint Vladimir (Volodymyr) (956 ?–1015) : En 988, après avoir mené une vie dévergondée marquée par de sanglantes luttes intestines, Vladimir, grand-prince de la Rous' kiévienne (l'Ukraine actuelle), demanda à l'empereur oriental Basile II la main de sa fille, qui ne lui fut accordée qu'après la conversion de Vladimir. Celui-ci fit du christianisme la religion d'État de la Rous' kiévienne.

Ici, je commence à être très au courant des questions ruthènes et russes. J'ai vu le recteur du Collège ruthène, le P. Karalevsky[70], le P. d'Herbigny[71], le P. Serge Véréghine[72], Mgr Benedetti[73], les basiliens de Grotta Ferrata [sic][74]. Je fais mon possible pour faire connaître aux gens avec lesquels je suis en rapport la question ruthène sous un jour qui ne soit pas le jour polonais. Je lis saint

---

70. Cyrille Korolevsky (Karalevsky/Korolevskij) (1878-1959). Né Jean-François-Joseph Charon à Caen, en France, et baptisé dans la religion catholique romaine, Charon étudia au Collège patriarcal gréco-catholique de Damas avant son ordination à la prêtrise en 1902 par le patriarche melkite d'Antioche. Combinant un papisme absolu à un strict orientalisme – d'où son changement de nom et de rite – Korolevsky fut conseiller à la Congrégation orientale à Rome, où ses travaux érudits lui valurent de se voir confier une grande partie de la production des livres liturgiques de la *Recensio Ruthena*. Il est aussi l'auteur d'importants ouvrages historiques, dont une biographie de Cheptytsky, dont il fut le collaborateur intime sa vie durant.

71. Né à Lille en France en 1880, Michel Bourguignon d'Herbigny fut très tôt obsédé par l'idée de convertir la Russie à l'Église catholique romaine. Ordonné prêtre jésuite en 1910, il obtint un doctorat l'année suivante et s'attira les bonnes grâces du pape, ce qui lui permit de devenir professeur à l'Université pontificale grégorienne en 1921, président de l'Institut oriental pontifical en 1922, chef de la commission papale pour la Russie en 1925 et fondateur du *Russicum* de Rome en 1929. Il a été sacré évêque en 1926 par le cardinal Eugenio Pacelli (futur Pie XII), mais sept ans plus tard d'Herbigny perdit abruptement tout son ascendant et son pouvoir et quitta définitivement Rome le 2 octobre 1933. Astreint à se retirer de la vie publique – pour des raisons encore tenues dans le plus grand secret –, il mourut en 1957, la veille de Noël, dans une maison jésuite du Sud de la France, privé de toute communication avec l'extérieur et relevé de ses fonctions de prêtre, sans qu'il soit fait aucune mention de son statut d'évêque. Ses funérailles, sous invitation seulement, furent célébrées pour un prêtre (pro sacerdote) plutôt que pour un évêque (pro episcopo).

72. Ordonné prêtre orthodoxe en 1889 et nommé protoprêtre par le tsar Nicolas II, Serge (Sergij/Sergui) Véréghine (Verigin) (1868-1938) se convertit au catholicisme en 1907 et fut nommé recteur de la paroisse catholique russe de l'église de San Lorenzo ai Monti de Rome. En 1927, il fut nommé conseiller de la commission papale *pro Russia* puis, en 1935, conseiller de la Congrégation orientale.

73. Né à Treviolo en Italie en 1899, Tarcisio Vincenzo Benedetti fut ordonné prêtre carmélite en 1927. Sacré évêque titulaire en 1949, il fut ensuite évêque de Lodi en 1952. Il mourut en 1972.

74. La *Badia Greca di Grottaferrata* fut fondée en 1004 au pied des monts Albains par saint Nil, un Grec de Calabre. La Mère de Dieu lui aurait demandé d'édifier une église en son honneur à cet endroit. Objet constant de polémiques, le monastère fut un avant-poste de l'érudition et de l'hymnographie grecques jusqu'en 1608, date où il fut annexé à l'ordre basilien et perdit progressivement sa tradition liturgique grecque. Celle-ci lui fut restaurée par le pape Léon XIII en 1881.

Basile et saint Théodore de Stoudion; [*En marge :* Je lis Pelesz[75].] je fais un peu de russe et de slavon; j'espère arriver à lire sans difficulté les liturgies du Sloujebnik[76]. – Mgr de Ropp[77] est ici et fait beaucoup de propagande dans le sens que vous savez.

Le bruit a couru que Votre Grandeur avait été l'objet d'un attentat. Mais, depuis, on a dit que la nouvelle était inexacte. Nous ne savons que croire.

Je sais combien le temps de Votre Grandeur est absorbé. Vous avez autre chose à faire qu'à écrire à un étudiant de Saint-Anselme. Toutefois, si Votre Grandeur voulait bien m'envoyer seulement quelques lignes, ce serait pour moi une vraie joie. De mon côté, je vous demande l'autorisation de rester en contact avec vous, de vous envoyer parfois de mes nouvelles.

Chaque jour, au *memento* des vivants de la messe, je mentionne le nom de Votre Grandeur.

Je vous prie, Monseigneur, de me bénir et de croire toujours à mes sentiments humblement et profondément dévoués dans le Christ.

fr. Louis Gillet, O.S.B.
Sant'Anselmo sull'Aventino, Roma.

---

75. Né en 1843 en Galicie, Julian (Yuliian) Pelesz (Pelesh/Pelesch) étudia à Vienne et fut ordonné prêtre de l'Église catholique ukrainienne en 1867. En 1885, il fut sacré premier évêque de l'éparchie de Stanislaviv avant d'être muté à Peremyshl [Przemyśl] en 1891. Il écrivit plusieurs ouvrages de pastorale et de caté-chèse, ainsi qu'une grande histoire de l'Union, et fut l'un des principaux organisa-teurs du concile de Lviv en 1891. Il mourut en Galicie en 1896.

76. Équivalent slave du *Liturgicon*, un livre à l'usage des prêtres et des diacres contenant le texte et les rubriques des liturgies eucharistiques et de la liturgie des Heures.

77. D'origine balte-germanique, l'archevêque Eduard von der Ropp naquit en 1851 à Liksna en Lettonie. Sacré évêque de Tiraspol (Moldavie) en 1902, puis évêque de Vilnius (Lituanie) en 1903, il fonda en 1922 l'Institut missionnaire de Lublin (Pologne), destiné à la formation de prêtres dans les deux rites (byzantin et latin). Finalement nommé archevêque de Moghilev (Biélorussie) le 25 juillet 1917, Ropp croyait détenir, avec son clergé polonais, le monopole du catholicisme en Russie. Il fut expulsé de Russie en 1919 et mourut en 1939.

N° 3

fol. 89 r
The Abbey, Farnborough, Hants
26 décembre 1923

†Pax

fête...стаго апостола, первомученика й [*sic*] архідіакона Стефана[78]...

Excellence,

Ce n'est certes point par oubli que j'ai passé un temps si long sans prendre de vos nouvelles ou vous donner des miennes. Je puis dire qu'il n'y a pas eu un seul jour où je n'aie pensé à vous. Mais, connaissant – d'ailleurs assez vaguement – les divers événements qui se sont écoulés entre votre départ de Rome et votre retour à Léopol[79] (nous sommes quelques-uns qui avons suivi ces événements avec une sympathie anxieuse), il m'a semblé préférable, à bien des égards, d'attendre pour vous écrire. Je viens d'avoir de vos nouvelles par le P. Olivier Rousseau[80], de Maredsous[81]. Il me dit que vous êtes encore souffrant. Ai-je besoin de vous dire tous les vœux que je fais pour votre guérison ? C'est d'ailleurs le moment des vœux. Je prie donc Votre Excellence d'agréer tous mes souhaits de Noël et de Nouvel An. Je vous chante un *polychronion*[82] bien sincère

---

78. Du saint apôtre, proto-martyr et archidiacre Stéphane.

79. Leopol est l'ancien nom français d'une ville d'Ukraine occidentale que l'on appelle aussi L'viv ou Lviv en ukrainien, Lwów en polonais, Lvov en russe et en slavon liturgique, Leopolis en latin et Lemberg en allemand.

80. Né en Belgique en 1898, Rousseau entra au monastère de Maredsous en 1927 sous l'influence de Lambert Beauduin, qui lui confia la direction de la *Revue liturgique et monastique*. Muté plus tard à Chevetogne, (uniquement grâce à l'intervention du pape) Rousseau se fit une réputation en tant qu'érudit, œcuméniste et historien du mouvement liturgique, puis comme *peritus* lors de Vatican II. Rousseau fut un grand ami du Gillet. Voir sa notice nécrologique « Le "Moine de l'Église d'Orient" », *Irénikon* 53 (1980).

81. Fondé en 1872, le monastère bénédictin belge de Maredsous établit ou aida plusieurs autres monastères en Belgique, à Rome, au Brésil et au Rwanda. Le célèbre Dom Columba Marmion (béatifié en septembre 2000) en fut l'abbé de 1909 jusqu'à son décès en 1923.

82. *Ad multos annos.*

et affectueux : Pour beaucoup d'années, Seigneur, pour beaucoup d'années ! Je n'ai pas besoin de spécifier tout ce que je souhaite. Je demande à Dieu qu'il bénisse la métropole de Galitch[83] et son « архіпастырь[84] ». La *métropole de Galitch* ! Pour qui connaît un peu l'histoire religieuse de votre pays, il me semble que ce nom dit bien autre chose que l'archevêché de Léopol, et qu'il y a, dans ce nom même, un gage d'espérance.

Il y a aujourd'hui un an, jour pour jour (26 décembre), que je reprenais contact avec Votre Excellence, à Rome. Cette première visite au Collège ruthène[85] fut suivie de beaucoup d'autres. Je crains d'avoir pu donner à Votre Excellence l'impression de déployer un zèle indiscret dans un domaine qui est le vôtre, mais non pas le mien. Enfin, Votre Excellence connaît mes dispositions intérieures. Elles n'ont pas changé depuis Rome. Vous savez que, sans préjudice pour l'obéissance monastique que je dois, je suis tout acquis, tout dévoué à vos idées et à votre œuvre. Je vous remercie d'avoir toujours été pour moi si bon, si accueillant. Vous ne savez pas à quel point votre présence à Rome, l'an dernier, a été pour moi une joie et une force : je la considère même comme une grâce spirituelle. Je prie pour Votre Excellence chaque jour. Je l'ai fait particulièrement le jour de la fête de saint André.

J'ai été heureux de voir l'éclat donné au centenaire de saint Josaphat. Mais l'on devrait aussi appeler l'attention du public catholique occidental – surtout des moines – sur quelques grandes figures slaves que nos frères séparés et nous pouvons revendiquer (je crois) en commun : SS. Antoine, Hilarion,

---

83. La ville de Halytch (Galitch/Halycz), en Ukraine occidentale, eut son heure de gloire au Moyen Âge et prêta son nom au territoire adjacent (la Galicie ou Halytchyna). Son siège épiscopal fut occupé par intermittence au cours des siècles. Lorsque les Romanov éradiquèrent l'Église gréco-catholique de l'Empire russe, le métropolite gréco-catholique de Kiev, forcé de quitter son siège, s'en fut en Galicie, qui était alors rattachée à l'Empire des Habsbourg. Vienne demanda à Rome que le métropolitanat de Galitch soit restauré. Pie VII fit droit à cette demande en 1807, mais le nouveau métropolitanat est plus petit qu'à l'origine. Son hiérarque porte aussi le titre d'« archevêque de Lviv ».

84. Littéralement, « archipasteur ».

85. Le Collège ruthène fut inauguré à Rome en 1897 par le pape Léon XIII et se vit attribuer l'église SS. Sergio e Bacco. Les jésuites eurent la direction du Collège jusqu'en 1904, après quoi l'établissement fut confié aux basiliens ruthènes. En 1930, il fut réinstallé dans un nouvel immeuble sur le *Janiculum* à l'instigation de Pie XI et rebaptisé « collège pontifical ruthène Saint-Josaphat ».

Féodose de Kief[86], Serge Radoniejskyi, Nil Sorskyi[87], etc. Il faudrait les faire connaître.

Votre Excellence sait-elle que le *Bulletin de Saint-Martin et Saint-Benoît* a reproduit la lettre du cardinal Tacci[88] relative aux studites et a demandé les prières de ses lecteurs à cette intention ?

J'espère que tout va bien à Uniow[89]. Je serais très reconnaissant à Votre Excellence, si Elle voulait bien transmettre mon souvenir respectueux au Révérend Père Higoumène Clément[90], avec mon regret de ne l'avoir pas connu davantage.

Votre excellence et moi avions parlé d'une utilisation possible d'ex-clergymen anglicans convertis et mariés pour le sacerdoce de rit byzantin, en pays slave ou oriental. Votre Excellence s'intéresse-t-elle encore à cette idée ? J'entendais dire encore, il y a peu de jours, que plusieurs anciens clergymen que le mariage empêche de devenir prêtres de rit romain saisiraient avec joie une telle occasion. N'y aurait-il pas quelque chose à faire dans ce sens ? et je sais auprès de qui.

---

86. Né vers 1036 près de Kiev, Féodosii (Théodose/Théodosii) fut l'un des premiers moines à se joindre à saint Antoine des Cavernes avant de devenir, en 1062, higoumène du monastère des Cavernes de Kiev, où il introduisit un *typikon* studite en 1070. Il mourut en 1074, après avoir réformé et élargi le monastère, et fut canonisé en 1108.

87. À peu près la seule chose que l'on connaît avec certitude de la vie de saint Nil Sorski (Nil de la Sora) est la date de son décès, le 7 mai 1508. On pense qu'il aurait séjourné au mont Athos à l'apogée du mouvement hésychaste. Il implanta le système monastique des « skites » et acquit une réputation de *starets*. Il fut honoré comme un saint après sa mort, mais ne fut officiellement canonisé par l'Église russe qu'en 1903. Il est surtout connu pour sa promotion de la pauvreté monastique, principalement le rejet de toute forme de propriété par les communautés de moines.

88. Giovanni Tacci Porcelli (1863-1928) fut sacré évêque de Città della Pieve en 1895 et nommé délégué apostolique à Constantinople de 1904 à 1907. Après avoir été promu archevêque et nommé nonce en Belgique et aux Pays-Bas, il fut fait cardinal en 1921 et secrétaire de la Congrégation des Églises orientales en 1922.

89. Ouniv (Uniow/Univ) est un village d'Ukraine occidentale non loin de Lviv. Elle est connue pour son monastère studite de la Dormition de la Mère de Dieu, établi par le métropolite Andrei Cheptytsky en 1919, qui en confia la direction à son frère Clément jusqu'à l'arrestation de ce dernier par les Soviétiques en 1947.

90. Frère cadet du métropolite André, Clément (Klymentii) Cheptytsky (1869-1951) fut un temps légat du Parlement autrichien, ayant étudié le droit à Munich et à Paris et obtenu un doctorat de l'Université de Cracovie. Renonçant à une carrière dans le monde, il devint moine studite en 1911 et fut ordonné prêtre en 1915, pour ensuite devenir prieur du monastère d'Ouniv, où il cacha des juifs pendant la Deuxième Guerre mondiale. Arrêté par le NKVD en juin 1947, il mourut en martyr à la prison de Vladimir en mai 1951 et fut béatifié par le pape Jean-Paul II en 2001.

Je me borne à ces quelques lignes. J'espère demeurer en contact avec Votre Excellence. Aujourd'hui, je voulais seulement vous assurer du souvenir fidèle et reconnaissant avec lequel

остаюсь Вашего Высокопреосвященства смирнымъ и преданнымъ во Христѣ слугою, монахъ[91]

fr. Louis Gillet, O.S.B.

N° 4

fol. 92 r
The Abbey, Farnborough, Hants
28 juin 1924

†Pax

Excellence,

Pardonnez-moi de venir, dans vos nombreuses et graves préoccupations, vous entretenir uniquement de moi-même. Dans trois jours, il y aura un an que je vous ai vu pour la dernière fois, à Rome. Au cours de ce dernier entretien, nous avons parlé de mon propre avenir. Vous m'aviez dit qu'il était de beaucoup préférable que je vinsse auprès de vous en tant que bénédictin, mais que vous m'accueilleriez cependant dans tous les cas. Or voici pour moi le moment de solliciter cet accueil, et dans un cas qui justement n'est pas celui que vous préfériez. – Vous savez vous-même que Dom Cabrol envisageait avec compréhension et sympathie l'éventualité d'une collaboration bénédictino-slave. Mais Dom Cabrol vient de se retirer du gouvernement effectif de l'abbaye de Farnborough. On lui a donné un abbé coadjuteur qui sera intronisé dans quelques jours et qui, bien que Dom Cabrol conserve le titre d'Abbé de Farnborough, aura toute l'administration de l'abbaye. Or je sais maintenant avec certitude que le nouvel abbé coadjuteur et la majorité des membres de la communauté ne sont pas des partisans des projets dont Votre Excellence et moi avons si souvent parlé, et que je risque même de rencontrer une forte opposition dans la maison. Mon directeur spirituel,

91. Littéralement, « Je reste le serviteur humble et devoué de Son Excellence, le moine… »

qui a suivi depuis quatre ans l'évolution de ce que j'ose appeler ma vocation slave, croit que celle-ci est vraiment un appel de Dieu et que je dois y répondre. Il pense, – et c'est l'avis de plusieurs autres en qui j'ai confiance – que je dois quitter Farnborough et ne pas renouveler mes vœux temporaires bénédictins, lesquels expirent le 1er novembre. J'ai donc pris cette décision, qui s'impose, étant donné toutes les circonstances. Et maintenant je crois – et mon directeur spirituel le croit aussi – que c'est vers Vous que je dois aller. Il est vrai qu'un organisme bénédictino-slave va s'ébaucher dans l'Ordre béné-dictin : vous savez peut-être que le Pape a récemment adressé une lettre aux Abbés, les invitant à envoyer des étudiants à l'Institut pontifical oriental et à spécialiser des maisons dans l'étude des ques-tions slaves ; mais je sais que beaucoup d'Abbés sont hostiles à ce projet dont la réalisation me paraît lointaine et bien problématique ; d'ailleurs ce plan, inspiré par le P. d'Herbigny, vise surtout l'apos-tolat monastique auprès de l'émigration russe en Europe, surtout auprès de l'intelligence, et fait abstraction de l'œuvre qui Vous inté-resse particulièrement. Je crois que ce n'est pas ce qu'il faut pour moi. Depuis que je Vous ai vu pour la première fois, c'est vers Vous et votre œuvre que mes aspirations sont orientées. Je viens donc vous dire, Excellence : je me remets entièrement entre vos mains, faites de moi ce qui Vous semblera le meilleur. Laissez-moi venir auprès de vous, et, à Uniow [Univ], ou à Léopol, ou ailleurs, permettez-moi de travailler sous votre direction à l'œuvre monastique et à la grande œuvre de l'Union des Églises. Si vous m'accordez cette demande, je ne viendrai certes pas avec des prétentions orgueilleuses avec la pensée de réformer l'Orient slave ou de lui apporter des lumières, mais seulement avec l'humble désir de l'aimer et de le servir. Je suis prêt à faire n'importe quoi : du travail manuel ou du travail intellec-tuel. Je ne suis remarquable en aucun genre, mais du moins je pourrai vous apporter une entière bonne volonté.

Ne croyez pas que, en m'accueillant au moment où je cesserai d'être bénédictin, Vous soulèverez contre Vous des critiques ou l'hos-tilité de cette abbaye. Ici, à Farnborough, tout le monde ne me souhaite que du bien, et, si l'on croit qu'il y a incompatibilité entre la qualité de moine de Farnborough et l'œuvre slave, du moins on désire que je suive ma vocation et que, si c'est la volonté de Dieu, je puisse travailler utilement auprès de Vous. – Si Vous accueillez ma prière, je viendrai vous rejoindre dans quelques mois, en novembre au plus tard, peut-être avant. Je pense que, étant donné l'amitié de la Pologne et de la France, il me serait facile d'obtenir un passeport. Je sais bien toutes les difficultés futures auxquelles s'est heurté le fr. Morrisson[92]. Mais je crois que je ne me découragerai pas. Permettez-moi de Vous dire avec confiance : *tuus sum ego*.

Je dois vous parler ici de la question financière. Mon père (qui était avocat) est mort ; j'ai ma mère et un frère aîné (celui-ci capitaine dans l'armée française). La fortune de mon père avait été extrêmement réduite par la guerre et les suites de la guerre ; j'ai hérité de mon père, comme part personnelle, une somme de 60 à 70 000 francs : il est difficile de préciser, parce qu'il y a des propriétés foncières qui ne sont pas réalisées en argent liquide. Je suis donc en possession d'une somme qui est, je crois, au minimum, de 60 000,00 F Mais, étant donné les circonstances très difficiles de la vie en France, j'ai abandonné l'usufruit de cette somme à ma mère pour toute la durée de sa vie ; si elle meurt avant moi, j'entrerai en possession effective de mon argent ; si je meurs avant elle, elle-même fera donation de mes biens à qui je lui indiquerai. Mais, en ce moment, je ne puis donc disposer de ma petite fortune. Si donc Vous m'accueillez, je serai obligé – et c'est pour moi un bien grand regret – de vous prier de vouloir bien Vous charger de mon entretien. Mais, de toute façon, l'argent que je possède reviendra plus tard au diocèse ou au monastère qui m'auront accueilli. Je pourrai même leur en faire, de mon vivant, une donation légale, tout en laissant la jouissance provisoire de cet argent à ma mère. Ainsi je devrai recourir tout d'abord à votre générosité, avec l'espoir, cependant, d'apporter plus tard ma pauvre obole. – Je tâcherai, si je dois venir auprès de vous, de me procurer l'argent nécessaire pour ce grand voyage.

J'entrerai, à l'automne, dans ma troisième année de théologie. Je possède l'ordre mineur de lecteur. Au point de vue universitaire, j'ai la licence ès lettres et le diplôme d'études supérieures de philosophie ; ce diplôme correspond au doctorat allemand, le doctorat français étant quelque chose de tout à fait différent et plutôt analogue au degré russe de magister.

---

92. Benedict Morrison était un jeune anglican converti sous l'influence de Cheptytsky. Après des études à Rome, il séjourna au monastère d'Ouniv avant de prononcer ses vœux à Amay le 15 août 1926. Il devait plus tard séjourner au séminaire syrien de Sarfeh.

J'ajoute que j'ai une bonne santé et que, depuis que je suis moine, je n'ai jamais été malade.

S'il était possible à Votre Excellence de me répondre sans long délai, par exemple avant la fin de juillet, je vous en serais profondément reconnaissant. Veuillez excuser cette phrase, qui semble impertinente. Mais Votre Excellence comprendra la nécessité où je me trouve d'être fixé le plus tôt possible et l'anxiété que me cause l'incertitude. – Je joins à ma lettre une lettre que vous adresse Dom Cabrol. – J'ai bien reçu votre lettre du 15 février dernier ; elle m'a fait un grand plaisir et je vous en remercie beaucoup.

Excellence, j'ai la conviction – et mon directeur spirituel l'a aussi – que c'est Dieu qui a tout fait dans cette affaire. Je crois que je suis appelé dans cette voie. Je m'adresse à Vous comme à un père. Ne me repoussez pas. Mais pourtant je ne voudrais pas m'imposer ainsi à vous. Mais je crois qu'un évêque, un successeur des Apôtres, ne repousse pas quelqu'un qui désire *donner* sa vie et (ah ! si cela était possible !) même son sang pour l'Église du Christ. J'ai confiance que Dieu exaucera l'ardente prière que je lui adresse pour qu'Il me permette de *servir* auprès de Vous.

Je Vous prie, Excellence, de daigner agréer l'hommage de mon très humble respect et de mon profond dévouement dans le Christ.

fr. Louis Gillet

N° 5

fol. 97 r
The Abbey, Farnborough, Hants
14 juillet 1924

†Pax

Excellence,

J'ai reçu Votre lettre, et, afin de Vous répondre aujourd'hui, je me borne à quelques lignes. Je ne sais vraiment comment vous exprimer ma reconnaissance. La *bonté* profonde de votre lettre m'a beaucoup ému. Vous m'avez écrit comme un père. C'est à moi maintenant d'essayer d'être pour Vous un vrai fils. Votre Excellence écrit : *Je vous remercie beaucoup de la confiance avec laquelle vous vous adressez à moi, et j'espère bien que cette confiance ne sera pas confondue.* Mais c'est à moi d'agir de telle sorte que Votre propre confiance ne soit pas confondue.

Voici comment j'envisage pratiquement les choses:

Si l'on m'y autorise, je viendrai en Galicie avant l'expiration de mes vœux temporaires; je viendrai donc en moine bénédictin, avec l'habit bénédictin, et en mission régulière de mon R^{me} P. Abbé. Dans ce cas, j'arriverais en Galicie au début de septembre, et, dès que mes vœux temporaires expireraient (le 1er novembre prochain), je pourrais passer de la juridiction bénédictine sous votre juridiction; ainsi, il n'y aurait pas d'intervalle pendant lequel ma situation serait mal déterminée. Si ce projet n'était pas accepté, j'arriverais après l'expiration de mes vœux temporaires, au début de novembre. Je ne puis pas vous présenter en ce moment un projet précis et certain, parce que notre P. Abbé coadjuteur (Dom Bernard du Boisrouvray[93]; il n'était pas ici lors de votre passage) est actuellement en France et ne reviendra qu'au commencement d'août; ce n'est qu'alors que je pourrai arrêter définitivement les choses. Je me munirai des documents nécessaires.

Je vous remercie de la grande générosité avec laquelle vous traitez la question financière. J'ai bien reçu les 22 [livres] le chèque a été envoyé à Londres pour être changé. C'est vraiment trop bon de votre part de vouloir bien affecter une portion de la somme aux frais de mon voyage. Je vous en reparlerai. Il va de soi que, si quelque empêchement imprévu survenait, cette somme vous serait aussitôt retournée.

J'écrirai à Votre Excellence dans la première quinzaine du mois d'août, et j'espère pouvoir vous donner alors des informations et des dates plus précises.

Dom Cabrol est lui aussi absent; c'est pourquoi je ne vous transmets pas ses salutations. – Ayez la bonté d'offrir mes hommages au Révérend Père Clément. – Oui, je prie pour Votre Excellence et pour la laure.

Je me demande si ma présence éventuelle en Galicie ne pourrait pas aider d'une certaine manière les projets monastiques actuels

---

93. Deuxième abbé de Farnborough ayant succédé à Dom Cabrol en 1924, Dom Bernard du Boisrouvray interdit à Lev Gillet – qu'il n'aimait pas et avec qui il ne s'entendait pas – de prononcer ses vœux définitifs à Farnborough, ce qui causa le départ de Gillet.

bénédictino-slaves, en assurant une sorte de liaison entre votre œuvre et cette nouvelle œuvre monastique bénédictine (mais aboutira-t-elle ?) dont je connais très intimement les promoteurs. J'en parlerai au P. Lambert Beauduin[94]. Celui-ci prendra part au Congrès eucharistique d'Amsterdam, *dans la section orientale*; Mgr Papadopoulos[95], Mgr Chaptal[96], le P. d'Herbigny, le P. de Meester[97], le P. Olivier Rousseau (de Maredsous, que Vous connaissez) y seront aussi.

Je vous prie, Excellence, de croire à mes sentiments de profonde reconnaissance, ainsi qu'à mon très humble et entier dévouement dans le Christ.

fr. Louis Gillet

---

94. Dom Lambert Beauduin (1873-1960) naquit et reçut sa formation théologique en Belgique. Ordonné prêtre en 1897, il se joignit aux bénédictins en 1906 et acquit une réputation de liturgiste et d'œcuméniste. En septembre 1925, il fonda le prieuré dit « de l'Union » à Amay (réinstallé par la suite à Chevetogne) ainsi que sa revue, *Irénikon*, et participa aux Conversations de Malines, où il fut l'auteur de la célèbre formule « L'Église anglicane unie [à Rome], non absorbée ». Condamnée par un tribunal romain en 1931, la vision œcuménique de Beauduin fut réhabilitée par le cardinal Angelo Roncalli – futur Jean XXIII –, qui déclara que le véritable moyen d'œuvrer pour la réunion des Églises était la voie préconisée par Dom Beauduin.

95. Né à Athènes en 1855, Isaia Papadopoulos se convertit au catholicisme en 1877, devint prêtre en 1882, fut nommé vicaire général des gréco-catholiques de Constantinople en 1909 et accéda à l'épiscopat en 1912. Nommé assesseur de la Congrégation orientale en 1917 et membre de la Commission *pro Russia* en décembre 1925, il mourut à Rome en 1932.

96. Né à Paris d'une mère russe, Emanuele Anatolio Chaptal (1861-1943) entra dans le corps diplomatique français et fut posté à Saint-Pétersbourg, Constantinople, Munich et Stockholm avant d'être ordonné prêtre dans l'Église catholique en 1897. Il fut fait évêque auxiliaire de Paris en 1922, puis nommé président de la Commission épiscopale française pour la pastorale des migrants, tout particulièrement les Russes – qu'il aida et tenta de convertir tour à tour. Pendant la Deuxième Guerre mondiale, il se distingua en arborant publiquement l'étoile de David en signe de protestation contre le traitement réservé aux juifs par les Allemands.

97. Moine bénédictin de Maredsous, en Belgique, Placido de Meester (1873-1950) fut l'auteur de nombreux ouvrages sur la liturgie byzantine, la théologie et l'Église russe. En 1923, il fut nommé consulteur liturgique de la Congrégation des Églises orientales, au sein de laquelle il collabora à la codification du droit canon oriental. Il aida aussi Lambert Beauduin à établir Chevetogne.

N° 6

fol. 100 r
The Abbey, Farnborough, Hants
7 août 1924

†Pax

Excellence,

Dans ma dernière lettre (qui n'était pas recommandée, mais qui vous est cependant parvenue, je l'espère), je vous annonçais que je vous écrirais au début du mois d'août pour vous donner quelques précisions sur la date de mon arrivée. Malheureusement je ne puis vous donner encore de date très précise. Je veux changer les 22 [livres] que vous m'avez envoyées à cette fin ; mais la maison de Londres (succursale de la banque de Montréal) a dit que le chèque présentait certaines irrégularités techniques (date trop ancienne, timbre d'autres banques) et a conseillé d'envoyer le chèque à la Banque même de Montréal, d'où on en enverra un nouveau à Farnborough, en échange. J'ai donc envoyé le chèque à Montréal. Il ne reviendra pas ici avant le 20 août au plus tôt. Mais j'espère toujours être en Galicie en septembre. Je partirai de Farnborough dans les meilleures conditions morales possibles. Le P. abbé coadjuteur, qui est encore en voyage, m'a écrit que je pourrais partir quand je le voudrai, en habit bénédictin, – que je pourrais me considérer comme ayant une obédience ou mission régulière de lui pour me rendre auprès de vous et y demeurer jusqu'à l'expiration de mes vœux temporaires, – bref que ma situation serait celle d'un moine bénédictin mis temporairement à votre disposition. Le 1er novembre, cette situation cessant avec mes vœux, je deviendrai directement votre sujet. J'aurai d'ailleurs un document officiel. Le P. abbé coadjuteur me dit qu'il fait les vœux les plus sincères pour que Dieu bénisse ces projets, qu'une séparation par laquelle on croit accomplir la volonté de Dieu ne peut se faire que dans la paix et la charité, et il ajoute : *Soyez assuré que jamais je ne vous considérerai comme un transfuge. Vous ne l'êtes pas. Vous resterez pour moi un ami et un frère dans le Christ.*

Il paraît qu'il a été souvent question de moi parmi les orientalisants du Congrès d'Amsterdam, et mes projets y ont rencontré une pleine approbation. Le P. Olivier Rousseau m'écrit : *Je ne puis m'empêcher de vous féliciter de tout cœur. Vous êtes ainsi en avance sur notre programme de plusieurs années : Que ne puissions-nous tous en faire autant ! Les vocations s'annoncent nombreuses. Qui sait si quelques-unes ne vous suivront pas bientôt ?* Et le P. Lambert Beauduin : *Cette nouvelle me remplit de joie et d'espérance pour nous et pour les projets que nous nourrissons. Mais le moment n'est pas venu de vous en dire davantage : cela viendra à son heure et en son temps.* Que veut-il dire ? Je ne sais. Je vous cite ces lignes parce que j'y vois d'heureux symptômes. Il semble que ma translation, si je puis ainsi dire, loin de compromettre les projets bénédictino-slaves, doit, à leurs yeux, aider ces projets. Enfin, tout est entre les mains de Dieu.

Le P. d'Herbigny, m'écrivant de Velehrad[98], m'a dit que votre état de santé avait été l'une des causes qui vous ont empêché de venir au congrès. J'en suis très peiné. J'espère beaucoup que vous irez mieux.

Je ne vous dis presque rien. C'est parce que, en réalité, j'ai trop de choses à vous dire. Bientôt d'ailleurs, j'aurai la grande joie de m'entretenir oralement avec vous – de tout. Ce que je ne vous dis pas ici, je le dis à Dieu. Je le prie instamment pour Votre Excellence et aussi pour qu'Il me donne, en vue de l'avenir prochain, cette abnégation totale qu'Il attend de ses serviteurs.

Je vous prie, Excellence, de croire toujours à mon très humble et affectueux dévouement dans le Christ.

fr. Louis Gillet

J'écrirai de nouveau à Votre Excellence avant de quitter Farnborough.

---

98. Associé aux saints Cyrille et Méthode, le grand monastère de Velehrad (Welgrad/Welegrad/Willegrad/Welehrad) est aussi le lieu de sépulture de saint Méthode. Haut lieu de pèlerinage en Moravie depuis sa fondation par les cisterciens en 1205, il s'y tint six congrès pour l'union des Églises entre 1907 et 1932, le premier sous l'égide et la présidence de Cheptytsky. Ces congrès réunirent des hommes d'Église catholiques romains, catholiques orientaux et orthodoxes à l'occasion de conférences et de débats sur la théologie et la politique ecclésiale.

N° 7

fol. 104 r
The Abbey, Farnborough, Hants
15 août 1924

†Pax

Excellence,

Depuis la réception de votre lettre (recommandée) du 3 juillet dernier, j'ai envoyé à Votre Excellence deux lettres (non recommandées), vous remerciant et vous confirmant mes intentions. J'espère que ces lettres vous sont parvenues. Dans ma dernière lettre, je vous expliquais que la succursale de la Montreal City Bank à Londres, à laquelle je demandais le payement du chèque de 22 [livres], avait soulevé certaines difficultés techniques et que, par suite, j'avais envoyé le chèque à la banque même, à Montréal. Je reçois aujourd'hui la réponse de Montréal, avec un duplicatum du chèque. Je joins à ma lettre la réponse de la Banque de Montréal et le chèque. Comme vous le voyez par cette réponse, la Banque conseille que vous signiez le *duplicatum* et le renvoyez à Farnborough, où l'on changera le chèque en livres sterling. Je vous prierais donc de vouloir bien signer au dos du chèque. Le cellérier de l'abbaye croit qu'il est préférable que vous mettiez (vous-même) seulement votre signature, sous la forme : André Szepticky, sans Monseigneur, et que vous ne mettiez rien autre, – aucune phrase de délégation de payement, – inutile donc de dire à qui vous désirez que le chèque soit payé. Pour plus de sécurité, vous pourriez faire légaliser votre signature par votre banque ordinaire. Je crois que, la première fois, la difficulté a consisté surtout en ce que le chèque portait *trop* de visas de banques différentes. Enfin, le chèque étant signé, je prierais Votre Excellence de vouloir bien le renvoyer ici (si je pouvais le recevoir avant la fin du mois d'août, ce serait parfait), avec la lettre de Montréal, pièce qui peut servir.

Votre Excellence m'a dit, très généreusement, que cette somme était, en partie, destinée à m'aider à payer les frais du voyage. Bien que je me sois adressé aux agences, il m'a été impossible jusqu'ici d'arriver à dresser un compte exact de ce que ce voyage me coûtera.

Mais, d'après mes calculs, je ne crois pas que les frais de chemin de fer dépassent 4 ou 5 livres. Les frais de passeport seront peut-être assez élevés. En tout cas, je m'interdirai absolument de distraire des 22 [livres] une somme supérieure à dix livres (maximum que j'espère ne pas atteindre, ou même supérieure à tout chiffre moindre que 1) et qu'il vous plaira de me fixer. Comment vous dire encore combien je vous suis reconnaissant de cette aide?

Je vous disais, dans ma dernière lettre, que mon départ de Farnborough allait s'effectuer dans des conditions morales et dans des conditions canoniques excellentes, – dans la paix et la charité, certainement. Je vous disais aussi que le P. Lambert Beauduin et vos amis belges étaient très heureux de ce que j'aille en Galicie et espéraient que ma présence pourrait être de quelque utilité pour les projets bénédictins (je n'ai pas la présomption de le croire). Ils m'invitent instamment à venir parler avec eux à Maredsous et m'offrent de faire tous les frais du voyage aller et retour Paris – Maredsous. J'irai donc à Maredsous. J'y verrai, entre autres, le P. recteur du Collège grec, le P. Olivier Rousseau, un Basilien de Léopol en vacances, peut-être le P. Beauduin, le P. de Meester, le fr. Morrisson. J'ai le pressentiment que ces conversations ne seront pas infructueuses. Si Votre Excellence a des messages pour Maredsous, qu'elle veuille bien m'en charger.

J'écris en hâte. C'est l'Assomption, et nous sommes absorbés par les cérémonies. Mais, comme je vous le disais récemment, je compte bientôt vous *parler*. J'espère toujours être en Galicie avant la fin de septembre, en bénédictin. Je prie chaque jour pour Votre Excellence, que je voudrais savoir en meilleur état de santé.

Que Votre Excellence daigne croire toujours à mon très humble et affectueux dévouement dans le Christ.

fr. Louis Gillet

N° 8

fol. 106 v
29 août 1924

Excellence,

Je reçois à l'instant votre lettre du 21 août, et j'y réponds de suite, sur une simple carte (je vous prie d'excuser ce procédé, mais peut-être une carte ouverte vous parviendra-t-elle plus vite qu'une lettre fermée) ; je recommande cette carte, car, comme vous le croyez, une lettre non recommandée que j'avais adressée à Votre Excellence s'est perdue : elle ne contenait d'ailleurs rien d'important ; je crois que j'y parlais à Votre Excellence d'une lettre que m'avait envoyée de Paris notre P. abbé coadjuteur et où il me disait que, jusqu'à l'expiration de mes vœux temporaires, je serais *officiellement* moine bénédictin mis à la disposition de Mgr Szepticky, et que, loin de me regarder comme un transfuge, les bénédictins me considéreraient toujours comme un frère dans le Christ.

J'ai bien reçu le chèque. Tout est en règle. Pardonnez-moi le dérangement que je vous ai causé avec ce chèque. Et merci de tout cœur pour la grande générosité que montre Votre Excellence dans cette question d'argent. Mais je n'aurai certainement pas besoin de 20 ! – Je suis entièrement à vos ordres pour les achats de livres ou autres commissions à Paris. Je chercherai ce qu'il y a de mieux comme ouvrages récents sur l'Orient byzantino-slave. Je prierais Votre Excellence de bien vouloir m'indiquer quelles commissions je devrai faire. Je serai à Paris la semaine prochaine pour y prendre des passeports (puissé-je n'avoir pas de difficultés !), puis je passerai quelques jours à Maredsous où je transmettrai vos messages, et je repasserai par Paris où je ferai alors les commissions de Votre Excellence. Comme je désirerais prolonger le moins possible mon séjour à Paris, je serais reconnaissant à Votre Excellence de m'écrire presque par retour du courrier au sujet de ces commissions ; mon adresse sera : chez les oblates bénédictines servantes des pauvres, 214 rue Lafayette, Paris. Après Paris, je passerai quelques jours auprès de ma mère et de mon frère, – c'est sur ma route vers l'Est slave, – et enfin je recommencerai la dernière étape qui me conduira avec joie à Lwow – Uniow. J'ai bien reçu la lettre où Votre Excellence me donnait l'adresse d'Uniow. J'écrirai de Paris. Je ne dis ici que ce que je puis dire sur une carte. Permettez-moi de me dire votre fils très humblement et affectueusement dévoué.

L. Gillet

N° 9

fol. 108 r
Artemare, 19 septembre 1924

†Pax

Excellence,

Je compte arriver à Leopol le 27 ou 28 septembre. Si je ne trouve pas Votre Excellence à Leopol, je partirai pour Uniov. Je pensais que Votre Excellence me chargerait de quelques commissions pour Paris, mais je suppose maintenant ou que je n'ai pas reçu une lettre que vous m'avez envoyée à cette fin, – ou que Votre Excellence n'a pas reçu la lettre que je lui ai écrite en quittant l'Angleterre. Tout ceci me montre combien la correspondance avec Leopol est précaire. Aussi ai-je hâte d'avoir avec Votre Excellence un long entretien. J'aurai, après ma visite en Belgique et mes conversations avec D. Lambert Beauduin, à communiquer à Votre Excellence des informations et des projets qui, je crois, vous intéresseront. Nous sommes tous pleins d'espérances, et ces espérances s'appuient sur des faits et sur des plans assez précis. Si Votre Excellence y consentait, mon arrivée serait peut-être le prélude d'autres arrivées en Galicie. Mais ceci et d'autres choses encore doivent plutôt être l'objet de conversations orales.

J'espère donc voir Votre Excellence dans peu de jours. Et je vous prie, Excellence, de me croire toujours votre fils très humblement et entièrement dévoué dans le Christ.

fr. Louis Gillet, O.S.B.

N° 10

fol. 244 [*sic*][99]
Sans date
Lundi soir 5 heures.

Son Excellence aimera probablement savoir que le P. Ildefonse [Dirks][100] revient à l'instant même de voir Perridon[101]. Celui-ci va aussi bien que son état peut le comporter; il est gai et content. Le P. Ildefonse écrira demain à sa famille. Nous nous arrangerons pour que l'un de vous deux aille chaque jour voir Perridon.

L'infirmière a encore assuré le P. Ildefonse qu'il n'y a aucun danger.

---

99. Cette lettre n'est pas datée et par conséquent a été classée aux Archives près de la fin de la correspondance. Sa composition et son contexte portent à suggérer de l'insérer ici.

100. Il s'agit d'une référence à Ildephonse (Ildefons) Dirks (+1940). Né à Bruxelles en 1874, il fit sa profession monastique à l'abbaye de Maredsous en 1894. Durant ses années d'études, il fut joint au groupe de moines fondateurs de l'abbaye du Mont-César. Devenu prêtre en 1899, il fut des années le cellérier et le chantre. En 1919, il fut envoyé au collège grec de Saint-Athanase à Rome, où il s'initia aux choses byzantines. Revenu de Rome en 1924, il fut, après un séjour passé en Galicie auprès de Cheptytsky, adjoint à Lambert Beauduin pour la fondation d'Amay, où il fut une des plus pittoresques figures du monastère. Moine aux convictions profondes, il fut toujours fidèlement attaché à l'observance monastique. Il fonda l'*iconographie religieuse slave* du Prieuré d'Amay. Il avait obtenu en 1936 (!), de faire un voyage d'études en URSS, pour visiter les anciens sanctuaires et les musées d'icônes. La guerre et l'invasion allemande l'avaient profondément atteint dans ses sentiments, et n'ont pas été sans influer sur son déclin.

101. Jacques Perridon, un collaborateur laïc du Bureau byzantin hollandais, fut responsable du comité liturgique et comité financier du « Congrès sur l'Union des Églises » à Bruxelles, septembre 1925.

N° 11

fol. 24 ?r [*sic*][102]
Sans date
Esquisse d'un article pour les jésuites de Liège[103]
J'ai essayé de développer, dans ces pages, des idées que Votre Excellence m'a indiquées. Il ne s'agit là, bien entendu, que d'un simple essai que je suis tout prêt à modifier ou à refaire entièrement, selon les désirs qu'exprimera Votre Excellence.
fr. Lev

N° 12

Sans date ni numéro de folio[104].

Excellence,
J'apprends que Vous faites partir des lettres pour Louvain. Je devais joindre moi-même une lettre pour Louvain à celle du P. Ildefonse [Dirks]. Je prie Votre Excellence de vouloir bien insérer dans l'enveloppe la lettre ci-jointe. Au cas où la lettre de Votre Excellence serait déjà partie (ou fermée) je saisirai une autre occasion d'envoyer ma lettre.
Le P. Ildefonse me charge d'ajouter ceci, qu'il a oublié de Vous dire ce matin : – Avec sa lettre, il y a deux photographies de Votre Excellence. L'une sera pour sa mère ; il prie Votre Excellence d'y mettre un mot de bénédiction. L'autre sera pour le monastère de Louvain ; le P. Ildefonse prie Votre Excellence d'y mettre aussi un mot de bénédiction pour le P. Abbé et les moines et d'*encouragement* pour les jeunes moines qui s'intéressent à l'Orient slave.
Enfin, le P. Ildefonse prie Votre Excellence de vouloir bien accepter pour Elle-même cette image de saint Benoît.

---

102. Cette lettre n'est pas datée et par conséquent a été classée aux Archives près de la fin de la correspondance. Sa composition et son contexte portent à suggérer de l'insérer ici.
103. Il s'agit évidemment de l'article « La psychologie de l'Union », *La revue catholique des idées et faits* (31) 1925 : 5-10.
104. Cette lettre n'est pas datée et par conséquent a été classée aux Archives près de la fin de la correspondance. Sa composition et son contexte portent à suggérer de l'insérer ici.

De mon côté, je me permets d'offrir à Votre Excellence un numéro de *la « Revue » de Maredsous* contenant un article (vulgarisation très superficielle) sur le monachisme russe ancien, que j'avais écrit cet été et qui vient de paraître[105].

Je Vous appartiens maintenant au point de vue juridique, canonique. C'est pour moi une grande joie. Dans ma pensée, ce n'est pas pour un an que je me donne. C'est pour toute ma vie. C'est aussi pour mourir si Dieu voulait me faire cette grande grâce. – Permettez-moi donc, Excellence, de me dire désormais, avec humilité, reconnaissance et affection.

Votre fils dans le Christ,

Бр. Левъ[106]

N° 13

fol. 109 r
Lyon, dimanche 12 juillet 1925

Excellence,

Voici, depuis mon départ de Léopol, la première fois que je puis enfin Vous écrire à tête reposée. Et encore je ne puis Vous écrire en ce moment aussi longuement que je le voudrais. Je ne Vous dis donc que l'essentiel.

Tout d'abord, je vais être en Belgique beaucoup plus tôt que je ne le croyais. J'y serais dès demain. D. Lambert m'a supplié de donner à Liège, le 14 et le 15 juillet, deux conférences que lui-même devait donner et qu'il ne pourra donner, je ne sais pourquoi. Je serai donc demain lundi 13 juillet à Louvain. Je ne pourrai m'arrêter cette fois à Paris. Je compte cependant y aller avant la fin de juillet.

Vous avez déjà vu, sans doute, Mlle F. Noël et peut-être Ivanka[107]. Mlle Noël parle beaucoup et est pleine de projets. Elle et

---

105. Il s'agit de l'article « Le monachisme russe au Moyen Âge », *Revue liturgique et monastique* 1 (1924) : 366-77.

106. Fr. Lev

107. Né en 1902, Endre von Ivanka eut une carrière distinguée dans les domaines de l'histoire et de la théologie byzantines. Ses ouvrages *Plato Christianus – La réception critique du platonisme chez les Pères de l'Église* et *Rhomäerreich und Gottesvolk* furent traduits en plusieurs langues.

le P. Hornickievitch[108] (est-ce bien le nom? je parle du prêtre ruthène de Vienne) m'ont entraîné chez le cardinal Piffl[109]. Lors de mon départ, ni Votre Excellence ni moi n'avions cru cette visite utile. Mais le P. Hornickiévitch et Mlle Noël l'ont jugée nécessaire. En effet, le P. Hornickiévitch veut établir auprès de Sainte-Barbara une association de prière, une confraternité de Saint-Josaphat. Lui et Mlle Noël ont craint que, si cette association était proposée par eux seuls, on ne le suspectât d'ukrainisme; au contraire, disaient-ils, si moi, je pouvais parler au nom de l'*Apostolatus Ecclesiae Orientalis* et dire qu'il s'agit d'une œuvre *internationale* ayant sa base en Hollande, tout serait facilité. Je suis donc allé voir le cardinal et son secrétaire Mgr Wagner; sans mêler Votre Excellence à cette affaire, j'ai proposé la fondation d'une branche de l'*Apostolatus* auprès de Sainte-Barbara. Le cardinal, très aimable, a déclaré qu'il n'y voyait aucun obstacle; il désire seu - lement que nous faisions entendre au P. Galen que nous ne travaillons pas *contre* lui; j'ai d'ailleurs cru comprendre que la personne et l'œuvre du P. Galen ne jouissent d'aucun crédit dans les hautes sphères ecclésiastiques; on reproche au P. Galen d'administrer des fonds importants sans en rendre compte à personne et l'on souhaite ouvertement son départ. Le résultat de mes conversations avec Mademoiselle Noël peut se résumer ainsi:

1. une association de prières *pro Unione*, dite confraternité de Saint-Josaphat, va être érigée sans tarder auprès de Sainte-Barbara, dans l'espoir de donner un peu plus de vie spirituelle à la colonie ukrainienne de Vienne;

2. d'accord avec Perridon, un Bureau byzantin sera créé à Vienne, vers l'automne, par les soins de cette confraternité de Saint-Josaphat;

3. également vers l'automne pourrait se constituer à Vienne un petit groupe de dames, semblables à des oblates occidentales, menant une vie religieuse dans le monde, selon des normes qu'il faudrait établir; ces dames auraient besoin d'un prêtre qui les dirigerait;

---

108. Myron Hornikiewicz (Hornykevych/Hornykievitch) était le recteur catholique ukrainien de l'église Sainte-Barbe de Vienne. Connaissant bien le russe et disciple de d'Herbigny, il ne reçut cependant jamais les foules de convertis russes qu'il espérait.

109. Né en 1864 à Landskron (Autriche), Friedrich Gustav Piffl devint prince-archevêque de Vienne en 1913. Il fut créé cardinal en mai 1914 et mourut à Vienne en avril 1932.

4. enfin on enverrait en Belgique, peut-être, une jeune fille qui y recevrait une formation monastique sérieuse et pourrait ensuite organiser à Vienne un vrai monastère *pro Unione*. J'ai pu constater personnellement que les bonnes volontés et les locaux existent à Vienne. Il est probable que Mlle Noël, au cours de ses entretiens avec Votre Excellence, aura retouché et modifié les projets esquissés lors de mon départ de Vienne. Il me semble que deux de ces projets, la confraternité de Saint-Josaphat et l'envoi en Belgique d'une jeune fille qui pourrait diriger plus tard un de *nos* monastères, ont de l'avenir : on peut beaucoup par la prière et la vie contemplative.

J'ai donc vu Ivanka. Je l'ai décidé à aller le plus tôt possible en Galicie. C'est vraiment un jeune homme très bon, très intelligent, avec d'excellentes idées monastiques et une sérieuse connaissance de la philologie slave ; son seul tort est d'être trop complexe. J'avais une forte envie de rire quand il a commencé à me parler de sa soeur (comme il l'avait fait au P. Lambert) et quand il m'a dit qu'il croyait de plus en plus que sa soeur était inventée par son père.

Arrivé en France, j'ai passé quelques jours auprès de mon frère dans sa maison de campagne, et quelques jours auprès de ma mère, à Valence. J'y ai fait de la propagande. J'ai prêché dans une église, j'ai présidé une distribution de prix dans un collège (!!) – avec discours, naturellement, – et j'ai célébré des liturgies où l'on venait en foule et où j'ai eu jusqu'à soixante communions sous les deux espèces. Quand j'ai eu à parler, je me suis borné à laisser parler le plus possible les faits eux-mêmes, j'ai raconté la persécution religieuse en Russie, le procès de la Semaine sainte 1923, j'ai cité quelques fragments de ces dialogues entre Fiodorof[110] et Krylenko[111], qui rappellent

---

110. D'une famille orthodoxe russe, Léonide Ivanovitch Fëdorov (Fédorof/Fiodorov) (1879-1935) naquit et fit ses premières études à Saint-Pétersbourg. Après s'être converti au catholicisme au Gesù de Rome en 1902, il poursuivit ses études au collège pontifical d'Anagni, où il fut ordonné prêtre en 1911. Il fut ensuite tonsuré moine en Bosnie en février 1913. En 1917, il fut nommé exarque de l'Église catholique russe, mais fut arrêté en janvier 1923 et subit un simulacre de procès en mars à Moscou. Il vécut plusieurs périodes d'incarcération et d'exil avant de mourir seul à Viatka (aujourd'hui Kirov, en Russie) le 7 mars 1935. Il fut béatifié par le pape Jean-Paul II en juin 2001.

111. Nicolas Vasilievitch Krylenko (Krilenko) 1885-1938, révolutionnaire russe et juriste soviétique. En novembre 1917, Trotsky le promeut commandant en chef des forces armées russes chargé de négocier la paix avec le Pouvoir central. Il démissionne en 1918, mais devient plus tard ministre et commissaire de la justice.

les *Actes des Martyrs* : je crois que cette éloquence des faits a agi, car plusieurs de mes auditeurs ont pleuré. Si j'avais pu rester quelques semaines là où j'ai passé, j'y aurais certainement trouvé des vocations et peut-être de l'argent.

Ici à Lyon, conversations très intéressantes avec le P. Valensin, S.J.[112], professeur à l'Université catholique, qui s'occupe particulièrement des Russes. Il y a à Lyon quinze mille Russes, dont beaucoup d'étudiants, – quelques Ukrainiens, mais russifiés. La chapelle catholique russe n'existe plus, faute de prêtre : le P. Makarief[113], qui la desservait, ne semblait pas apte à cette tâche et se trouve actuellement à Moscou. Il n'y a à Lyon que quinze jeunes Russes catholiques, sans église catholique de leur rit, mais les jésuites s'occupent d'eux et exercent également une influence sur les étudiants russes non-catholiques. J'en ai vu : Ils sont très sympathiques, paraissent droits et courageux, assez différents du type habituel de l'émigré russe ou de l'officier wrangeliste. On serait très content si Votre Excellence pouvait passer à Lyon à l'automne. Il y a aussi à Lyon une église russe pravoslave[114] : le prêtre, très dévoué, travaille comme ouvrier pendant la semaine ; je trouve que c'est admirable. N'étant à Lyon que pour deux jours, je n'ai pu m'occuper de livres ni de soieries ni prendre un contact sérieux avec les milieux russes. Les jésuites me disent que j'aurais pu faire beaucoup – au moins célébrer la liturgie – en restant quelque temps ; mais, hélas ! il me faut aller de suite en Belgique. J'espérais recevoir du P. Labba[115] [*sic*] quelques indications sur les colonies ukrainiennes en France ; mais il ne m'envoie rien. J'ai parlé à Lyon des studites ; on s'y intéresse ; parmi ces

---

Gillet réfère ici à l'interrogatoire subi par l'exarque Leonid Fiodorov et conduit par Krylenko. En 1938, ce dernier devient lui-même victime de la « justice soviétique » et est exécuté suite aux procès ouverts par Staline en vue d'épurer le parti.

112. Auguste Valensin (1879-1953) était un jésuite ayant participé au mouvement de « ressourcement » théologique des premières décennies du XXᵉ siècle à Lyon. Ayant étudié sous Maurice Blondel, il fut étroitement associé à des sommités comme Henri de Lubac et surtout Teilhard de Chardin, dont il fut un grand ami et un défenseur depuis leur noviciat ensemble à Aix-en-Provence.

113. Nous n'avons trouvé aucun renseignement au sujet de Makarief.

114. Synonyme d'orthodoxe.

115. Proche collaborateur de Cheptytsky, Vasyl (Basile) Laba fut doyen de la faculté de théologie de l'Académie théologique de Lviv entre 1936 et 1938, où il enseigna le Nouveau Testament, l'herméneutique et la patristique. En 1942, il prêcha publiquement la lutte contre le bolchevisme et devint aumônier général de la division galicienne de l'armée allemande pendant la Deuxième Guerre mondiale. Il mourut en Alberta, au Canada, après la guerre.

quinze mille Russes, il serait possible de trouver des éléments instruits et très bons : ah ! si j'avais le temps !...

Le P. Valensin m'a appris des nouvelles intéressantes : 1) Le Pape aurait donné à Mgr Van Caloën[116] des facultés écrites pour réunir les orthodoxes à l'Église sans abjuration ; j'essaierai de savoir exactement ce dont il s'agit ; 2) Le Comité orthodoxe russe de Paris a confié aux jésuites la direction des colonies de vacances d'enfants russes orthodoxes.

On semble défiant de Mgr Dabitch[117] et l'on se pose des questions au sujet d'Abrikosof[118] et de Verkhovskyi[119].

Je vais donc directement à Louvain, sans m'arrêter à Paris. Je tâcherai d'aller à Paris dans quelque temps pour voir Mgr Chaptal, M. Quénet[120], Mgr Lagier[121], les libraires, etc.

Je remercie beaucoup Votre Excellence de la médaille de Saint-Joseph que j'ai reçue immédiatement avant mon départ, – médaille

---

116. Né en Belgique, Geraldo Van Caloën (1853-1932) fut ordonné prêtre bénédictin en 1876. En 1906, il fut sacré évêque, et l'année suivante, nommé abbé de Nossa Senhora do Monserrate à Rio de Janeiro (Brésil). Il résigna ses fonctions en 1915, préférant porter le titre d'abbé émérite jusqu'à son décès.

117. Mgr Serge Dabitsch (1877-1927), Archimandrite mitré de l'Église russe orthodoxe, responsable de la diaspora en Hongrie, Autriche et Allemagne, que Mgr d'Herbigny a convaincu de passer au catholicisme en 1923.

118. Après avoir été un « libre-penseur » agnostique, Vladimir Abrikosov (Abrikosof) (1880-1966) suivit l'exemple de sa femme et se convertit au catholicisme en 1909, puis fut ordonné prêtre catholique russe par Cheptytsky en 1917. Arrêté le 17 août 1922, il fut jugé et condamné à mort ; sa peine fut commuée en exil à perpétuité, exil qu'il passa d'abord à Rome, puis à Paris. Sa femme, qui était à la tête d'un ordre de religieuses, mourut du cancer dans une prison soviétique en 1936, mais Abrikosov survécut en exil jusqu'en 1966.

119. Gleb Verkhovsky (Verkhovski) (1888-1935) était un peintre converti au catholicisme en 1909 après avoir lu Soloviev et étudié la théologie à Lviv et Innsbruck. Il séjourna à Enghien en même temps que d'Herbigny et participa éventuellement au premier concile du clergé catholique russe à Petrograd en 1917. Après un séjour à Rome, il occupa le premier poste de recteur de la paroisse catholique russe de Prague. Il publia deux documents en faveur de la création, puis de la reconnaissance russe de l'exarchat russe de Féodorov.

120. Charles Quénet, un chanoine français secrétaire de l'évêque Chaptal, aidait les immigrants russes en France. Adversaires convaincus de l'œcuménisme et partisans zélés de d'Herbigny, Quénet et Chaptal furent accusés de prosélytisme parmi les immigrants. Pour se défendre, Quénet écrivit contre le métropolite Euloge une polémique qui déclencha une tempête médiatique et aigrit les relations entre catholiques et orthodoxes en France jusqu'après la Deuxième Guerre mondiale.

121. Charles Lagier fut le fondateur de l'Œuvre d'Orient, un organisme parisien d'aide aux immigrants russes qu'il administrait avec l'appui de l'évêque Chaptal. Il écrivit plusieurs livres, dont *L'Orient chrétien*.

thaumaturgique. Eh bien, je vais vous raconter des choses étonnantes que j'ai obtenues avec cette médaille… Au cours de mon voyage, je me suis fait au pied une écorchure douloureuse qui me rendait la marche difficile ; normalement, cette écorchure devait s'agrandir par le contact des souliers : mais j'ai appliqué cette médaille sur l'écorchure et, en quelques heures, l'écorchure a totalement disparu. Arrivé auprès de mon frère, je trouve ma jeune belle-soeur assez malade, en proie à une fièvre violente, à la suite de la naissance d'un enfant : sans rien dire, je lui ai appliqué cette médaille, et, en quelques heures encore, toute fièvre a disparu, non pas graduellement, comme c'était normal, mais tout d'un coup : le médecin en était étonné. Je ne suis pas très crédule, mais je crois vraiment, comme Votre Excellence, qu'il suffit de *vouloir* le miracle et de le demander avec foi pour qu'il se produise.

Je trouve la France inquiète, pessimiste, et vraiment à bout de forces au point de vue financier. J'admire beaucoup les jeunes Français catholiques qui ont de 16 à 20 ans : c'est déjà bien loin de ma génération ; c'est une génération formée par la communion quotidienne, – des jeunes garçons qui paraissent très purs et avoir une vive intelligence de leur foi, ce que n'avaient pas leurs aînés. Mais, même parmi ces jeunes, a-t-on assez le sens du renoncement pour le Christ ? Il me semble que l'on prend trop de tasses de thé, que l'on joue trop au tennis, – que l'on concilie trop facilement une vie très mondaine et la vie chrétienne… Oh ! mes studites, mes frères studites ! je ne trouve pas de vie aussi évangélique que leur vie, je ne trouve rien en Occident qui approche de leur смиренный [*sic*] любовь[122]. Ce monastère des Schotten[123] me semble être exactement ce que nous ne devons pas être, avec la Praelatur luxueuse et les laquais qui servent l'abbé à table… Dans les églises latines, je me sens maintenant étranger. De plus en plus, je sens que je suis *à vous* et à mes frères d'Ukraine. Il y [a] aujourd'hui dimanche deux semaines que je vous ai quitté. Mais, vous le savez, mon cœur reste toujours auprès de vous. J'ai encore tant de choses à vous dire ! Mais je dois m'arrêter. J'écrirai de Belgique, dans quelques jours. Cette lettre est naturellement aussi pour le T.R.P. higoumène[124], dont je

---

122. Littéralement, "amour humble".
123. Un prieuré bénédictin près d'Antwerp.
124. Le père higoumène Clément Cheptytsky.

suis le fils reconnaissant et dévoué. Que Votre Excellence veuille prier pour moi, comme je prie chaque jour pour Elle, et croire pour toujours à mon respectueux et très profond attachement dans le Christ, – vous qui êtes mon Père vénéré et très aimé.

смиренный іеромонах [*sic*] Лев[125]

Adresse : Abbaye du Mont-César, Louvain, Belgique.

N° 14

fol. 111 r
Paris, Gare du Nord
13/7/25

Excellence,

J'arrive à l'instant à Paris et j'en repars dans une heure pour Bruxelles. Je tiens à vous raconter de suite une conversation que j'ai eue hier soir et dont les conséquences peuvent être importantes. Je dînais chez mes cousins du Chayla, à Lyon ; je m'y suis rencontré avec un de leurs parents qui désirait me voir, le comte A. du Chayla[126], haut fonctionnaire du service russe de la Société des Nations. Très jeune, le comte A. du Chayla s'était fixé en Russie ; je ne sais à la suite de quelles circonstances il s'est fait orthodoxe (après avoir été élevé par les jésuites, qu'il déteste, – l'Empreinte !). Sa conversion à l'orthodoxie semble très sincère. Il a même étudié à la Духовная Академія[127] de Pétrograd, et a traduit en français des sermons du métropolite Antoine[128]. Pendant la guerre, étant officier dans l'armée russe, il est venu à Leopol avec le comte

125. « L'humble hiéromoine Lev. » Dans la tradition byzantine, un hiéromoine est un moine ordonné prêtre. L'ajout de l'adjectif « humble » marque la façon habituelle des ordres monastiques de l'Orient d'apposer leur signature. Désormais, Gillet signera ces lettres ainsi.
126. Il ne faut pas confondre A. du Chayla avec le comte Arnaud du Chayla, ancien ambassadeur de France au Liban.
127. Académie de théologie.
128. Né en 1863 à Novgorod, Antoine (Antonii) Hrapovitski (Khrapovitskii) fit des études doctorales à Saint-Pétersbourg, pendant lesquelles il fut tonsuré moine, et devint évêque en 1897 à l'âge de 34 ans. Il joua un rôle de premier plan au Concile panrusse de Moscou, où il fit accepter le principe de la restauration du

Bobrinsky[129] et le métropolite Euloge[130] : c'est vous dire de quel côté il se trouve. Il a contre les uniates[131] tous les préjugés qu'un bon orthodoxe peut avoir, et, hier, il a été stupéfait de voir que je n'avais contre l'orthodoxie aucune haine ni aucun désir d'agression. *Je n'ai*

---

patriarcat, à la tête duquel il faillit lui-même être élu. À la fin du concile, il fut nommé métropolite de Kiev et de Galicie, mais s'enfuit en Yougoslavie, où il passa ses 15 dernières années à la tête de l'Église orthodoxe russe « hors-frontières ». Il mourut en août 1936. Avant la Première Guerre mondiale, il avait entretenu une correspondance très amicale avec Cheptytsky, mais finit par s'opposer au métropolite. Celui-ci lui donna néanmoins refuge dans sa résidence épiscopale de Lviv à la fin du conflit.

129. Nommé Gouverneur général de Galicie durant la Première Guerre mondiale, le comte Vladimir Alexéévitch Bobrinskoy profite de son poste pour supprimer tous les journaux ukrainiens et fermer les écoles, remplacer tous les fonctionnaires par des Russes, et transférer beaucoup d'orphelins dans l'empire russe où ils seront assurés d'une éducation orthodoxe. Il traita les Polonais avec un certain tact, mais réprima impitoyablement les Ukrainiens – surtout les « uniates ». Il aida plutôt les orthodoxes dont la présence jusqu'ici en Galicie était restreinte. Bobrinskoy s'est chargé de surveiller le départ de Sheptytsky de Lviv en 1914.

130. Après avoir occupé des fonctions en Russie, où il joua notamment un rôle dans l'arrestation de Cheptytsky en septembre 1914, Evlogii (Euloge) Guéorguievski (Georgiyevsky) (1868-1946) fuit la Révolution et fut l'hôte de Cheptytsky à Lviv en juin 1919 ; il rendit la pareille à Cheptytsky lorsque celui-ci vint à Paris en 1925, en le recevant à la cathédrale avec tous les honneurs dus à un hiérarque. Euloge participa à la fondation de l'Église orthodoxe russe « hors-frontières » alors même qu'il prenait part à des discussions clandestines avec le patriarche Tikhon, à qui il demandait l'administration de toute l'Église hors-frontières et le démembrement du Synode des évêques hors-frontières. Tikhon ne se prononça pas à cet égard, mais Euloge poursuivit ses nominations ecclésiastiques et ses activités politico-religieuses (en célébrant notamment des offices à la mémoire des victimes de la Révolution et en participant à des conférences œcuméniques sur les persécutions religieuses soviétiques), au grand dam des Soviétiques. Ceux-ci, à leur tour, firent pression sur le patriarcat de Moscou pour obtenir sa destitution et celle de ses évêques vicaires. Euloge plaida ensuite auprès du patriarche œcuménique en faveur de la création temporaire d'une juridiction extraordinaire et fut fait exarque d'Europe occidentale sous l'obédience de Constantinople. De nombreuses paroisses le suivirent, mais quelques-unes refusèrent, ce qui ajouta à la confusion et à la division dans la communauté russe. Euloge reçut Lev Gillet dans l'Église orthodoxe simplement en concélébrant la liturgie avec lui en juin 1928.

131. Le néologisme slave *uniat* (*uniyat*) (dérivé de la corruption polonaise du terme latin *unio*) fut inventé pour décrire les églises orthodoxes locales qui s'unirent à Rome pour diverses raisons et à différentes époques depuis l'Union de Brest de 1595-1596. De telles ententes ont toujours suscité beaucoup de controverse, et ni l'Église catholique, ni l'Église orthodoxe n'acceptent la méthode de « l'uniatisme », c'est-à-dire la pratique qui consiste à attirer individuellement des diocèses ou des communautés en les séparant de leur Église mère. Le terme et ses mots apparentés sont aujourd'hui jugés péjoratifs par les catholiques orientaux, bien que l'on puisse soutenir qu'ils suggèrent un lien avec l'orthodoxie en désignant les membres de l'Église orthodoxe ayant accepté « l'union ».

jamais vu, m'a-t-il dit, un étranger comprendre l'orthodoxie aussi bien que vous. Je vous rapporte cet éloge (!) sans m'en enorgueillir… Il est allé plus loin. Il est l'ami de Tchitchérine[132] et de Krasine[133] (dont les deux filles sont, paraît-il, des orthodoxes pratiquantes) et il croit que la situation religieuse de la Russie va se normaliser d'ici à un an. *Si, à ce moment* m'a-t-il dit *vous désirez entrer en Russie, non pour faire du prosélytisme auprès des orthodoxes (car alors ma conscience m'interdirait de vous aider), mais pour prendre contact avec des personnalités ecclésiastiques orthodoxes en vue du rapprochement des Églises, je pourrai vous faire obtenir les autorisations nécessaires.* Voilà un concours qui sera peut-être utile.

Mais j'en viens à [*sic*] objet même de cette lettre. Le Cte A. du Chayla a rencontré l'exarque Fiodorof chez le métropolite Antoine et s'intéresse à son sort. Or justement M. du Chayla, avec M. Albert Thomas[134] et le Dr Nansen[135], prépare un échange de prisonniers entre la Russie et les puissances occidentales, sous les auspices du Bureau international du travail de la Société des Nations. Le Dr Nansen ira lui-même en Russie, en septembre, régler cet échange.

---

132. Georgi Vassilievitch Tchitchérine (1872-1936) était le délégué soviétique à la Conférence économique mondiale de Gênes en 1922 lorsque les grandes puissances décidèrent de tendre la main à la Russie pour reprendre contact avec elle. L'archevêque local porta un toast en son honneur, ce qui souleva une tempête de protestations. Au printemps 1922, il avait fait languir d'Herbigny lorsque ce dernier tentait d'obtenir un visa pour se rendre en Russie.

133. Leonid Borisovitch Krasine (Krasin) (1870-1926) occupe le poste de Ministre (Commissaire du peuple) aux affaires étrangères au sein du Gouvernement soviétique, entre 1920 et 1924. En 1924, il est élu au Comité central du parti et y demeure jusqu'à sa mort survenue à Londres suite à une maladie du sang.

134. Albert Thomas (1878-1932), homme politique français et socialiste, fut responsable du ministère des Munitions durant la Première Guerre mondiale. Dans la foulée de la Révolution de février 1917 en Russie, il fut envoyé à Petrograd comme ambassadeur spécial pour inciter les Russes à continuer à participer à la guerre; sa mission fut un échec. Ayant démissionné du gouvernement en septembre 1917, il aida néanmoins à rédiger le Traité de Versailles, puis devint le premier directeur de l'Organisation internationale du travail, une institution associée à la Société des Nations.

135. Né à Oslo dans une famille de l'aristocratie, Fridtjof Nansen (1861-1930) fut envoyé aux États-Unis en 1917 pour y négocier des approvisionnements pour la Norvège. En 1919, il assista à la conférence de paix de Paris, et en 1920, fut nommé haut commissaire responsable des échanges de prisonniers de guerre par la Société des Nations. En 1922, il avait obtenu la libération de plus de 400 000 prisonniers et devint haut commissaire pour les réfugiés. Il reçut le Prix Nobel de la paix la même année.

M. du Chayla ne croit pas que Cantorbéry puisse faire en ce moment quelque chose pour l'exarque, parce que les relations anglo-soviétiques sont très tendues. Mais il se charge, lui-même, de faire inscrire l'exarque sur les listes d'échange. Il m'assure que, du côté soviétique, il n'y a aucune difficulté; les seuls obstacles à ces échanges pourraient venir des gouvernements occidentaux. M. du Chayla désire avoir de vous, en tant que chef des uniates russes, une lettre qu'il pourrait montrer à Nansen. Cette lettre à du Chayla pourrait être ainsi rédigée: *Monsieur, – Sachant qu'il est question d'un échange de prisonniers entre l'Union des Républiques soviétiques et certaines puissances européennes, et que vous-même, avec M. Albert Thomas, le Dr Nansen, et le Bureau international du travail vous occupez de cet échange, j'appelle votre attention en faveur de plusieurs ecclésiastiques catholiques de rit oriental qui relèvent de ma juridiction et sont actuellement détenus en Russie. Je vous prierais de faire votre possible pour que les noms suivants soient inclus* **[fol. 249r[136]]** *dans les listes d'échange: –* l'exarque Leonide Fiodorof, condamné à dix ans de prison en 1923 et détenu à Moscou – (ajouter les autres prêtres que vous désireriez faire libérer). – Je serais très reconnaissant au Bureau international du travail de tout ce qui pourrait être fait par lui pour obtenir la libération de ces prisonniers et je vous en exprime par avance mes remerciements. – Agréez, etc. « Ce n'est là qu'un schéma pour montrer à Votre Excellence le genre de demande à faire. M. du Chayla vous prie de lui adresser cette lettre *le plus tôt possible* par mon intermédiaire; il craint que des lettres directement adressées à lui ne soient ouvertes. Donc, que Votre Excellence veuille bien m'écrire de suite à ce sujet. Si, d'ici à trois semaines environ je ne recevais pas la demande de Votre Excellence à M. du Chayla, j'en concluerais que la lettre s'est égarée à la poste et je n'hésiterais pas à faire moi-même cette lettre et à la signer de votre nom: c'est de l'audace, mais la chose est importante... Si par là on pouvait obtenir la libération de F[iodoroff], je considère que je n'aurais pas perdu mon temps en France... Je vais prier ardemment à cette intention. Je termine à la hâte, car mon train va partir.

Votre fils très respectueusement et affectueusement dévoué.

смиренный іеромонахъ Левъ[137]

---

136. La suite de cette lettre fut déplacée et continue de fol. 249 (!).
137. « L'humble hiéromoine Lev. »

N° 15

fol. 113 r
Abbaye du Mont-César, Louvain
20/7/25

Excellence,

Voici la troisième lettre que je Vous envoie. La deuxième, écrite de Paris, contenait des indications sur une démarche possible en faveur de l'Exarque[138]. J'espère que cette lettre est parvenue à Votre Excellence : c'est un sujet qui, naturellement, me tient très à cœur.

Aujourd'hui, quelques mots à la hâte. Mon impression générale est excellente. Le public belge est admirablement préparé à un mouvement *pro unione* ; tout le monde s'y intéresse et en parle. Le P. Ildefonse et moi sommes allés à Liège préparer de futures manifestations pour le début de novembre. Nous avons célébré des liturgies expliquées au fur et à mesure. J'ai donné là-bas deux conférences, l'une sur l'Union en général, l'autre sur la persécution religieuse en Russie soviétique. Je crois que cette dernière surtout a produit une vive impression sur le public, à en juger par l'émotion extérieure. Des orthodoxes sont venus assister à ma liturgie et, ensuite, m'ont remercié.

J'ai eu l'occasion d'entrer en contact avec l'émigration russe. Quel océan de détresse ! J'ai vu la fille du général Kornilof[139], une jeune femme qui vend des cartes postales et dont le mari, lui-même général russe, est chauffeur d'automobile. À Louvain, beaucoup de réfugiés russes. La pensée de cette misère russe m'obsède, ne me quitte pas. Les hommes mûrs de l'émigration vivent toujours dans

---

138. Le mot « exarque » désigne l'ecclésiastique catholique russe Léonide Féodorov. Dans l'Empire byzantin, l'exarque était le gouverneur d'une province éloignée, mais dans l'usage ecclésiastique, le terme désigne le délégué ou le légat d'un autre hiérarque, en général le chef d'une Église (métropolite ou patriarche). La plupart des exarques sont des évêques, mais à l'occasion, cette charge est conférée à un ecclésiastique de haut rang, comme un archiprêtre mitré.

139. Lavr Kornilov naquit en 1870. Après la Révolution de février 1917, il fut chargé de rétablir l'ordre à Saint-Pétersbourg, dans la population et parmi les soldats mutins. Nommé commandant en chef de l'armée le 1er août 1917, il se servit de son poste pour tenter de renverser militairement le gouvernement provisoire. Arrêté le 1er septembre, Kornilov fut incarcéré, mais il s'échappa et pris la tête des forces antibolcheviques (« blanches ») dans la région du Don. Il fut tué en avril 1918 lors d'un combat contre les bolcheviques à Iekaterinodar.

l'illusion : ils attendent le salut du grand duc Nicolas Nicolaiévitch[140] et du général Wrangel. Mais je constate chez les jeunes un état d'esprit différent : *Nos aînés se trompent. Si la Russie peut être sauvée, le salut viendra de la Russie elle-même, non pas de nous. Nous n'avons qu'à gagner courageusement notre vie, et nous pourrons nous estimer heureux si un jour on nous permet de rentrer en Russie.*

Godfrey[141] vient de passer ici deux jours. Il est un peu déprimé à cause de l'attitude du cardinal Bourne[142]. Quelle étroitesse, il me semble !

Perridon a également passé par Louvain.

Les moines du Mont-César sont très sympathiques à l'œuvre orientale. Le P. abbé va mieux et soutient beaucoup le P. Lambert. Celui-ci est à peu près invisible : toujours en démarches à droite ou à gauche. Le P. Benedict Morrison et le P. Maur[143], son ami, ne rêvent que de liturgie byzantine : mais ils me paraissent terriblement ritualistes et se noient dans des détails infimes[144]. Il y a ici deux clercs russes du séminaire de Lille ; ils me confirment ce que m'ont dit les jésuites : le séminaire ne marche pas bien ; le recteur, un

---

140. Petit-fils du Tsar Nicolas I, ce grand duc (1856-1929) était commandant en chef de l'armée russe durant la première année de la Première Guerre mondiale. On fait souvent référence à lui comme le dernier Romanov qui fut influent.

141. Né en Angleterre, William Godfrey (1889-1963) fut ordonné prêtre en 1916. En 1938, il fut simultanément sacré évêque et nommé délégué apostolique en Grande-Bretagne. Il servit ensuite l'Église en Pologne pendant la Deuxième Guerre mondiale et retourna à Liverpool en tant qu'archevêque en novembre 1953. Muté à Westminster en 1956, il fut fait cardinal en 1958 et demeura à Westminster le restant de sa vie.

142. Né à Clapham en Angleterre, Francis Alphonsus Bourne (1861-1934) fut nommé archevêque de Westminster par le pape Pie X en 1903 et consacra la cathédrale de Westminster. Fait cardinal en 1911, Bourne présida à un vaste mouvement de renouvellement de l'Église catholique en Angleterre et se fit entendre dans un grand nombre de dossiers controversés de l'époque, tant au pays qu'à l'étranger, dont celui de la fondation et de l'administration de l'abbaye de Chevetogne.

143. Dom Maur van der Mensbrugghe (1899-1980) prononça très jeune ses vœux monastiques à l'abbaye belge de Saint-André. En 1922, il rencontra Dom Lambert Beauduin et entra plus tard à Amay, dont le prieur jugea bon d'envoyer Mensbrugghe chez les bénédictins à Kylemore, en Irlande. D'un caractère difficile, Mensbrugghe eut maille à partir avec les moines irlandais et fut bientôt renvoyé à Amay, pour ensuite être aiguillé vers le Collège grec de Rome. Il se convertit à l'orthodoxie en 1929 et se rendit en Angleterre, où il établit une communauté de moniales, devint hiéromoine (en prenant le nom d'Alexis), puis archimandrite du patriarcat de Moscou, et enfin évêque orthodoxe russe. Il mourut à Düsseldorf.

144. Remarque perspicace, qui vaut aujourd'hui encore pour certains amoureux du rite byzantin, qui ont saisi celui-ci plutôt dans sa forme que dans son esprit.

certain P. Fallon[145], ne sait pas prendre les Russes comme il le faudrait.

Reçu une lettre du P. d'Herbigny. Il me félicite de mon ordination, dit qu'il me croit dans ma voie véritable, et me charge d'assurer le P. Lambert que les *hauts sommets* (c'est le P. d'Herbigny qui souligne) veulent le succès de son œuvre.

Me retrouvant dans un monastère bénédictin, je sens très vivement la situation de cette atmosphère bénédictine : paix, harmonie, beauté. Mais tout me semble trop stylisé. À Uniov, c'est l'Évangile. Les studites ont vraiment choisi la meilleure part : je ne crois pas qu'ils aient beaucoup de choses à emprunter aux bénédictins.

J'en viens à quelques questions d'une importance immédiate :

1. Les fondations. J'ai passé une journée à Pepinster[146]. Il y a là la chapelle du pèlerinage et une petite maison qu'offre aux moines le baron del Marmol[147]. Un architecte de Bruxelles achève les plans d'un monastère provisoire, car le monastère définitif ne sera bâti que bien plus tard. Dans la pensée du P. Lambert, Pepinster ne sera au début qu'un centre de propagande. Les novices (hommes et femmes) seraient groupés (séparément, bien entendu) à Anvers. Car le P. Franco de Wyels[148], le vice-recteur de Saint-Anselme, mène très activement l'affaire d'Anvers. Le P. Franco voudrait beaucoup m'avoir et avoir aussi le P. André Stoelen à Anvers pour la formation de ces novices des deux sexes. Quant à Rome, la Congrégation orientale désire vivement l'ouverture de la maison le plus tôt possible : la Congrégation

---

145. Valère Fallon (1875-1955) était un jésuite belge qui, après avoir fait des études de doctorat en Allemagne, passa la plus grande partie de sa vie à enseigner la philosophie morale et les sciences économiques à Louvain. Il fit sa marque en tant qu'écrivain et fondateur de la Ligue des Familles nombreuses (1921) et de l'Union internationale de la population (1928).

146. Pepinster est une ville de la province de Liège, en Belgique.

147. Les Marmol étaient une famille belge distinguée d'ancienne noblesse. En 1922, le baron Charley del Marmol avait été membre du Comité central belge des secours américains sous le patronage du roi des Belges. Il contribua de multiples façons à aider les Belges et d'autres populations victimes des invasions allemandes durant la guerre.

148. Dom Franco de Wyels, moine de l'abbaye d'Afflighem, en Belgique, fut vice-recteur de l'Université pontificale Saint-Anselme après avoir été maître de noviciat à Amay dans les années 1920. Il retourna plus tard à Afflighem en tant qu'abbé.

ferait même les frais de la location d'une maison. Mais, comme la Congrégation semble inclinée à prendre l'avis du Primat[149] dans ces affaires et comme le Primat a récemment encore donné de nouvelles preuves de sa mauvaise volonté occulte, tout le monde est d'accord pour traîner les choses en longueur et éviter une fondation hâtive où le Primat pourrait s'ingérer d'une manière regrettable.

2. Votre voyage. Il faut absolument que Votre Excellence vienne. On désire beaucoup votre venue, ici en Belgique. La fin de septembre et octobre seraient le meilleur moment. Les Liégeois voudraient même vous avoir pour le début de novembre. Bref, le P. Lambert va écrire à Votre Excellence à ce sujet. Il serait bon que Votre Excellence fasse elle-même la première demande pour le passeport. Si cette demande échoue, il y aurait alors une intervention, soit des hautes sphères ecclésiastiques belges, soit du gouvernement belge.

3. Les studites. Il faudrait pour commencer 3 moines studites pouvant aider pour les choses matérielles : l'un à Pépinster, deux à Anvers (au noviciat). Je me demande, de plus, si le fr. Héraclée[150] ne pourrait pas tirer profit d'un séjour en Belgique. Mais ce sont des choses dont on a le temps de parler.

J'oubliais de dire que l'épiscopat belge, qui se réunit cette semaine en conférence, recommandera officiellement l'œuvre nouvelle. Le card[inal] Mercier[151] a même l'intention d'écrire une lettre pastorale à ce sujet.

---

149. Il réfère ici au Père Abbé, dom Fidelis von Stotzingen, Primat des bénédictins, qui s'est opposé à un « apostolat oriental » pour les bénédictins.

150. Probablement un moine studite d'Ouniv.

151. Né en Belgique, Désiré-Félicien-François-Joseph Mercier (1851-1926) devint prêtre de l'archidiocèse de Malines-Bruxelles en 1874. En 1882, il fut fait professeur de philosophie à Louvain. À la demande du pape Léon XIII, il créa dans cette ville un institut pour le renouveau thomiste, dont Mercier fut l'un des artisans les plus distingués. Sacré archevêque de Malines en 1906 et cardinal en 1907, il occupa son siège épiscopal jusqu'à son décès. Célèbre pour son courage, il résista à l'occupation allemande de la Belgique durant la Première Guerre mondiale et dénonça l'expulsion forcée des Belges vers l'Allemagne (ce pour quoi les Allemands l'assignèrent à résidence). Il est également connu pour son action œcuménique novatrice, principalement auprès de l'Église anglicane. L'approche irénique de Mercier à l'endroit des anglicans, qui créa un précédent dans les cercles catholiques, se manifesta dans ce qu'il est convenu d'appeler les Conversations de Malines, qui se tinrent chaque année de 1921 à 1925, principalement entre Mercier, l'abbé Portal, Lambert Beauduin et Lord Halifax.

Je suis très content qu'Ivanka soit venu. Pour moi, Ivanka serait un organisateur excellent pour un studion scientifique. J'ai reçu une lettre de M. Antoine Martel[152]. Mlle Noël est-elle venue? – Je voudrais absolument qu'Ivanka se fasse *studite*.

Je puise dans mon sacerdoce beaucoup de joie et, je crois aussi, de la force. Mais, voyant là, sous mes yeux, tout ce que souffre cette masse russe exilée qui n'a pas de pain, pas d'argent, pas de Dieu, j'ai honte de vivre dans un certain bien-être, – je voudrais faire quelque chose pour eux, mais quoi? Je voudrais au moins n'être pas mieux qu'eux. Il y a des moments où je voudrais me faire ouvrier, comme eux et avec eux: ce serait le meilleur moyen de les atteindre et peut-être d'atteindre Jésus-Christ[153]. C'est inouï, à quel point cette pensée des Russes que je vois souffrir ici me bouleverse. Il me semble que Dieu m'appelle à me sacrifier d'une manière quelconque pour eux, mais comment?

Je sais que Votre Excellence n'a pas le temps d'écrire. Mais qu'elle charge Dom André Stoelen de me donner de vos nouvelles. J'espère que votre santé est bonne et vous permettra de venir. J'espère aussi que vous ne rencontrez pas de difficultés nouvelles dans les travaux du concordat et les questions locales.

Je crains, à cause des vacances, de ne pas rencontrer plusieurs des gens que je voulais voir à Paris. Il me semble plus sûr de remettre à plus tard, peut-être à l'automne, ce voyage à Paris et les commissions dont Votre Excellence m'avait chargé. Sur l'argent que vous m'avez remis à mon départ, il me reste (les frais de voyage ayant été remboursés) plus de 2 500 F belges et un peu d'argent français qui demeurent la propriété de Votre Excellence et dont je disposerai comme vous l'entendrez. Il y aura naturellement les livres à acheter à Paris.

Le R.P. Higoumène aura la bonté de transmettre aux studites le témoignage de mon attachement fraternel. Je suis toujours son moine obéissant et dévoué, – comme je suis toujours, Excellence, Votre fils qui vous vénère et vous aime,

смиренный іеромонахъ Левъ[154]

---

152. Le linguiste français Antoine Martel (1899-1931) fut l'auteur de nombreuses études sur diverses langues, surtout slaves, et notamment de *La langue polonaise dans les pays ruthènes, Ukraine et Russie Blanche 1569-1677*, publiée à Lille en 1938 à titre posthume.

153. Notons que le mouvement des prêtres-ouvriers ne commencera qu'après la Deuxième Guerre mondiale.

154. « L'humble hiéromoine Lev »

N° 16

fol. 115 r
Louvain, abbaye du Mont-César
26 août 1925

Excellence,

Je vous demande pardon d'être resté si longtemps sans vous écrire. La raison en est celle-ci: les événements, en ce qui concerne notre œuvre, sont si nombreux et se succèdent si rapidement que ce que l'on peut dire un jour devient faux le lendemain; puis il y a beaucoup de choses que j'aimerais mieux vous dire que vous écrire: ainsi de longues conversations orales que j'ai eues avec le P. d'Herbigny sur la Congrégation orientale, l'exarchat de Russie, les studites, la Galicie orientale[155], les problèmes de nationalités et de langues dans l'ancien empire russe, le célibat[156], etc. – et le concordat polonais[157], ses dessous, etc. Si Votre Excellence, comme nous l'espérons, vient en Belgique, j'aurai une énorme quantité de choses à vous dire. Si par malheur Votre Excellence ne pouvait pas venir, je vous enverrais une sorte de long mémoire, où je consignerais tous les faits et mes observations sur les faits.

Je remercie Votre Excellence de sa lettre du 9 août. Je remercie également le R.P. Higoumène de sa lettre (bien entendu, la lettre

---

155. La province de Galicie, dont une grande partie est située dans l'Ukraine actuelle, avait des régions orientale et occidentale, cette dernière s'étendant jusqu'à Cracovie. Lviv et ses environs constituent donc à proprement parler la « Galicie orientale ».

156. Une proposition visant à rendre obligatoire le célibat du clergé avait été étudiée pour la première fois par le concile de Lviv en 1891 et avait soulevé de vives protestations dans la population. Après la Première Guerre mondiale, le métropolite Cheptytsky de Lviv, l'évêque Josaphat Kotsylovsky (Kocylovskyj) de Peremyshl (Przemyśl) et l'évêque Hrihori Homychine (Khomychyn/Chomyszyn) de Stanislaviv décidèrent de n'admettre dans leurs séminaires que les candidats disposés à accepter le célibat. Cheptytsky revint vite sur sa décision, mais les éparchies de Peremyshl et de Stanislaviv, qui n'avaient pas levé leur interdiction du mariage pour les ecclésiastiques, furent incapables d'attirer un nombre suffisant de séminaristes célibataires.

157. Signé le 10 février 1925, un an après la redéfinition temporaire des frontières de la Pologne, ce concordat: reconnaissait l'existence de cinq provinces ecclésiastiques de l'Église latine, d'une province de l'Église gréco-catholique et d'un archidiocèse arménien; donnait aux évêques catholiques de Pologne le droit de fonder des établissements d'enseignement; et conférait pratiquement un statut autonome à l'Église gréco-catholique ukrainienne.

que je vous écris maintenant lui est aussi adressée). Je serais très heureux si le R.P. Higoumène pouvait lui aussi venir.

Je suis un peu anxieux sur la santé de Votre Excellence. J'ai été peiné d'apprendre que vous aviez encore été malade. Je prie chaque jour pour Votre Excellence.

Pour les raisons que j'ai indiquées au début, je dirai donc aujourd'hui peu de choses à Votre Excellence. Voici ces choses :

1. *Affaire des prisonniers russes.* – J'ai transmis à M. du Ch[ayla] la lettre de Votre Excellence. Du Ch[ayla] verra Albert Thomas à Paris le 1er septembre ; Albert Thomas verra Nansen à Genève le 3 septembre, et, probablement, tous deux iront en Russie à la fin de septembre. Du Ch[ayla] lui-même est immobilisé à Paris pour une opération chirurgicale, mais il m'a écrit qu'il ferait tout pour l'Exarque et ses compagnons, et qu'il considérait cela comme un devoir d'humanité. J'ai écrit de nouveau à du Ch[ayla] pour le P. Akoulof[158]. J'ai été très surpris d'apprendre que vous aviez vu le P. Iouniévitch[159] ; je le croyais en prison.

2. *Le célibat.* – Il y a un point de mes conversations avec le P. d'Herbigny dont je vous parlerai dès aujourd'hui : c'est la question du célibat. Le P. d'Herbigny a tâché de me faire parler le plus possible sur la situation en Galicie, et j'ai eu l'impression que mes paroles iraient peut-être jusqu'au Pape. J'ai essayé d'être très objectif, de parler dans le sens de vos mémoires, et, sans donner une idée pessimiste de la situation générale, de faire comprendre l'importance des problèmes qui se posent et l'état d'esprit du peuple. En ce qui concerne le célibat, j'ai rectifié une grave erreur : le P. d'Herb[igny] croyait que le séminaire de Leopol s'était mis en grève lui aussi ; je l'ai détrompé. Je lui ai exposé comment votre attitude modérée avait évité que, dans le diocèse de Leopol, on

---

158. Igor Aleksandrovich Akulov est né en Russie, dans la province de Tver, au sein d'une famille de paysans orthodoxes. Après son postulat au Monastère Alexander Nevsky et des études à l'Institut de théologie de Petrograd, il a reçu la tonsure de moine en 1921. Peu après, Leonid Feodorov le reçu dans l'Église catholique. En 1922, Akulov est ordonné prêtre catholique de rite oriental et dessert diverses paroisses dans et aux environs de Petrograd. Arrêté et libéré à maintes reprises de diverses prisons et camps de concentration, il est arrêté une dernière fois sous de fausses accusations et fusillé le 25 août 1937.

159. Nous n'avons trouvé aucun renseignement au sujet de Iouniévitch.

en vînt aux extrêmes. Le P. d'Herb[igny] m'a dit qu'à Rome on avait été très étonné de l'attitude de Mgr l'évêque de Stanislavov[160], et qu'on n'y approuverait probablement pas une méthode violente, radicale, comme le refus d'ordonner les candidats non-célibataires. Le P. d'Herb[igny] se rend bien compte de l'impression produite par le Concordat, mais c'est un sujet dont je préfère vous entretenir plus tard.

3. *L'œuvre monastique et unioniste en Belgique.*

   a) Situation matérielle : Déjà une douzaine de candidats hommes, dont plusieurs bénédictins, et une vingtaine de candidates femmes. Généralement de très bons sujets, cultivés, distingués. Il y aura certainement beaucoup de candidats quand la grande propagande aura commencé. Mais il est très difficile de savoir exactement où l'on sera et ce que l'on fera l'année prochaine, à cause de Rome. En effet, voilà que la Congrégation orientale a maintenant l'idée de transférer le plus tôt possible le plus grand nombre de sujets du P. Lambert à Sofia, où il paraît que la situation est extraordinairement favorable à l'Union. Le Saint-Siège offre lui-même le local à Sofia, et voudrait que les moines prennent la direction du catholicisme oriental en Bulgarie. Cela n'empêcherait pas d'avoir des locaux à Pepinster et à Anvers. Le P. Lambert est assez surpris de cette offre toute récente et inattendue. Il ne se pressera pas de répondre et je crois qu'il n'en parlera à Votre Excellence que lorsqu'on commencera à voir un peu plus clair dans tout cela. Il faudrait tenir très secrète cette affaire bulgare[161].

   b) Situation morale. On rencontre beaucoup de sympathies. On rencontre aussi de l'ignorance et de la malveillance de la part d'intégristes qui flairent déjà l'hérésie dans des

---

160. Né en 1867 dans la région de Ternopil [Ternopol], en Ukraine occidentale, Hrihori (Grégoire) Homychine (Chomyszyn, Khomyshyn) fut ordonné prêtre en 1893 et consacra les cinq années suivantes à des études doctorales à Vienne avant de rentrer à Lviv où, en 1902, Cheptytsky le nomma recteur du séminaire. Il fut sacré évêque de Stanislaviv [Stanislavov] (aujourd'hui Ivano-Frankivsk [Ivano-Frankovsk]) en mai 1904 et, comme les autres hiérarques, fut arrêté par les Soviétiques en avril 1945. Il mourut en martyr dans une prison de Kiev le 17 janvier 1947 et fut béatifié par Jean-Paul II en 2001. Le siège épiscopal de Stanislaviv est une éparchie suffragante (dépendante) de Lviv.

161. Ce projet de fonder un monastère studite en Bulgarie ne s'est jamais réalisé.

choses très vraies, très orthodoxes, mais que leurs oreilles étroitement occidentales étaient mal préparées à entendre. Nous sommes décidés à ne parler et agir qu'avec une prudence de serpents. Les abbés bénédictins belges semblent maintenant favorables, même l'abbé de Maredsous que j'ai vu et qui s'est beaucoup adouci.

c) *Notre propagande*: Nous avons déjà quelques réunions à droite ou à gauche. À Louvain, il y a eu des Journées pour l'Union des Églises. Le P. Lambert [Beauduin] et moi y avons parlé. Les reporters des journaux et aussi des auditeurs ont assez défiguré ce que nous avons dit. Aussi rédigerons-nous désormais nous-mêmes les comptes-rendus de presse. Beaucoup d'intérêt pour la liturgie byzantine. À la demande de plusieurs personnes, je célèbre chaque jour la liturgie dans l'église des bénédictins, en pleine ville. Il y vient aussi des orthodoxes. Le 21 septembre commenceront à Bruxelles des journées plus importantes pour l'Union des Églises avec divers orateurs de Rome, de Paris; le cardinal Mercier fera peut-être un discours-programme. Ce n'est guère qu'après cette date que commencera la propagande intense.

d) *La collaboration studite*. Le P. Lambert vous écrira directement pour ce qui concerne les conditions canoniques d'érection de maison et de profession. Quant à l'envoi de moines studites en Occident, il ne semble pas possible de régler maintenant cette question. Il faut d'abord savoir d'une manière définitive où Rome veut que l'on soit l'année prochaine. Les échanges entre studites et occidentaux pourraient être discutés lors du voyage de Votre Excellence.

4. *Voyage de Votre Excellence*. Il faudrait que Votre Excellence continue les efforts pour obtenir un passeport (en cas d'échec, restera la voie diplomatique). Nous espérons qu'une invitation du cardinal Mercier ou peut-être d'un autre évêque – par l'intermédiaire du P. Lambert – sera chose faite d'ici à huit jours. Si Votre Excellence pouvait venir à ces journées d'Union de Bruxelles, à partir du 21 septembre, ce serait extrêmement bien. Mais, si le Kurort[162] doit être fermé avant

---

162. Une station de sources thermales, probablement l'une de Carlsbad (Tchécoslovaquie) où Cheptytsky se rendait en raison de diverses maladies.

octobre, je conçois qu'il vous soit impossible de venir d'abord ici. Au cas où Votre Excellence irait à Rome, il y aurait bien des avantages à ce que vous nous voyiez d'abord.

5. *Nos rapports avec l'émigration.* Nous sommes prudents dans nos rapports avec les émigrés russes, comme Votre Excellence le recommande. Les émigrés de Louvain – étudiants de l'œuvre du cardinal Mercier – semblent généralement des garçons sympathiques. Je me tiens en dehors de toute politique et ne parle jamais contre les Soviets. Naturellement, il faut ici, dans la liturgie, faire tout à la moscovite[163]. Ces jeunes gens s'obstinent à nier l'Ukraine ; ils n'ont aucune notion de l'histoire ou de la littérature ukrainiennes. J'ai de plus en plus l'impression que Rome ne voit que par les yeux des émigrés russes et ignore, elle aussi, tout de l'Ukraine. J'ai même eu la preuve qu'à Rome on entretient dans une sorte de défiance envers l'Ukraine les jeunes clercs qui s'intéressent aux choses russes. Je crois, comme Votre Excellence, qu'il faudra s'appliquer à donner aux jeunes un égal intérêt, un égal respect, un égal amour pour toutes les nationalités de l'ancien empire russe.

6. *Varia.* – J'ai vu Mgr Sipiaguine et ses enfants à Maredsous. Mgr S. est un excellent homme, mais il a de regrettables outrances de paroles ; il polonise ; et quelle idée il a eue de faire graver sur sa patène que c'est sur l'ordre exprès du Pape qu'il est revenu au rit byzantin ! Il m'a chargé de dire à Votre Excellence que ce retour est cependant très sincère.

J'ai passé deux jours à Paris pour voir un candidat de l'œuvre. Mgr Chaptal et M. Quénet sont en vacances. On ne pourra voir personne à Paris avant octobre. C'est à cette date que j'irai à Paris m'occuper des livres et des revues de Votre Excellence. Le métropolite Euloge a ouvert à Paris une deuxième église russe. Il y a à Paris une faculté de théologie orthodoxe[164], dirigée par un certain évêque Benjamin[165], et, auprès de la

---

163. Gillet fait références ici aux pratiques liturgiques en vigueur qui ne doivent pas être celles des catholiques gréco-ukrainiens latinisants, mais bien celles pratiquées en Russie (Moscovie).

164. Il s'agit de l'Institut de théologie orthodoxe Saint-Serge, dont les activités ont débuté le 30 avril 1925.

165. Benjamin Fedtchenkov (1880-1961) était un évêque de l'Église orthodoxe russe exilé à Paris qui eut souvent maille à partir avec les disciples de d'Herbigny dans cette ville. Consterné par le prosélytisme des jésuites à Constantinople, il

faculté, un monastère orthodoxe. Je tâcherai de le visiter. Le monastère a été construit aux frais d'une famille française récemment passée à l'orthodoxie.

J'ai vu hier Strotmann[166] à Maastricht. Il attend un poste de la Congrégation orientale, peut-être en Finlande, et semble un peu gêné d'avoir l'air d'abandonner Votre Excellence. Encore un qui ne voit la Russie qu'à travers Moscou. Mais il est très bon.

7. *Quelques mots sur moi-même.* Ce contact avec le monde extérieur, avec les théologiens de l'Université de Louvain, avec la propagande *pro Unione*, avec les bénédictins et avec l'émigration russe m'est très utile pour trouver et définir mes propres tendances. Je m'aperçois nettement : a) que je préfère, même comme moyen d'apostolat, un petit groupe monastique, ayant une forte vie commune, à une propagande extérieure ou à une action purement intellectuelle ; b) que je préfère la forme studite à la forme bénédictine ; il faut absolument maintenir l'esprit studite dans sa pureté ; si quelques studites pouvaient venir en Occident, garder leur forme propre de vie tout en collaborant avec des Occidentaux, et si je pouvais vivre avec ces quelques studites exactement comme à Uniov (horaire, liturgie, chapitre commun, travaux manuels communs), comme ce serait bon ! Je me préoccupe de vous trouver des vocations directement studites, – dont la profession studite ne serait pas une pure fiction juridique, mais qui dépendraient de Vous aussi totalement que moi-même ; – c) que je préfère avoir affaire au *peuple*, aux *prosti lioudi*[167], plutôt

---

recruta des prêtres russes et serbes et se rendit dans les Carpates pour y créer une Église orthodoxe qui, dès 1925, avait attiré 150 000 personnes dans une région à prédominance catholique où l'orthodoxie n'avait eu jusque-là qu'une présence minime.

166. Né en 1911, d'ascendance hollandaise, Théodore Strotmann entre au monastère bénédictin d'Amay en 1931. Étudiant au Collège grec de Rome, il subit l'influence d'Herbigny et peut donner libre cours à son ardeur pour l'œcuménisme et son intérêt pour la liturgie, exerçant ainsi une influence dominante par ses écrits et sa direction spirituelle. Il meurt le 14 janvier 1987. Cependant, il existe un autre jeune prêtre diocésain hollandais, Théodore Strottman, qui devait être ordonné par Cheptytsky, mais qui, sous l'influence d'Herbigny, est envoyé dans une mission russe à Prague et tué dans un accident de voiture en 1929. À cause de cette mort prématurée, son frère, le bénédictin mentionné plus haut, a pris le nom de Théodore.

167. *Prosti lioudi* : les gens simples, le peuple.

qu'à l'intelligence. Je crois qu'il y a identité complète entre ces aspirations et vos propres idées. C'est là d'ailleurs ce que je considère comme ma raison d'être : servir *vos* idées, puisque Vous êtes pour moi – vous et le P. Higoumène – ce que dit saint Benoît de l'abbé ; *Christi vices gerens...*

Excellence, j'ai la nostalgie de vous voir. Il y a trois périodes de cette année que j'ai passée en Galicie dont je garde un souvenir particulièrement ému : le temps que j'ai passé près de vous au palais, lors de mon arrivée à Leopol ; le mois passé à Uniov, juin 1925, mois de ma profession et de mon ordination, – où je me sentais vraiment près de Dieu ; et enfin les soirées passées avec vous pendant la dernière semaine de mon séjour à Leopol. – Et puis je ne peux pas me rappeler sans émotion la population laïque d'Uniov, qui sait si bien prier. Comme ce peuple est bon ! – Tous les vendredis, je célèbre la liturgie en union d'esprit spéciale avec Votre Excellence et avec tous les studites. – Comme je serais heureux si vous veniez ici ! Je ne vous quitterais pas et j'essaierais de remplacer auprès de vous, bien imparfaitement, le fr. Théophane. Celui-ci a-t-il pu réaliser le grand projet ?

Je m'arrête, mais c'est vraiment une toute petite lettre dans laquelle je vous dis bien peu de choses. J'offre à tous les studites mon salut fraternel, au R.P. Higoumène l'assurance renouvelée de mon obéissance et de ma respectueuse affection, à Vous, Excellence et Père vénéré, mes sentiments de fils très aimant et tout dévoué dans le Christ,

смиренный іеромонахъ Левъ[168]

Le P. Lambert rappelle au P. Higoumène, en le saluant, qu'il faudrait déterminer la pension du P. André Stoelen.

Le P. Constantin[169], adjoint à Mgr Roncalli[170], visiteur apostolique en Bulgarie, m'a dit être très partisan d'une expansion studite dans ce pays.

---

168. « L'humble hiéromoine Lev. »

169. Au début de 1923, Beauduin fit la connaissance d'un moine bénédictin, Constantin Bosschaerts, qui avait des relations à Sofia en Bulgarie. Beauduin connaissait lui-même le visiteur apostolique Angelo Roncalli, qui était à la recherche d'un jeune secrétaire au courant des affaires du christianisme oriental. Beauduin lui proposa Bosschaerts, qui par la même occasion serait pour lui une carte de visite en Bulgarie, un pays à prédominance orthodoxe. Bosschaerts séjourna à Sofia jusqu'à la fin de juillet 1925, quand Rome voulut nommer un évêque pour les catholiques orientaux en Bulgarie. Ceci mit un terme aux plans de Beauduin de fonder un monastère dans ce pays, mais il y conserva de précieuses relations.

170. Né à Sotto il Monte en Italie en 1881, Angelo Giuseppe Roncalli fut ordonné prêtre à Rome en 1904. En 1925, Pie XI le nomma évêque et l'envoya en

N° 17

fol. 119 r
Louvain, 6/9/25

Excellence,

Seulement un tout petit mot très hâtif, pour Vous dire deux choses : d'abord, j'espère de tout cœur que l'intervention belge supprimera les obstacles qui s'opposent à la venue de Votre Excellence. Mais, d'autre part, en ce qui concerne ce voyage, je Vous supplie de vous inspirer *avant tout des intérêts de votre santé*. Ce que je dis est peut-être contraire aux intérêts de notre propagande, mais votre santé doit passer avant tout le reste.

Ensuite, j'ai trouvé une vocation directement studite : M. Alexandre Spassky[171], étudiant au séminaire russe de Lille, diacre, dont le père à été l'un des fonctionnaires impériaux en rapport avec Vous pendant votre détention à Koursk, je crois. M. Spassky est un homme timide, un peu hésitant et rêveur, mais d'une foi vive et d'une très grande humilité ; c'est justement l'idéal d'un monachisme humble, primitif, qui l'attire. Naturellement, il espérerait travailler un jour auprès du peuple russe, – il préfère le peuple à l'*intelligentsia*. M. Spassky ne fera jamais, je crois un supérieur. Mais c'est vraiment un homme de Dieu, un de ces cœurs humbles, purs, pacifiques, en qui Dieu se complaît. Il pourrait, je crois, être très utile. Il aime les travaux manuels, tout en étant très fort dans les études spéculatives (théologie, philosophie).

Que doit-il faire ? Finir ses études théologiques à Lille ? (cette solution ne lui plaît guère). Aller en Galicie ? Mais on lui refusera sans doute un passeport. À moins de faire intervenir le Nonce à

Bulgarie, où il demeura jusqu'en 1935, avant d'être envoyé en Turquie et en Grèce jusqu'en 1944 ; dans ces trois pays, il entretint des relations chaleureuses et cordiales avec les orthodoxes. Roncalli fut fait cardinal par Pie XII en 1953 et envoyé à Venise, où il espérait prendre sa retraite et rester jusqu'à sa mort. Le 28 octobre 1958 cependant, Roncalli fut élu pape, prit le nom de Jean XXIII et régna jusqu'au 3 juin 1963, où il mourut d'un cancer après avoir inauguré le deuxième concile du Vatican. Il fut béatifié par Jean-Paul II le 3 septembre 2000.

171. Ce Spassky est l'un des onze étudiants en théologie orthodoxe à qui on a permis, en 1923, de s'inscrire au programme de théologie catholique à Lyon. Avec deux compagnons, Lev Zhedenov et Nikolai Bratko, il s'est converti au catholicisme. Tous les trois ont ensuite quitté Lyon pour étudier la théologie ailleurs.

Paris ou à Bruxelles... Ou entrer dans le futur noviciat du
P. Lambert ? – Mais, je le répète, il veut être *vraiment* studite. Je crois
qu'il faudrait le lier à nous le plus tôt possible. Ayez la bonté de me
donner votre avis.

Il y a deux autres vocations *directement* studites : un clerc russe,
ami de M. Spassky et qui, lui n'aurait pas de difficultés de passeport,
et un jeune occidental très instruit, très distingué, déjà moine et d'un
caractère *excellent* ; mais je crois que, dans quelques semaines, je
pourrai donner à Votre Excellence des renseignements beaucoup
plus nets sur ces deux jeunes gens dont je saurais alors les intentions
définitives.

M. Lioubitchef[172] va bien et répondra à Votre Excellence.
J'enverrai bientôt à Votre Excellence une lettre plus longue.
Aujourd'hui, je dois me hâter de finir en me disant une fois de plus
votre fils très aimant et tout dévoué. Oh ! qu je voudrais vous voir !

Que Votre Excellence me bénisse dans le Christ !

смиренный іеромонахъ Левъ[173]

N° 18

fol. 246 r [*sic*][174]
Maredsous 8 septembre [1925]

Le P. Olivier [Rousseau] a célébré ce matin une messe – que j'ai
servie – aux intentions de Votre Excellence. Les dispositions des
jeunes pour l'Orient slave, ici, sont merveilleuses ! Je verrai demain
Dom. Lambert [Beauduin] et Mgr Van Caloën. Je verrai aussi le
P. d'Herbigny.

Très humblement dévoué,

fr L. Gillet

---

172. Nous n'avons trouvé aucun renseignement au sujet de Lioubitchef.

173. « L'humble hiéromoine Lev. »

174. Aux Archives, cette lettre se trouve à la fin du dossier car aucune date
n'est indiquée après le 8 septembre. Il est toutefois évident qu'elle s'insère ici,
d'après son contexte et le fait qu'elle est écrite à Maredsous – à proximité de
Louvain.

N° 19

fol. 248r [*sic*][175]

Permettez-moi, Excellence, de vous quitter pour commencer une lettre au R.P. Clément. Je reprendrai cette lettre-ci à Paris. Je ne veux pas terminer sans vous redire ma reconnaissance pour toutes vos bontés pour moi pendant votre séjour en Belgique. J'espère fermement revoir bientôt Votre Excellence, dont je demeure le fils tout dévoué en notre Seigneur.

смиренный іеромонахъ Левъ[176]

P.S. – Mühlstein[177] étant absent (Locarno), je n'ai pas pu le voir, et je n'ai rien su de plus sur le malencontreux article du *XXᵉ Siècle*[178].

N° 20

fol. 120 r
[Carte postale]
Paris, 29 octobre 1925

Je rentre demain à Louvain après une semaine à Paris, fructueuse à bien des égards. Rentré en Belgique, je donnerai des détails à Votre Excellence. J'espère que Votre cure donne de bons résultats. – Cette carte représente le pavillon des Soviets à l'Exposition. – On annonce ce soir la mort du patriarche Dmitri Cadi[179].

Humblement et filialement vôtre
бр. Лев[180]

---

175. Cette lettre n'est pas datée et par conséquent a été classée aux Archives près de la fin de la correspondance. Sa composition et son contexte portent à suggérer de l'insérer ici.

176. « L'humble hiéromoine Lev. »

177. Nous n'avons trouvé aucun renseignement au sujet de Mühlstein.

178. *Le XXᵉ Siècle* publie un compte rendu quotidien du « Congrès sur l'Union des Églises » à Bruxelles, en septembre 1925, mais nous n'avons trouvé aucun renseignement au sujet d'un article « malencontreux ».

179. Né à Damas en Syrie en 1861, Cadi était un prêtre melchite devenu archevêque en 1903. Élu patriarche d'Antioche en avril 1919, il le resta jusqu'à sa mort en octobre 1925.

180. Frère Lev.

[Adressée à : Son Exc. Mgr André Szepticky
Hôtel Paradies
Carlsbad
Tchéco-Slovaquie]

N° 21

fol. 121 r
Amay[181], 29 novembre 1925

Excellence !

Je reçois votre carte d'Ancona dont je vous remercie bien. J'ai prévenu l'évêché de Liège pour l'adresse. Ne sachant pas l'adresse exacte de l'hôtel Minerva et craignant un retard de la poste, je confie cette lettre aux bons soins du P. Cyrille [Korolevsky]. Écrivant au P. d'Herbigny, je l'ai informé de votre prochaine présence à Rome.

Le P. Lambert a acheté le couvent des carmélites d'Amay, en attendant Pepinster. Lui, le P. Ildefonse [Dirks] et moi sommes déjà à Amay. L'installation commence : notre vie est en ce moment aussi rudimentaire que possible – tous trois nous couchons, nous mangeons et nous chauffons comme nous le pouvons – c'est-à-dire qu'en attendant le mobilier, qui vient cette semaine, notre vie est une vie pénitente dans toute la force du terme ! Il y aura bientôt quelques frères convers bénédictins avec nous ; ce sera un embryon de communauté. Au point de vue propagande, je ne vois guère à signaler que la récente journée de Louvain avec Lord Halifax[182] et l'abbé Portal[183]. J'y ai moi-même parlé de Soloviof.

---

181. Amay-sur-Meuse, dans le diocèse de Liège, était le site d'un monastère de l'Exaltation de la Sainte-Croix fondé en 1925 par Dom Lambert Beauduin (à la demande du pape Pie XI dans son *Equidem verbe* de 1924) pour unir les expressions orientale et occidentale du christianisme sous un même toit. Amay devint un prieuré en 1928. En 1939, après une période de controverse, il fut réinstallé à son emplacement actuel de Chevetogne, où l'on publie encore la revue *Irénikon*.

182. Lord Halifax (1839-1934) : Sir Charles Lindley Wood, deuxième vicomte de Halifax (titre qu'il assuma à la mort de son père), eut une longue carrière comme président de l'*English Church Union*, où il exerça une influence sans précédent pour un laïc. En 1921, de concert avec son ami l'abbé Portal, il amorça des discussions inédites entre catholiques et anglicans sous la présidence du cardinal Mercier de Malines. Ces discussions se poursuivirent jusqu'au décès du cardinal en 1926.

183. L'abbé Fernand Portal (1855-1926), un lazariste fervent admirateur de saint Vincent de Paul, était un ami et proche collaborateur de Lord Halifax. Il joua

J'espère que vous vous serez reposé à Ancona et que Rome ne vous fatiguera pas trop.

L'adresse de M. François Paris[184] est 23 rue Grétry, Paris-Montmorency. Je ne pense pas que Votre Excellence vienne à Troyennes le 7 et 8 décembre. Mais je vous prierais de m'envoyer le plus tôt possible une carte postale me disant si Votre Excellence sera là-bas, car je dois y poster les *pontificalia*. Ayez la bonté de m'envoyer cette carte au Mont-César, car c'est de Louvain que je partirai le 7 pour Troyennes. Troyennes est situé sur la ligne de chemin de fer Tournai-Lille; c'est la première station après Tournai. Ayez aussi la bonté de me dire quel jour vous arriverez à Paris et où vous logerez, et, si possible, par quel train vous y viendrez, – afin que moi aussi je sache quand aller à Paris. Le grand-duc C[yrille][185] est en ce moment à Paris. Les *Dernières Nouvelles,* organe de Milioukof, [186] ont récemment parlé de négociations entre le grand-duc et les uniates; aucun nom de prélat catholique n'a été prononcé; le *Messager* de Paris, organe de l'ambassade soviétique, a reproduit ces bruits. Récemment aussi, les *Dernières nouvelles* de Milioukof et la *Renaissance*[187] de Struve[188] ont attaqué le catholicisme, parlant de

un rôle dans l'organisation, avec ce dernier et le cardinal Mercier, des célèbres Conversations de Malines pour favoriser l'unité entre anglicans et catholiques.

184. Né à Paris, François Paris (+1948) vient en Russie d'où il est chassé pendant la Révolution. Il fait la connaissance de Lambert Beauduin en 1925. Militaire de profession, il est ordonné prêtre sur le tard et devient chanoine de Chartres. Il s'intéresse particulièrement aux reliques, de toute évidence, d'après les autres parties de la correspondance de Gillet.

185. Cyrille Vladimirovitch était le deuxième prétendant au trône des Romanov après les meurtres, en 1917, du tsar Nicolas II et du tsarévitch Alexis. Fils aîné du grand-duc Vladimir et petit-fils de l'empereur Alexandre II, le grand-duc Cyrille vécut en Allemagne puis en Bretagne après la Révolution russe, où il tenta sans succès de persuader le Vatican (en la personne du cardinal Eugenio Pacelli, futur pape Pie XII) qu'il autoriserait une Église catholique russe si le Vatican appuyait ses prétentions politico-dynastiques à la couronne.

186. L'un des plus grands hommes politiques russes d'avant la Révolution, Pavel Nikolaïevitch Milioukov (Milioukoff/Miliukov) (1859-1943) fut le fondateur (en 1905) et le chef du Parti des constitutionnels-démocrates, qu'il représenta à la Douma. Il devint ministre des Affaires étrangères dans le gouvernement provisoire en 1917, mais quitta Saint-Pétersbourg pour la France en 1920.

187. C'est-à-dire *Vozrojdenie.*

188. P. Strouve: Piotr Berngardovitch Strouvé (Struve) (1870-1944) était un économiste politique, un avocat, un philosophe et un écrivain et éditeur russe dont les travaux furent attaqués dans des ouvrages publiés par Lénine. D'abord marxiste, il devint ensuite un libéral; après la Révolution, il se joignit aux Blancs et fut brièvement ministre des Affaires étrangères de Wrangel en 1920 avant de fuire en Bulgarie, puis à Paris, où il passa le restant de sa vie.

l'achat des consciences orthodoxes par les sources de charité catholique de Paris. Plusieurs associations russes parisiennes, entre autres les Étudiants cosaques du Don[189], ont spontanément protesté contre ces attaques. Mais elles ont servi de prétexte à un article très étrange signé de Mgr Chaptal et publié dans la *Vie catholique* ; je suppose que cet article est de l'abbé Quénet. Cet article parle en termes vraiment violents et hostiles de l'*intelligentsia* émigrée ; en se défendant de vouloir attaquer toute l'émigration russe, on jette sur elle la défiance, et l'on conclut en disant que les catholiques doivent enfin savoir ce qu'est l'émigration russe et se mettre sur leur garde. Cet article me semble très regrettable, et contraste profondément avec l'attitude antérieure de Mgr Chaptal. Ce qui me paraît curieux, c'est que ce changement de direction coïncide avec la nouvelle politique du P. d'Herbigny. Car il me semble bien qu'il y a une nouvelle politique ; des prêtres du séminaire de Tournai m'ont dit tenir de certains jésuites d'Enghien[190] que le P. d'Herb[igny] était revenu de Moscou *profondément frappé de la vitalité de l'Église vivante*[191] (je cite

---

189. Au XVIe siècle, les Cosaques du Don fondaient une république quasi autonome établie sur le cours inférieur du Don. En 1623, le tsar reconnut leur autonomie qui se poursuivit jusqu'au décret de 1835 où ils devinrent une classe sociale militaire souvent utilisée pour maîtriser les révoltes partout dans l'empire russe. Après la Révolution russe, les Cosaques du Don luttèrent pour recouvrer leur autonomie en établissant le Gouvernement militaire du Don et en combattant les bolchéviques. Mais, les Soviétiques dispersèrent les unités de l'armée des Cosaques du Don jusqu'à la Deuxième Guerre mondiale au cours de laquelle elles furent rétablies pour combattre les Allemands.

190. Le village d'Enghien, à 40 km au sud-ouest de Bruxelles, était le site d'un ancien monastère augustin converti en maison pour les jésuites français qui cherchaient à échapper aux lois anti-ecclésiastiques du XIXe siècle en France. En 1905, on avait tenté de faire d'Enghien un séminaire pour y former des jésuites russes que l'on enverrait prêcher en Russie après l'assouplissement, par le tsar Nicolas II, des restrictions imposées au catholicisme. D'Herbigny enseigna à Enghien de 1912 à 1921.

191. En 1922, lorsque le patriarche Tikhon de Moscou est arrêté par les Soviétiques, un groupe de religieux se nommant « l'Église vivante » (communément connus sous le vocable de 'rénovateurs') dirigea le patriarcat avec l'appui des Soviétiques. Il tenta d'instaurer plusieurs des réformes discutées lors du Concile russe de 1917-1918. Ces dernières comprenaient non seulement des changements liturgiques importants, mais le rétablissement du mariage des évêques. En 1926, le groupe perdit peu à peu sa popularité et les Soviétiques retirèrent leur appui. Lorsque la Deuxième Grande guerre éclata, le groupe n'existait plus. Toutefois, les divisions qu'il avait engendrées ont semé une attitude très négative vis-à-vis toute réforme ou tout changement que ce soit au sein de l'Église orthodoxe russe, attitude qui demeure encore aujourd'hui.

textuellement) : cela concorde avec ce que nous savions déjà. – Votre Excellence peut faire beaucoup à Paris. – Le P. d'Herb[igny] m'a écrit qu'il pensait toujours au projet me concernant (dont je vous ai parlé), mais qu'auparavant il fallait prier pour le succès de son prochain voyage à Moscou, à Pâques, si vous le voyez, sans lui dire que je vous ai parlé de ce projet de Makiévka[192], vous pourriez tirer de lui quelques détails. Mais Votre Excellence est bien convaincue, je l'espère, que je ne ferai rien sans votre propre commandement et bénédiction.

Je m'arrête là. Je souhaite que le séjour de Votre Excellence à Rome soit bon à tous points de vue. Je vous prie humblement de prier aussi pour moi devant la tombe des bienheureux Apôtre. Dans l'espérance de vous revoir bientôt, je renouvelle à Votre Excellence l'hommage de mon affection filiale et toute dévouée dans le Christ.

смиренный іеромонахъ Левъ[193]

Sokolof[194] a été demandé à Albertine[195] par le P. Bourgeois[196]. Mais il n'a pu obtenir le visa polonais. Il est parti pour la Lithuanie. À Paris, l'évêque orthodoxe Benjamin s'est montré très bon pour lui, disant à propos de sa conversion : *Je ne veux pas juger : Dieu jugera.* Comme Benjamin l'invitait à passer la nuit chez lui, Sokolof lui a fait remarquer qu'il n'avait qu'un lit. Benjamin a répondu : *Prends-le, je passerai la nuit sur une chaise.*

---

192. Nous n'avons trouvé aucun renseignement concernant ce projet.

193. « L'humble hiéromoine Lev. »

194. Ce même Guéorgui Sokolov devait décider en 1929 de redevenir catholique pour la troisième fois, après être retourné dans le giron de l'Église orthodoxe deux fois auparavant. S'étant fait imposer un programme strict pour faire pénitence, il revint sur sa décision et demeura orthodoxe. On le retrouvera plus tard aux États-Unis, rattaché à l'archevêque Ioann Kedrovsky, lequel avait déjà fait partie de « l'Église vivante », c'est-à-dire des rénovationnistes.

195. Nom d'une maison jésuite de Pologne dans le village d'Albertyn où Charles Bourgeois séjourna après avoir changé de rite. La maison proprement dite était un don du comte Puslowski. Elle servait à préparer le clergé catholique oriental à travailler parmi les orthodoxes slaves de l'ancien Empire russe.

196. Né à Paris, Charles Bourgeois (1887-1963) entra chez les jésuites en 1904 et fut ordonné prêtre en 1920. Après avoir travaillé auprès des immigrants russes à Paris, il adopta le rite slavo-byzantin à Rome en 1924 et prit le nom de « hiéromoine Vasilij » (Basile). Après des années de travail pastoral en Tchécoslovaquie, en Pologne et en Estonie, il fut incarcéré par la Gestapo de 1942 à 1944, puis libéré par l'armée rouge, avant de rentrer en France. Quittant la France pour le Brésil en 1951, il y consacra les douze dernières années de sa vie au travail pastoral auprès des russes. Il mourut dans un accident de la route.

Le card[inal] Mercier a refusé d'intervenir auprès du Saint-Siège pour que celui-ci appuie la proposition russe d'échange des prisonniers.

N° 22

fol. 122 r
[Carte postale]
Lyon, 8 rue des Marronniers
26 décembre 1925.

Excellence, – j'ai passé la journée avec du Chayla. Bons espoirs pour l'exarque : il se peut que la lettre du cardinal [Mercier] ne soit pas nécessaire. Je vous enverrai une lettre avant huit jours. J'ai toujours l'intention d'être auprès de vous dans très peu de temps, – milieu de janvier. Je suis à vous, avant d'être à qui que ce soit, n'en doutez pas. Bénissez votre fils, Vladyka[197] !
смиренный іеромонахъ Левъ[198]
Le P. Tyszkiewicz[199] est ici.

---

197. Terme utilisé dans les Églises byzantines slaves d'Orient pour désigner un hiérarque, le plus souvent un évêque. Bien qu'il signifie littéralement « maître », il a une connotation affectueuse.

198. « L'humble hiéromoine Lev. »

199. Né près de Kiev dans une famille de la noblesse aux racines orthodoxes et catholiques, Stanislas (Stanislav-Evlampij) Tyszkiewicz (1887-1962) étudia à Innsbruck et devint jésuite en 1909. Comme ses parents s'opposaient à sa vocation et qu'il subissait des pressions politiques, il fut décidé de l'envoyer faire son noviciat en Belgique sous le pseudonyme de Joseph Tits. Ordonné prêtre selon le rite latin en 1915, il s'installe à Constantinople où Boulgakov, par exemple, se scandalise en 1921 de sa façon de recruter des adeptes auprès des Russes. Par la suite, même s'il appartient au rite latin, il aboutit néanmoins au *Russicum* de Rome où, malgré son dédain pour l'orthodoxie russe et sa réprobation des avances œcuméniques faites aux orthodoxes, il enseigna le russe et aida à monter la bibliothèque, pour ensuite adopter le rite slavo-byzantin, à son corps défendant, en 1937.

N° 23

fol. 123 v
Louvain, Mont-César
4 janvier 1926

Excellence,

Je suis bloqué à Louvain par les inondations qui prennent en Belgique le caractère d'une grave catastrophe. Lorsque les communications par chemin de fer redeviendront possibles, j'irai à Amay pou annoncer au P. Lambert mon parti définitif de rentrer à Léopol. Je pense pouvoir partir pour la Galicie entre le 12 et le 15 de ce mois ; mais je vous écrirai après avoir vu le P. Lambert. Le fr. Michel Schwartz[200] est à Louvain.

J'espère qu'aucun des objets pontificaux que vous aviez à Paris ne s'est égaré. Ce sont les deux diacres Gedionof et Krijanovsky qui ont tout emballé ; ils m'ont affirmé que c'était complet. J'aurais voulu rouvrir la valise avec vous le dimanche soir et tout vérifier, mais vous vous rappelez que vous avez eu des visiteurs toute la soirée et que j'ai à peine pu vous dire adieu en présence du comte Ignatief[201].

Je suis heureux de pouvoir vous dire : à bientôt, et je prie Votre Excellence de me croire toujours son fils soumis et dévoué.

смиренный іеромонахъ Левъ[202]

---

200. De nationalité autrichienne, Michel Schwartz (1902-1958) entra dans la vie monastique à l'abbaye de Melk avant d'aller à Amay en 1926 pour y prononcer ses vœux monastiques en 1929. Ardent défenseur du chant byzantin, Schwartz orchestra aussi l'installation de la communauté monastique à Chevetogne en 1939. Par la suite, il exerça un ministère paroissial en Autriche.

201. Membre de la famille Romanov, le comte et colonel Paul Nicolaïevitch Ignatieff naquit en 1870 à Constantinople et mourut en 1945.

202. « L'humble hiéromoine Lev. »

N° 24

fol. 124 r
184, Avenue Albert
Bruxelles, 11 janvier 1926

Excellence,

Je suis à Bruxelles pour mon passeport. J'espère finir demain avec cette question. Je compte partir le vendredi 15 janvier et arriver à Léopol le dimanche 18 ou le lundi 19.

À Amay, j'ai naturellement dû subir un assaut amical de la part du P. Lambert : *Je comptais sur vous pour trois ans… Vous m'êtes infidèle !… C'est certainement vous qui avez suggéré au Métropolite ce retour !* Mais amicalement, je le répète. J'ai nettement indiqué que j'étais avant tout *vôtre*. Et c'est vrai.

À Lyon, j'ai fait le service liturgique de Noël et du 1er janvier pour le petit noyau orthodoxe-catholique russe. Le P. Tyszkievicz était avec moi. J'ai, pour la première fois de ma vie, prêché en russe ! Je suis allé voir chacun des Russes, soit orthodoxes, soit catholiques, qui sont dans les hôpitaux de Lyon ; j'ai entendu là une confession et donné deux communions. Les Russes semblaient heureux de m'avoir. Ils me suppliaient de rester auprès d'eux. Et même les jésuites de Lyon[203] m'ont dit que, si je voulais fonder un embryon de monastère à Lyon, j'aurais de suite deux candidats et qu'eux me soutiendraient financièrement ! Mon déplacement était naturellement payé.

Au moment des inondations, il y a eu un temps très humide et dangereux. J'ai eu une courte maladie et ai dû voir un médecin. Il m'a conseillé certaines précautions et un remède. Mais je me sens bien.

Je viens de voir à Maredsous un jeune Russe, étudiant, très pieux, qui prie pour l'Union et désire être moine (orthodoxe). Il

---

203. Les jésuites ont une présence à Lyon depuis au moins 1565, l'année où leur fut octroyé le Collège de la Trinité. Avec le temps, ils fondèrent d'autres collèges et maisons d'enseignement, dont le plus célèbre au XXᵉ siècle, le scolasticat de Fourvière (dans les environs de Lyon), fut de 1925 à 1950 à l'avant-garde d'un mouvement de ressourcement de la théologie catholique. Ce mouvement (réprouvé par certains qui le qualifièrent de « nouvelle théologie ») visait à revigorer l'Église, principalement par un retour aux Pères, et publia à cette fin des travaux érudits, comme la collection des *Sources Chrétiennes*. Henri de Lubac, Gaston Fessard, Pierre Chaillet et Yves de Montcheuil furent quelques-uns des théologiens jésuites les plus en vue de Lyon associés à ce mouvement, dont l'influence devait atteindre sa pleine maturité pendant et après Vatican II.

songe à Potchaïef[204]. Il m'a intéressé par ce qu'il m'a dit du mona-chisme russe. Il croit que jamais le monachisme bénédictin ne pourra réussir en Russie, parce que trop confortable et trop intellec-tuel, et que le monachisme cistercien, plus proche de l'âme russe, est trop précis et méthodique pour les Russes... Il dit : *Le moine russe doit vivre pauvrement, dans la prière et le travail des mains, mais il faut le laisser libre de courir au soleil et dans l'herbe, s'il le veut.* Ce jeune homme se propose comme idéal saint Séraphim de Sarov[205]. Voilà le genre de recrues russes qu'il nous faudrait, car il est très bon.

Je continue cette lettre le 12 janvier. J'ai obtenu tous les visas nécessaires. Comme c'est cher ! La France demande 85 F (aux Français), la Pologne 45 F et l'Allemagne, pour le seul durchreise, 110 F. ! Je pars donc dans 3 jours.

Le P. Ildefons affirme qu'à Liège il a remis dans votre valise *tout* ce qui s'y trouvait, mais qu'il va encore faire des recherches au sujet de la cuiller et du livre de Saoléa. – Un billet de Bruxelles à la fron-tière polonaise, via Berlin, 3e classe, coûte 355 F. Je trouve que ce n'est pas très cher, eu égard aux prix d'aujourd'hui. – Excusez, Excellence, ces lignes décousues. J'y joins une page pour le P. Higoumène. J'espère donc venir vous saluer dans quelques jours.

Votre fils tout dévoué en Notre Seigneur,

fr. Lev

Je n'ai pas encore pu vous exprimer mes souhaits à l'occasion de Noël, de la nouvelle année, et de la fête de saint André. Mais croyez, Excellence, que je prie Dieu de tout cœur pour Votre personne et toutes vos œuvres.

---

204. Potchaïv (on trouve aussi Potchaïev, Pochaiv, Potchayev ou Počajiv]) est le site du deuxième plus grand monastère orthodoxe pour hommes en Ukraine. Fondé au XVIe siècle, il fut honoré du statut de laure en 1833. Des basiliens gréco-catholiques (moines « uniates ») en assumèrent la direction de 1712 à 1831. C'est encore une destination populaire auprès des pèlerins, qui y révèrent « l'empreinte du pied » de la Mère de Dieu, ainsi qu'une icône miraculeuse et les reliques de saint Job de Potchaïv. On trouve sur le site une vaste cathédrale pouvant accueillir 6 000 personnes.

205. Né à Koursk en 1759 dans une pieuse famille de marchands, le futur Séraphim de Sarov fut encouragé dans la voie du monachisme et envoyé au monas-tère de Sarov, où en 1793, il fut ordonné prêtre. Ayant reçu l'autorisation de vivre en ermite, il acquit une réputation de *starets* auprès de milliers de pèlerins venus chercher conseil auprès de lui. Il mourut en 1833 et fut canonisé par l'Église russe en 1903 en la présence et à l'instigation du tsar Nicolas II et de la famille impériale.

N° 25

fol. 125 r
Union des Églises Prieuré d'Amay (Belgique)
Mercredi 14/1/26

Excellence !

Je suis encore à Amay. Je guéris très lentement de l'influenza (qui prend de grandes proportions en Belgique : à Amay-village quatorze morts !) et jusqu'à présent je n'ai pas été capable de me mettre en route. J'espère cependant aller après-demain à Paris. – J'ai peu vu le P. Lambert qui, depuis la mort de sa mère, est absent, – Ci-joint des notes sur la Palestine et sur Slovita[206].

J'ai été à Schootenhof. Le P. André et le P. Constantin construisent et s'occupent de leurs douze moniales anglaises. Leur tactique diffère de celle d'Amay : pas de propagande, pas de bruit, pas de manifestations liturgiques. Ils se préparent lentement et systématiquement. Ils veulent que leur monastère soit un modèle d'art byzantin et collectionnent les documents artistiques.

Beaucoup parlé avec le P. André. Il y a chez lui certainement des manques de tact, mais ses intentions sont bonnes. De même, le P. Lambert est bon, mais passionné.

J'ai payé au P. Balfour[207] pour son voyage en Angleterre 10 dollars et 140 F belges. J'ai déjà dit à Votre Excellence que j'ai remis à Perridon 135 gulden pour son voyage aller-retour et ses frais en Hollande : il devra rendre compte à Votre Excellence de l'emploi de cette somme. Enfin j'ai cru entrer dans les intentions de V. Exc. en venant un peu en aide à quelques jeunes Russes de Belgique : j'ai donné 100 F à Michel Demine et 100 F aux Okonof-Sokolof, de Louvain, qui ne reçoivent plus de subvention et sont vraiment dans le besoin, et 100 F à la petite sœur des Längauer à Liège : elle est tuberculeuse avancée, il faudrait la transporter dans le Midi, et il n'y a pas d'argent.

---

206. Village situé à environ une heure de voiture à l'Est de Lviv, en Ukraine occidentale. S'écrit également « Slowita ».

207. David Balfour (1903-1989), un grand ami du père Lev (voir son article « Memories of Fr Lev Gillet », *Sobornost*, 1982) était membre des services de renseignement britanniques, diplomate et spécialiste en matière d'études byzantines. Comme Gillet, il fut d'abord ordonné hiéromoine catholique de rite byzantin, puis se convertit à l'orthodoxie, en 1932.

J'écrirai de Paris. Outre les affaires de librairie, je continuerai à étudier les possibilités d'expansion studite.

Le P. Groum est à Nice[208]. Nous avons appris le retour de Morozof à l'orthodoxie.

Votre article *Deux mentalités*[209] a fait beaucoup de bruit. On le cite partout. Il a été reproduit dans le *Bulletin international des écrivains catholiques*.

J'ai beaucoup parlé avec Mlle Corbiau. Elle m'a dit franchement que son attrait est d'aller en Russie, non pas de mener la vie monastique, et qu'elle serait malheureuse dans un ordre religieux qui ne lui donnerait pas la *certitude* d'aller en Russie. Elle est très exaltée. Je n'ai pas l'impression qu'elle puisse réussir avec les studitines[210]. Je ne crois même pas qu'elle ait une vocation monastique quelconque. Je lui ai dit d'exposer entièrement son état d'âme à V. Exc. et au P. higoumène.

Je viens de lire un livre sur la prison de Solovki[211] où est l'exarque : c'est atroce. Je vous ferai envoyer ce livre. Il paraît, d'après Mgr d'H[erbigny], que l'exarque a été arrêté à la suite de prédications faites à Novgorod et dont le succès retentissant aurait donné ombrage aux Soviets. Puis il n'aurait pas notifié son déplacement. Mgr d'H. considère l'exarque comme un imprudent.

Vous aurez su que le Gouvernement des Soviets a décidé d'expulser tous les prêtres de nationalité étrangère et de n'en plus tolérer à l'avenir. Voilà les résultats de l'activité de Mgr d'H[erbigny] ! Mgr

---

208. Nice était une destination touristique déjà très fréquentée par l'aristocratie russe avant la Révolution. En raison de cette présence russe, une grande église orthodoxe y avait même été construite avant 1917. Un grand nombre d'émigrés s'installèrent donc à Nice par la suite.

209. En 1926, Cheptytsky publia dans la revue *Irénikon* un article intitulé « Deux mentalités (orthodoxe et catholique) » qui influença le développement du dialogue œcuménique. Cheptytsky y démontrait qu'il fallait considérer la complémentarité des deux traditions et non les opposer l'une à l'autre. Il choisit d'aborder l'orthodoxie de l'intérieur et d'en exposer le génie de telle façon qu'un public catholique occidental puisse l'apprécier.

210. Moniales studites.

211. Monastère fondé à la fin des années 1420 sur les îles Solovetski (Solovietski/Solovki) par les moines Zosime et Savatii du monastère de Saint-Cyrille du Lac Blanc (*Kirilo Belozerski*). Aux XVe et XVIe siècles, il connut une croissance rapide et devint un centre économique, politique, religieux et culturel de la région de la mer Blanche. Après la Révolution russe, le monastère fut fermé et la région transformée en un camp de travail forcé (Féodorov y séjourna quelque temps). Alexandre Soljenitsyne l'appela « la mère du Goulag ».

Sipiaguine[212] lui a écrit une lettre terrible, presque une lettre d'injures : *Qu'êtes-vous allé faire en Russie ? Vous avez écrit des mensonges, etc. etc.*

Mgr van Caloën quitte Nice après échec complet et faillite financière. – Alexandre Remy part pour le Congo où il a obtenu une place. Il m'a chargé de vous remercier de ce que vous avez fait pour lui. En voilà un de sauvé matériellement.

La plupart des Russes que je vois, catholiques ou orthodoxes, me semblent ou des aventuriers ou des fanatiques et des anormaux. Ceux d'Amay ont un excellent cœur, mais d'ici à un an je suis persuadé qu'ils causeront les plus grandes difficultés.

J'espère que Votre Exc. va mieux. Vous pourriez me faire envoyer un petit mot me donnant de vos nouvelles par Georges Lengauer (38 A ulica Korolewej Jedwigi).

Les données sur la Palestine me semblent bonnes moralement. Reste la question économique. La Hollande semble aussi avoir ses avantages. Que pensez-vous ? que pense le P. Higoumène ? À Schootenhof, je vois qu'ils ne croient pas que nous fondions en Hollande, parce qu'ils ne prennent pas Perridon au sérieux, en quoi ils ont tort.

Votre humblement et filialement dévoué
moine Lev

N° 26

fol. 126 r
Abbaye du Mont-César
Louvain, 30/7/26

Excellence,
Je vous remercie beaucoup de votre lettre du 19, reçue il y a déjà plusieurs jours ; je n'ai pas encore envoyé au comte du Ch[ayla] votre lettre concernant l'Exarque : j'attends que vous ayez reçu et envoyé les noms des prêtres de Moscou ; cependant, si je n'avais pas

---

212. Alexandre Sipiaguine était un prêtre russe de rite latin qui fut député à la première Douma d'État. Il fonda et administra le pensionnat pour garçons Saint-Georges de Constantinople, qui fut réinstallé en Belgique en 1923. Au milieu des années 1920, obéissant à contrecœur à l'ordre de Pie XI, il adopta le rite oriental.

les noms de Moscou vers le milieu du mois d'août, j'enverrais votre lettre à M. du Ch[ayla], car c'est en septembre que se négociera l'échange de prisonniers ; on pourrait toujours écrire de nouveau à M. du Ch[ayla], quand on aurait les noms de Moscou. Je m'inté-resse passionnément à l'issue de cette affaire : si enfin l'on pouvait faire quelque chose pour l'Exarque !... Je ne vous parle pas de votre passeport, car le P. Lambert écrit aujourd'hui même au P. André Stoelen[213] à ce sujet ; soit en Belgique, soit en Hollande, on espère beaucoup vous avoir : mais je crois que nul ne le désire plus que moi.

Les affaires du P. Lambert vont bien. Les grandes réunions de propagande et cérémonies liturgiques se feront à l'automne ; actuel-lement, il s'agit de les préparer, et de former dans chaque ville des noyaux de personnes qui, non seulement aideront cette propagande temporaire, mais travailleront d'une manière permanente à l'Union des Églises. Figurez-vous que l'on nous demande déjà, et avec insis-tance, d'envoyer des moines en Bulgarie et en Esthonie. En Bulgarie, Rome veut toujours faire évêque, malgré lui, le P. Constantin, d'Afflinghem, qui se joint à nous et sert provisoi-rement de secrétaire au visiteur apostolique[214]. Les Bulgares désirent vivement que nous fassions des fondations chez eux. – En Esthonie, il s'agit d'une affaire très sérieuse : près de Dünabourg (à Kreslov)[215], donc dans une position très centrale (douze heures de train de Moscou et de Pétrograd, assez proche de Vilna), il y a un monastère en bon état ou plutôt deux monastères voisins, un grand et un petit, avec église et 59 hectares de terre ; les revenus de la paroisse (abondants à cause d'un pèlerinage) sont affectés au monastère. Il n'y a encore en Esthonie *aucun* ordre religieux. Or l'ar-chevêque de Riga et son coadjuteur demandent des bénédictins ; on aurait besoin, paraît-il, d'abord de moines de rit latin qui ouvriraient là un noviciat et auraient de suite beaucoup de novices (Esthoniens et de rit latin), puis de quelques moines de rit oriental qui s'occupe-raient des dizaines de milliers de Russes de la région : ces Russes

---

213. Né en 1897, André Stoelen étudia la philosophie pendant un an à Malines (Mechelen), en Belgique, puis entra à l'abbaye du Mont-César en 1916 pour ensuite faire des études doctorales en théologie à Rome. Il suivit une forma-tion en Galicie en 1925, mais eut le désir de venir à Chevetogne, où il fut respon-sable de la revue *Irénikon* pendant quelque temps. Le père Stoelen fréquenta plusieurs maisons monastiques avant de se fixer à la chartreuse de Parkminster, en Angleterre, où il enseigna la théologie sous le nom d'Anselme.

214. Il s'agit de Mgr Roncalli, le futur pape Jean XXIII.

n'ont qu'une minorité d'orthodoxes, la plupart sont starovières[216] ; ces starovières sont sympathiques au catholicisme et recourent aux prêtres latins plutôt qu'aux batiouchki pravoslaves[217] ; cet endroit est à 1 h 2 de la frontière soviétique, et, les jours de fête, les Russes de Russie soviétique passent librement la frontière pour venir assister aux offices religieux en Esthonie. On pourrait donc avoir là 2 ou 3 moines-prêtres latins, 1 ou 2 prêtres-moines orientaux, 2 ou 3 moines (ou plus) moines non-prêtres. Je crois que ce serait un excellent endroit pour des studites ; là, ils seraient moins déracinés qu'en Belgique, et vraiment au seuil de la Russie. Aucune difficulté, aucune querelle ethnique ou politique : le gouvernement esthonien est très libéral. Nous saurons vers la fin du mois d'août les intentions définitives de l'archevêque de Riga (c'est une princesse esthonienne qui s'occupe de cette affaire) ; si cette fondation était possible, je voudrais beaucoup que les studites y prennent part. Je tiendrai Votre Excellence au courant.

Dans quelques jours se tiendra au Mont-César une semaine liturgique terminée par deux journées pour l'Union des Églises : nous espérons la présence du cardinal Mercier qui prononcerait là une sorte de discours-programme pour l'Union. Je suis en relations avec le baron Taube[218], ancien sénateur de l'Empire russe, actuellement recteur de l'université russe de Berlin ; il vient souvent en Belgique : esprit très distingué. Il est depuis peu de temps catholique romain ; il me l'a dit il y a quelques jours avec des larmes de joie. Or il demeure dans les cadres extérieurs de l'Église orthodoxe russe ; je n'ai pas osé l'interroger à ce sujet, mais je tiens, d'une source que je crois bonne, que le cardinal Mercier lui-même a conseillé au baron Taube de rester orthodoxe[219]. D'ailleurs, Taube professe, comme Soloviev, que l'Église russe n'est pas formellement et juridiquement

---

215. Dünabourg est en fait située en Lettonie, non en Estonie.

216. Vieux-Croyants : schisme de l'Église russe au XVIIe s. suite aux réformes du patriarche Nikon qui conforma les usages liturgiques au rite grec.

217. En d'autres mots, aux prêtres orthodoxes.

218. Né en 1869, le baron Mikhail Alexandrovitch (Michel) de Taube fut professeur de droit à l'Université de Saint-Pétersbourg, premier jurisconsulte du ministère russe des Affaires étrangères, sénateur de la Russie et membre du Conseil de l'Empire. Après la révolution de 1917, il vécut en exil à Paris, où il joua un rôle déterminant en aidant les membres restants de l'aristocratie et de la famille royale en exil.

219. Preuve d'ouverture d'esprit rare pour l'époque.

séparée de l'Église catholique, et il soutient ce point de vue dans des conférences publiques. Il doit collaborer à la campagne de propagande du P. Lambert. Je trouve très intéressant et remarquable le fait que Taube puisse être et se dire catholique romain sans qu'on ait exigé de lui aucune rupture avec l'Église orthodoxe[220]. Je suis aussi en relations (excellentes) avec le P. Pierre Isvolsky[221], frère de l'ancien ministre des affaires étrangères, lui-même ancien procureur du Saint-Synode, aujourd'hui recteur de l'Église russe de Bruxelles. Le P. Isvolsky a écrit une brochure sur l'Union; il paraît qu'Euloge l'a blâmé pour ses tendances trop unionistes. Isvolsky désire de tout son cœur l'union en corps; lui-même a certaines tendances très catholiques: il a une grande dévotion pour le curé d'Ars et la sœur Thérèse de l'Enfant-Jésus. Mais il se plaint de la pression morale et du prosélytisme indiscret que déploient certains milieux catholiques pour faire des conversions individuelles: le fait est que quelques religieuses catholiques et même Mgr Sipiaguine ne semblent pas avoir toujours agi avec tout le tact désirable; on a même essayé de "convertir"[222] la petite fille d'Isvolsky, âgée de 10 ans. Isvolsky dit aussi: *Pour une âme que vous nous prenez ainsi, vous en aigrissez dix et vous les écartez définitivement de l'Union.* Il me dit encore: *En ce qui concerne le rit, je crois que vos intentions sont très droites et que vous ne désirez pas vous servir du rit oriental pour tendre un piège aux orthodoxes et les attirer à vous par une équivoque déloyale. Mais, objectivement, ce danger de confusion et d'équivoque existe pour les Russes simples. C'est pourquoi, si, dans des lieux où il n'y a pas de prêtres orthodoxes, certains Russes éprouvaient la nécessité d'user des secours spirituels de l'Église catholique, je leur dirais d'aller dans les églises latines plutôt que d'aller à vous.* J'ai déterminé Isvolsky à venir donner une conférence publique à Louvain sur l'Union des Églises du point de vue orthodoxe.

J'ai vu à Malines le P. Franco de Wyels, vice-recteur (démissionnaire) de Saint-Anselme, qui s'occupe de la fondation d'Anvers

---

220. Dans le même ordre d'idées, voir plus loin les explications sur le passage du P. Gillet à l'Église orthodoxe.

221. Procureur du Saint-Synode russe, le père Isvolski (Isvolsky) était le frère de l'ancien ministre des Affaires étrangères du tsar. Ami proche du cardinal Mercier, qui lui avait été présenté par d'Herbigny dans l'espoir de le convertir au catholicisme, Isvolski vivait à Bruxelles avec d'autres chefs exilés de l'Église russe. Il publia *K Voprosu o Soedinenii Tserkveï* (Munich, 1922), qui fut traduit en français sous le titre *L'Église russe et l'Union des Églises.*

222. Les guillemets sont de l'auteur.

(pour laquelle tout marche bien). Le P. Franco est un homme très bon, très pondéré et très énergique. Il va cette semaine en Angleterre voir cette communauté féminine de Londres qui veut se consacrer à l'Union des Églises.

J'aurais encore des pages et des pages à vous écrire. Mais je m'arrête, car je voudrais envoyer cette lettre de suite. Votre Excellence a-t-elle vu Mlle Noël ?

Je vois bien que je ne pourrai plus jamais me bénédictiniser et que je suis définitivement acquis à l'Orient ; au début, je pensais suivre ici l'office bénédictin, mais je constate que l'office oriental (le часослов[223]) parle beaucoup plus à mon âme. J'ai donc renoncé au chœur latin et je dis avec joie nos belles prières qui sont pour moi le lien avec Vous, avec les studites, avec *notre* Église. Mon regret, c'est qu'en célébrant la liturgie le matin, je n'ai pas le temps de comprendre et de sentir comme il le faudrait ces prières de la liturgie, si supérieures à celles de la messe latine.

Je voudrais que Votre Excellence charge le P. André Stoelen de nous envoyer quelques détails sur Votre propre santé (je sais que vous ne nous en parlerez jamais !), sur ce que Votre Excellence fait, etc.

Je termine en hâte, le P. Ildefonse me pressant. Je demeure toujours votre fils très aimant et obéissant,

смиренный іеромонахъ Левъ[224]

Je n'ai littéralement pas le temps d'exprimer mes messages pour le P. Higoumène et les studites. Le P. Ildefonse est là qui s'impatiente... Mais mon cœur est toujours avec eux.

---

223. *Tchasoslov*, le mot slave pour designer le bréviaire, ou plus exactement, le livre de l'ordinaire de l'Office divin.
224. « L'humble hiéromoine Lev. »

N° 27

fol. 129 r
Leopol, 6/9/26

Высокопреосвященный Владыко и Оче [*sic*]! Ваше благо-словеніе[225]!

Merci beaucoup pour Votre carte de Carlsbad. Il lui est arrivé je ne sais quelles aventures : elle était à moitié effacée, comme si elle était tombée dans l'eau.

J'espère que la cure continue bien. J'espère aussi que la lettre de l'Exarque contenait de bonnes nouvelles. Serait-il indiscret de demander à Votre Excellence ce qui, de cette lettre, peut être dit ?

Tout va très bien ici. J'ai un théologien de plus : le fr. Sébastien. Le fr. Théophane[226] sera dans trois semaines un parfait chauffeur. Le P. Higoumène va bien ; il me charge de vous dire qu'il n'a guère le temps d'écrire. Avec son autorisation, j'ai prêché deux retraites aux Sacrés-Cœurs de Leopol et de Tarnôw[227]. Je ne sais si ces retraites ont produit des fruits spirituels, comme me l'assurent les supérieures ; elles ont produit un assez bon résultat financier, 300 zl. La supérieure de Tarnôw, mère Chłapowska[228], rappelle aux prières de Votre Excellence l'âme de son frère, que vous avez bien connu pendant vos "Lehr und Wanderjahre[229]" de jeunesse.

Affaire épineuse : je communique à Votre Excellence deux lettres de Georges Langauer[230] et de son frère, lettres qui d'ailleurs

---

225. Littéralement, « Maître et Père très saint, (accorde-moi) ta bénédiction. » Il s'agit d'une formule officielle typique d'accueillir un évêque slave-byzantin.

226. Il s'agit probablement de Théophane Shewaha, qui émigra au Canada et fut le supérieur du monastère studite de Woodstock, en Ontario, de 1956 à 1973.

227. Congrégation catholique romaine ayant plusieurs communautés en Galicie.

228. Sans doute une parente de D. Chłapowski qui, en 1872, fit venir les Sœurs du Sacré-Cœur à Poznań. Une maison de l'Ordre du Sacré-Cœur fut établie à Lviv en 1843.

229. "Années d'études et de voyages." Gillet fait allusion ici à la période de 1886-1888 au cours de laquelle Cheptytsky a visité Rome, Kiev, Moscou et plusieurs villes de Pologne, après avoir obtenu son diplôme en droit.

230. Georges [Iouri] Vladimirovitch Langauer est un jeune réfugié russe qui émigre en Belgique après la Révolution. En tant qu'athée engagé et militant, on le harcèle fréquemment dans les institutions scolaires de Belgique. Au milieu des années 1920, il se dirige vers Lviv où un jour Gillet le rencontre rendant visite à Cheptytsky à la résidence épiscopale. À un certain moment, Cheptytsky dit à Gillet :

n'étaient pas destinées à être mises sous vos yeux. Le P. Olivier
[Rousseau] m'écrit de Maredsous sur le même sujet. Il me dit que
l'hostilité de l'évêque de Liège empêche l'admission de Georges
L[angauer] dans tout établissement catholique belge. Il ajoute : *Iouri
Vladimirovitch [Lengauer] est réellement un excellent garçon, rempli de
vie, de cœur et d'intelligence. Ce qui lui manque, c'est quelqu'un en qui il
ait confiance.* Je n'ose rien vous demander pour Iouri. Ce serait vraiment trop indiscret. Je mets seulement sous vos yeux ces lettres –
qui, elles demandent crûment – et je prie Votre Excellence de me
faire savoir ce qu'il faut leur répondre.

Le P. Olivier, à propos de cette affaire, dit : *Il n'y a pas beaucoup
de gens, en Belgique, qui aient cette* смиренная любовь[231] *karamazo-
vienne nécessaire à toute action efficace en faveur des Russes.* Il dit
encore : *Tarascherna m'a écrit une épître à la Smerdiakof, dans laquelle
il se dit malheureux d'avoir quitté le séminaire, mais désireux d'entrer
maintenant dans le clergé marié catholique. Je lui écris une longue lettre,
en lui disant de parler de son projet au Métropolite.*

Le P. d'Herb[igny] a achevé dans les *Études* son récit de voyage.
Ou plutôt il s'arrête brusquement après Odessa, sans parler de ses
voyages postérieurs à Kief et Leningrad. Il ne mentionne le rit
oriental qu'à propos du P. Alexandre Alexeïeff, d'Odessa. C'est
décevant, comme tout ce qu'écrit le P. d'Herb[igny]. Votre
Excellence sait déjà, sans doute, comment il a, en réponse au
P. Slipyj[232] qui lui demandait d'intervenir pour l'érection du séminaire en Faculté, conseillé l'envoi des séminaristes à la faculté

« Je dois lui assurer la liberté d'être un athée si c'est ce qu'il veut. » Langauer
termine ses études à Lviv tout en soutenant son athéisme. Quelques années plus
tard, il devient un catholique enthousiaste.
    231. Littéralement, « Humble amour ».
    232. Né en Galicie (Ukraine), Josyf (Joseph) Slipyj (1892-1984) fut ordonné
prêtre gréco-catholique ukrainien en 1917. Archiprêtre mitré, il dirigea l'Académie
théologique de Lviv pendant un certain temps avant d'être nommé évêque coadjuteur de Lviv le 25 novembre 1939, appelé à succéder à Cheptytsky, puis consacré
un mois plus tard. Il succéda à Cheptytsky au décès de ce dernier le 1er novembre
1944, mais, comme tous les autres hiérarques de l'Église catholique ukrainienne, fut
arrêté par les Soviétiques le 11 avril 1945. Incarcéré pendant 18 ans, il fut libéré en
janvier 1963 grâce à une entente entre John F. Kennedy, Nikita Khrouchtchev,
Jean XXIII et le journaliste Norman Cousins. Il fut exilé à Rome, où l'on croyait
qu'il n'en aurait plus pour très longtemps, mais il vécut encore vingt et un ans et
prit part au Deuxième Concile du Vatican, fut fait cardinal en 1965, reçut le titre
d'archevêque majeur et défendit l'Église clandestine contre ses ennemis du Vatican
et d'Union soviétique jusqu'à son décès en 1984.

polonaise ; mais c'était rédigé en termes si enveloppés, si jésuitiques (!) que le P. Slipyj a cru y voir une adhésion à ses ouvertures, et il a fallu le P. Higoumène pour découvrir le vrai sens de la lettre.

Les journaux annoncent une réunion prochaine des évêques orientaux de Pologne à Vilna, ce qui me semble bien étrange. – En Ukraine (радянская [*sic*])[233], treize prêtres catholiques ont été condamnés, dont l'un à mort.

Terrible conflit entre Euloge et Antoine. Euloge a trouvé que le synode de Carlovtsi[234] faisait trop de politique et il a interdit aux associations russes orthodoxes de l'Europe occidentale de se solidariser avec le mouvement monarchiste. Antoine a publiquement blâmé le peu de déférence d'Euloge envers le synode dans une encyclique. Euloge a répondu par une Lettre à mon troupeau. Il déclare qu'il tient ses pouvoirs[235] de Tykhone [*sic*][236] et qu'il ne reconnaît à Antoine et au synode aucune autorité sur lui. Il oublie d'ailleurs de dire que Tykhone l'avait anathématisé depuis. Un autre Tykhone, l'archevêque russe de Berlin, ayant critiqué cette attitude d'Euloge, celui-ci, par télégramme, l'a suspendu de toute juridiction, mais aussitôt Antoine a télégraphié à Tykhone de ne tenir aucun compte de la suspense d'Euloge. Les évêques Benjamin de Paris et Vladimir de Nice[237] et le

---

233. L'Ukraine soviétique.

234. Sremski Karlovcy (aujourd'hui appelée Karlowitz) était une localité de Serbie sous la juridiction du patriarche serbe Dimitri, qui y invita le métropolite russe Antoine Khrapovitski après la Révolution. En novembre 1921, Karlovcy fut le lieu d'un concile (*sobor*) des hiérarques exilés de l'Église russe qui, refusant de prêter allégeance au régime soviétique, fondèrent l'Église orthodoxe russe « hors-frontières ».

235. En 1922, par l'entremise de N. Berdiaev, Tikhon (Tykhone) transmet une lettre à Euloge dans laquelle il apprend qu'il sera bientôt exilé de Russie.

236. Né en 1865, Tikhon (Tykhone) Belavine étudia à Pskov et à Saint-Pétersbourg avant de prononcer ses vœux monastiques en 1891. Onze mois après avoir été sacré évêque en 1897, il fut envoyé aux États-Unis, où il séjourna pendant plusieurs années et acquit la citoyenneté américaine. Après avoir ouvert de nombreuses églises partout aux États-Unis et reçu des milliers de gréco-catholiques dans l'Église orthodoxe, Tikhon retourna en Russie en 1907 et fut élu patriarche de Moscou en novembre 1917. Accusé d'anticommunisme, il fut incarcéré d'avril 1922 à juin 1923, tomba malade en 1924 et mourut le 25 mars 1925 (selon le calendrier julien). Il fut canonisé par l'Église orthodoxe russe en 1989.

237. Né en 1873, Vladimir Tikhonitski fut évêque de Bialystok (Pologne orientale) avant d'être chassé de la ville par le gouvernement polonais après la Première Guerre mondiale. Arrivé à Nice en 1925, il fut suffragant du métropolite Euloge, à qui Vladimir devait succéder à la tête de l'exarchat russe d'Europe occidentale après la guerre. Aimé pour sa gentillesse et sa sollicitude pastorale envers les immigrants, il aida Lev Gillet à entrer en contact avec Euloge, qui devait plus tard recevoir Gillet dans l'Église orthodoxe.

Métropolite Platon d'Amérique[238] ont pris le parti d'Euloge et l'on parle ouvertement d'un Raskol[239]. Strouvé et *Vozrojdénié*[240] soutiennent Antoine ; Milioukof et Euloge, quelle paradoxale association ! Ce qu'il y a de piquant, c'est que Tykhone de Berlin avait été jadis nommé par Euloge malgré Antoine.

Loukassiévitch m'écrit. Lui aussi voudrait venir ici. Il a dû écrire à Votre Excellence. Il me dit : *Vous exprimez l'étonnement de Sa Grandeur de ne plus avoir de mes nouvelles.* Je ne lui ai jamais rien dit de pareil ! Je lui ai seulement demandé s'il vous avait écrit. Il m'a toujours paru un peu jeune et exalté. Néanmoins, si Deubner, Krijanovsky, Loukassiévitch étaient ici, je crois qu'on pourrait faire des choses intéressantes.

Irénikon[241] a commencé la publication des *Deux mentalités*. La fin paraîtra dans le prochain numéro.

Povolotzky m'a écrit, accusant réception de 100 F belges et de la commande, mais il n'a pas encore envoyé de livres ; je ne puis comprendre pourquoi ; je lui écris de nouveau. Il m'offre ses catalogues périodiques et m'informe que les *Mémoires* de V. Lvof ne paraîtront pas ; la cause serait intéressante à connaître.

J'ai écrit au P. d'Herb[igny] et en réponse, j'ai reçu de Paris sa carte de visite avec ces mots, écrits par une main étrangère : absent pour deux mois.

Mlle Corbiau, je crois, va être gagnée aux studitines par le P. Higoumène. C'est également là que devrait aller Mlle van Diest. Elle ne trouvera pas à Slovita ce qu'elle cherche. Quant aux deux autres Belges, elles partent cette semaine pour Constantinople. Elles

---

238. Il s'agit de Platon Rojdestvensky (Rojdestvenski/Rozhdestvenskii) (1866-1934). De 1922 à 1926, l'Église orthodoxe en Amérique du Nord était sous la juridiction du Synode des évêques hors-frontières. En 1923, le patriarche orthodoxe russe Tikhon recommanda la nomination du métropolite Platon, mais en 1924, sous la pression des autorités soviétiques, le patriarche rappela Platon à Moscou pour qu'il comparaisse devant un tribunal ecclésiastique. Par la suite, le diocèse d'Amérique du Nord convoqua à Detroit un conseil qui reconnut Platon comme « métropolite de toute l'Amérique et du Canada », charge qu'il devait exercer, malgré de nombreuses difficultés, jusqu'à sa mort.

239. « Schisme » en russe.

240. *Vozrojdenie* (« Renaissance ») était un journal de l'émigration russe publié à Paris dans les années 1920.

241. Revue œcuménique en français publiée depuis 1926 par les moines de Chevetogne, *Irénikon* est étroitement associée à la fondation de ce monastère et préconise l'unité des chrétiens. Chaque numéro contient des articles érudits sur la théologie, l'histoire, la spiritualité et le monachisme, avec des résumés en anglais.

y resteront jusqu'à Noël, pour le rit, et viendront alors commencer un noviciat en Belgique.

Je vous demande pardon de vous envoyer aussi une salade de petites nouvelles. Mais nous pourrions parler vraiment quand Votre Excellence sera de retour. D'ici là, mes meilleurs vœux et mes prières sont auprès de Vous.

Votre fils humblement dévoué dans le Christ

схимонах Лев[242]

N° 28

fol. 245 r [*sic*][243]

Pour son Excellence

Voici un projet d'article destiné à la revue hollandaise[244] : c'est un simple projet que je suis tout prêt à corriger ou à transformer selon les désirs de Son Excellence. On demandait environ 2 000 mots : il y a dans ces 7 pages 1 890 mots. Si Son Excellence le désirait, je pourrais recopier l'article sur un papier meilleur.

Voici aussi la lettre pour Mgr Brown Barton[245]. Je l'ai signée moi-même, comme Son Excellence m'y autorisait ; mais je préfère que la lettre, avant d'être envoyée, soit soumise à l'approbation de Son Excellence.

бр. Лев[246]

P.S. L'article étant demandé par les Hollandais pour Noël, il y a urgence.

---

242. « *Skhimonakh Lev* ». Selon la tradition studite de Cheptytsky, un *skhimonakh* est un « moine expert ». Il prononce des vœux à perpétuité et reçoit le « second degré de la bénédiction monacale ». Il porte la monte et la croix pectorale.

243. La lettre suivante n'est pas datée et par conséquent a été classée aux Archives près de la fin de la correspondance. Sa composition et son contexte portent à suggérer de l'insérer ici.

244. Nous n'avons trouvé aucun renseignement au sujet d'un article destiné à une revue hollandaise.

245. Brown Henry Barton (+1926) est un prélat d'honneur (un monsignor, et non un évêque) à Westminster à partir de 1922.

246. Fr. Lev.

N° 29

fol. 132 r

АПОСТОЛЖТ ВОСТОЧНОЙ ЦЄРКВИ[247]
Léopol, 27/11/26

Révérend et bien cher père Lambert[248],

Merci pour votre bonne lettre. Je vous félicite pour le succès de la semaine de Londres, sur laquelle j'ai eu quelques détails par *The Universe* et par une lettre de Godfrey. Félicitaions aussi pour l'approbation romaine et les encouragements du Pape, dont le P. Olivier m'a parlé[249]. Je suis heureux que vous ayez D. Anselm Bolton[250] ; je crois que vous pouvez beaucoup attendre de lui. Je ne sais ce que devient le pauvre P. Perret[251]. C'est une entreprise vraiment intéressante que celle que vous commencez à Pétchéri[252] ; je lui souhaite un heureux résultat.

Le métropolite André va donc, sauf imprévu, faire une fondation à Nimègue. On y demandait un monastère spécifiquement studite[253].

---

247. « L'apostolat de l'Église d'Orient » publié en écriture script de l'Église slave. Étant donné que le papier à en-tête affiche ce nom, il est évident que Cheptytsky et Gillet – sans parler des autres associés à Cheptytsky – avaient formé un groupe nommé ainsi.

248. Cette lettre à Beauduin fait partie des documents d'archives de Gillet-Cheptytsky.

249. Gillet fait allusion à l'endossement de Pie XI à la fondation bénédictine birituelle de Lambert Beauduin à Amay.

250. Après avoir professé ses premiers vœux monastiques à Ampleforth en mai 1924, Anselm Bolton prononça ses vœux définitifs en mai 1927 à Amay. Collaborateur de Beauduin, il prit part aux Conversations de Malines et fut l'auteur de l'ouvrage *A Catholic Memorial of Lord Halifax and Cardinal Mercier* (Londres, 1935).

251. Il y eut deux moines de ce nom à l'abbaye de Farnborough dans les années vingt : Dom J. Perret et Dom Simon Perret.

252. Il est difficile de comprendre à quel genre d'entreprise Gillet fait allusion ici par « entreprise à Petchéri ». Même s'il est vrai qu'au début de 1920 des ecclésiastiques tels que Cheptytsky ont rêvé de « repeupler les monastères de Russie » (y compris le Petcherska Lavra de Kiev) de moines catholiques d'Orient, en 1926, au moment de la rédaction de cette lettre, de tels « rêves » auraient été une chimère. Cependant, il est peu probable que Gillet fait référence au monastère Pskov Pétchéri situé en Estonie indépendante, près des frontières soviétiques.

253. Gillet fait référence ici au monastère projeté qui ne serait pas une maison « bénédictine-studite ». À propos, il faut noter qu'aucun monastère catholique oriental n'a jamais été fondé à Nimègue (Nijmegen) malgré les nombreuses propositions préparées par Gillet (voir fols 253-255). Ce n'est qu'après la Seconde Guerre mondiale qu'une chapelle catholique russe est érigée par un capucin hollandais.

Comme cette fondation et vos propres monastères, ceux-ci et celle-là n'attireront pas les mêmes vocations et il n'y aura donc pas de concurrence. Au contraire, sur tous les points où ce sera possible, il faudra travailler cordialement en commun.

Mgr Borian, que vous-même connaissiez, ainsi que les R.R.PP. Ildefons [Dirks], André et David [Balfour], est décédé [sic].

Mesdemoiselles Caspart et Cochez[254] m'ont écrit de Constantinople. J'espère qu'elles vous resteront fidèles et vous reviendront tout hellénisées.

Rien de nouveau. Quand je saurai quelque chose de plus précis sur les projets hollando-studites, je vous en ferai part. Je demeure toujours Votre collaborateur et ami dévoué, cher Père Lambert, et souhaite aux moines de l'Union toutes sortes de prospérités.

fr. L. Gillet

N° 30

fol. 250r [sic][255]

Je prie Son Excellence de vouloir bien : 1° mettre la lettre destinée à Froyennes ; 2° mettre un autographe sur une photographie destinée à M. Paris ; 3° expédier la lettre pour Froyennes et la photographie avec la lettre que j'ai écrite moi-même à M. Paris.

Je prie encore Son Excellence de vouloir bien prendre connaissance d'une nouvelle lettre de Krijanovsky, lettre qui m'inquiète un peu.

fr. Lev

---

254. Sous l'égide de Dom Lambert Beauduin, Madeleine Cochez et Élisabeth Caspart, qui souhaitaient faire partie d'une communauté de moniales à Amay-Chevetogne, quittèrent la Belgique à la fin de 1925 pour se joindre en mars 1926 à d'autres religieuses suivant une formation à Slovita, où elles espéraient être initiées au monachisme oriental. Elles retournèrent en Belgique moins d'un an plus tard, déçues des lacunes de leur formation. Mlle Caspart devait prononcer ses vœux chez les Sœurs de la Sainte-Union à Kain, près de Tournai, en novembre 1929, puis elle se mit au service de l'exarque d'Athènes, où elle prit l'habit byzantin. Elle obtint la nationalité grecque, mais fut arrêtée et condamnée à mort par les Allemands pendant la Deuxième Guerre mondiale. Elle ne fut épargnée qu'à la demande expresse du président de la Croix-Rouge internationale et fonda par la suite une école à Athènes, ville où elle mourut en 1991.

255. Cette lettre n'est pas datée et par conséquent a été classée aux Archives près de la fin de la correspondance. Sa composition et son contexte portent à suggérer de l'insérer ici.

N° 31

Sans date et numéro de folio[256]

Je prie Son Excellence de m'excuser pour n'être pas venu à la conférence. J'ai été invité à 1 h 30 chez le comte et la comtesse Léon Szeptycki[257]. Je suis venu hier demander à Son Excellence si elle m'autorisait à accepter et si elle me dispensait de l'assistance à la conférence; mais comme Son Excellence n'était pas au palais et qu'il fallait répondre de suite, j'ai pris sur moi de téléphoner que j'acceptais. Je suis venu ce matin au palais de nouveau pour demander à Son Excellence si elle me permettait de ne pas venir à la conférence et de me rendre à cette invitation; mais, le Comte Léon se trouvant au palais, je n'ai pas demandé à être reçu. J'ose donc présumer que je puis aller chez le Comte Léon et manquer la conférence. Je prie encore une fois Son Excellence de m'excuser. J'irai demain au palais pour voir *s'il y aurait quelque lettre à écrire*.

Dimanche matin.

fr. Lev

---

256. Cette lettre n'est pas datée et par conséquent a été classée aux Archives près de la fin de la correspondance. Sa composition et son contexte portent à suggérer de l'insérer ici.

257. Léon Szeptycki (1877-1939) est le plus jeune des six frères d'Andrei. (Seuls quatre des frères ont toutefois survécu jusqu'à l'âge adulte.) L'épouse de Léon, Jadwiga (1883-1939), issue de la famille Szembek, manifeste un intérêt pour la liturgie orientale. Afin de familiariser les Polonais au culte de rite byzantin, elle publie une brochure publiée en polonais et intitulée « Dans les églises catholiques et uniates ». Avec leurs huit enfants, Léon et Jadwiga demeurent à Prylbytchi, au domaine des Szeptycki (Cheptytsky), que Léon hérite à la mort de son père (et celui d'Andrei), Jan Kanty Szeptycki. Tout en demeurant polonais et fidèles au rite romain, Léon et Jadwiga tentent de poursuivre le travail de conciliation entre Polonais et Ukrainiens entrepris par Jan Kanty. Léon représente la famille Szeptycki au Conseil des curateurs du Musée national ukrainien d'Andrei Cheptytsky à Lviv, et Jadwiga étudie aussi l'ethnographie ukrainienne. Ils invitent fréquemment à leur domaine des étudiants de l'Académie de théologie gréco-catholique, même si les propriétaires avoisinants se plaignent de telles visites. Léon et Jadwiga meurent fusillés par une escouade de la NKVD, peu après l'occupation soviétique de la Galatie orientale en septembre 1939. Le domaine est alors détruit et les tombes familiales profanées.

N° 32

fol. 259 [*sic*][258]
Lundi 5 heures.
Je pars demain matin pour Uniov avec le fr. David [Balfour] (s'il est rentré). Je n'ose pas déranger Son Excellence en me présentant à Elle, mais je La prie d'agréer mes vœux de rétablissement et l'assurance de mes prières.

Благослови, Владыко [*sic*] ![259]
бр. Лев[260]

N° 33

fol. 259v [*sic*][261]
[*Mots illisibles*]... enveloppe déchirée, ce nouveau fascicule de l'Institut oriental, adresse au P. Boutchko[262]. Je me permets d'en retarder la transmission et de la remettre à Son Excellence qui y trouvera peut-être quelque intérêt. – Le P. Bourgeois a écrit. Le comte Puslowski lui indique qu'il y a, à Slonim même un autre ancien monastère actuellement libre. Le P. Bourgeois, que j'avais questionné sur ses facultés concernant l'admission d'orthodoxes aux sacrements, me charge de dire à son Excellence qu'il a ordre de ne rien communiquer par écrit sur ces affaires d'Albertyn, mais que Mgr Przesdniecki donnerait éventuellement les renseignements. – Il remercie Son Excellence à propos du jeune Russe ; il écrira encore à son sujet.

бр. Лев[263]

---

258. Cette lettre n'est pas datée et par conséquent a été classée aux Archives près de la fin de la correspondance. Sa composition et son contexte portent à suggérer de l'insérer ici.
259. Bénis, Maître.
260. fr. Lev
261. Cette lettre n'est pas datée et par conséquent a été classée aux Archives près de la fin de la correspondance. Sa composition et son contexte portent à suggérer de l'insérer ici.
262. Ivan Boutchko (Buchko, Buczko) (1891-1974) est ordonné prêtre en 1915 et nommé recteur du petit séminaire gréco-catholique de Lviv et professeur au Grand Séminaire. En 1929, il devient évêque auxiliaire de Cheptytsky. À partir de 1942, il travaille à Rome. Après la Seconde Guerre mondiale, il s'avère un protecteur des réfugiés politiques d'Ukraine.
263. fr. Lev.

N° 34

fol. 260r [sic][264]

Puisque Mgr Barton Brown espère trouver l'argent nécessaire à l'entretien de Mr. Godfrey, – puisque, d'autre part, il croit que Mr. Godfrey apprendra facilement une langue nouvelle, et pense même que le mieux serait de mettre de suite Mr. Godfrey dans un milieu ukrainien [*mot illisible*] n'y aurait-il pas avantage à faire venir Mr Godfrey [*mot illisible*] Leopol ? Le séjour de Mr. Godfrey ici permettrait à son Excellence de voir ce qu'Elle peut attendre de lui, et à Mr. Godfrey lui-même de mesurer ses forces avec la situation.

Mr. Godfrey ne pourrait-il pas habiter le séminaire, où il aurait l'occasion de pratiquer continuellement la langue ukrainienne et de s'initier au rit ? Sans doute, il ne pourrait pas suivre les cours de théologie en ukrainien. Mais il pourrait compléter en particulier – par exemple avec le Dr. Slipyj – sa formation théologique qui, sur certains points, doit être très forte, après le *curriculum* théologique d'Oxford. Avec un bon guide, un tel travail serait peut-être plus profitable à Mr. Godfrey que de suivre des cours, par exemple à Rome.

La présence de Mr. Godfrey à Leopol pourrait aussi être utile au point de vue de la propagande en Angleterre (amitiés, vocations, argent). [*Mots illisibles*] Mgr Barton Brown ce que coûterait approximativement le séjour de Mr. Godfrey à Leopol[265]. – On pourrait en même temps se renseigner auprès de Mgr Barton Brown sur la situation exacte de Mr. Godfrey au point de vue du rit (appartient-il déjà au rit latin ?) et sur la manière dont les évêques anglais accueilleraient éventuellement l'admission d'un clergyman converti marié au sacerdoce catholique oriental.

Je suis naturellement à la disposition de Son Excellence pour écrire en anglais – si Elle le désire – à Mgr Barton Brown.

бр. Лев[266]

---

264. Cette lettre n'est pas datée et par conséquent a été classée aux Archives près de la fin de la correspondance. Sa composition et son contexte portent à suggérer de l'insérer ici.

265. Il semble que le projet d'établir Godfrey à Lviv, au Séminaire grecque catholique où le Père Josyf Slipyj était recteur, n'a pas réussi.

266. fr. Lev.

N° 35

fol. 133 v
Rotterdam, 49 Princes Julanalaan
21/12/26

Ai fait bon voyage. Je m'occupe activement de l'affaire de Nimègue, sur laquelle j'enverrai bientôt à Votre Excellence les données que j'ai acquises. Hommages de votre filialement dévoué.
мон. Лев[267]

N° 36

fol. 134 v
24/12/26

Je suis arrivé à Amay sur l'invitation du P. L[ambert] B[eauduin] – L'affaire de Nimègue me semble *sérieuse*, possible, ayant ses difficultés et inconvénients, et aussi ses avantages. On ne peut la rejeter sans mûre réflexion. Je n'ai engagé en rien Votre Excellence, mais je n'ai pas cru devoir décourager nos amis Hollandais. Je vous enverrai d'Amay un rapport détaillé sur cette affaire.

Le P. Balfour partira le 26 décembre pour Londres où il étudiera la question Palestine. – Ici, je n'ai pas encore abordé la question Slovita mais il est *certain* qu'il n'y a aucun mauvais vouloir à notre égard, au contraire.

Mon adresse : L. Gillet, prieuré d'Amay sur Meuse, Belgique.
Votre fils humblement et affectueusement dévoué.
ieромон. Лев[268]

---

267. « Le moine Lev »
268. « L'hiéromoine Lev. »

N° 37

fol. 135 r
Abbaye de Saint-Benoit
Wépion, 28/12/26

†Pax

Excellence !
Père vénéré et aimé,
On m'a entraîné donner deux conférences au monastère de Wépion[269] – où se célèbrent des journées pour l'Union et où se trouve aussi Mgr Sipiaguine. C'est d'ici donc que j'envoie à Votre Excellence mes notes sur Nimègue. Je n'y ajoute pas de vraie lettre aujourd'hui, car du matin au soir on demande à me parler (beaucoup de Russes). Mais j'ai beaucoup de choses à vous dire. Dans trois jours, je serai à Maredsous d'où je vous écrirai longuement. Tous ceux que Votre Excellence connaît la saluent de tout cœur. Priez, Excellence, pour votre fils humblement dévoué et aimant.
iеромон. Лев[270]

Je reçois une lettre de Perridon que je joins à mes notes. Oui, je crois qu'il faut agir à Nimègue : 1) si nous ne trouvons pas mieux maintenant ; 2) si nous pouvons donner peu de monde et pour peu de temps. Naturellement le R.P. Higoumène doit prendre pour lui-même tout ce que je dis à Votre Excellence.

---

269. Datant du début du XVIIe siècle, le village de Wépion, à une quarantaine de minutes de voiture de Bruxelles, était proche du « saint désert » de Marlagne, une vaste propriété comprenant un monastère, un ermitage et une chapelle. La maison fut vendue en 1816 après la Révolution française. Aujourd'hui, il ne reste de Marlagne que la chapelle Sainte-Marie-Madeleine et quelques vestiges.
270. « L'hiéromoine Lev. »

N° 38

fol. 253r [*sic*][271]

Notes sur la possibilité d'une fondation studite à Nimègue (Hollande)
Aperçu sur les démarches que j'ai faites en Hollande

Aussitôt arrivé en Hollande, j'ai été mis en contact par Perridon avec divers ecclésiastiques qui s'intéressent au projet de fondation. À Rotterdam, j'ai parlé avec le P. van Kenlen et avec M. van Vliet[272], venu de La Haye pour me voir. À Nimègue, j'ai parlé avec le P. Brandsma[273], carme, professeur à l'Université, par lequel j'ai eu connaissance des sentiments du recteur de l'Université et des professeurs Baumstark[274] et Heinitsch; [275] avec M. Seuss, curateur de la « Fondation de la Terre Sainte[276] »; avec M. Pieter Gok[277]. J'ai constaté moi-même et tous m'ont affirmé le grand désir qu'ont les Hollandais catholiques de faire quelque chose pour l'Orient. La forme sous laquelle ils envisageaient cette œuvre était certainement un peu vague; ils avaient une tendance à mêler les questions d'une

---

271. Aux Archives, ce document se trouve à la fin du dossier car aucune date n'est indiquée. Il est toutefois évident qu'elle s'insère ici, d'après son contexte.

272. Nous n'avons trouvé aucun renseignement au sujet de van Kenlen et avec M. van Vliet.

273. Carme hollandais, Titus Brandsma (1881-1942) devenu éducateur, journaliste et mystique moderne, participe en 1923 à la fondation de l'Université de Nimègue. Il y enseigne la philosophie et en devient le recteur en 1932-1933. Ses ennemis l'étiquettent de « petit moine dangereux ». En raison de son opposition constante et forte envers le Nazisme, il est déporté à Dachau, en juin 1942, où il connaît la mort par injection. Jean-Paul II le béatifie en 1985.

274. On considère Anton Baumstark (1872-1948) comme le fondateur de la liturgie comparée. En 1901, il inaugure le journal *Oriens Christianus*. Professeur à Nimègue entre 1923 et 1926, il poursuit cette carrière pour devenir professeur régulier d'Études orientales à Münster (1930-1935). C'est dans une série de cours qu'il a donnée au prieuré d'Amay (puis à Chevetogne) et publiée d'abord en 1940 que l'on retrouve sa méthodologie originale de reconstitution de l'évolution historique des célébrations liturgiques en la comparant aux changements dans les différentes traditions.

275. Nous n'avons trouvé aucun renseignement au sujet de Heinitsch.

276. Le « Heilig Landstichting » près de Nimègue est un centre d'éducation et de pèlerinage fondé en 1911 pour susciter un intérêt à la Bible. Construite entre 1913 et 1915, l'église du Cénacle comprend un musée biblique à ciel ouvert.

277. Nous n'avons trouvé aucun renseignement au sujet de Gok.

fondation monastique, d'un Institut scientifique oriental, d'un Collège ou [*mot illisible*] pour clercs. Je me suis efforcé de dissocier ces diverses questions et je crois qu'on est finalement arrivé à concevoir le projet de fondation en termes assez clairs. Je crois n'avoir en rien engagé ou compromis S.E. le Métropolite ; j'ai toujours insisté sur ce que je n'avais mandat pour négocier aucune affaire, que je désirais seulement recueillir quelques informations sur l'affaire dont s'occupe Perridon, et que je ne savais pas du tout quelles pourraient être les dispositions du Métropolite à ce sujet.

État actuel du projet

À la fin de mon séjour en Hollande, trois points étaient devenus tout à fait précis.

1) Il s'agit *uniquement* d'une fondation studite en Hollande [*mots illisibles*].

2) Il n'est pas question de lier à cette fondation l'existence d'un institut scientifique ou convict quelconque ; si des instituts scientifiques orientaux s'établissaient à Nimègue, le monastère pourrait, s'il le veut, se mettre plus ou moins en liaison avec eux, mais il en demeurerait totalement distinct et indépendant.

3) J'ai les assurances les plus formelles que les divers organismes qui seraient prêts à aider les origines de cette fondation n'ont aucune intention de s'immiscer dans sa vie ultérieure ; le monastère garderait à leur égard la plus entière liberté.

Lieu de la fondation

Les studites s'installeraient dans le monastère dont la photographie a été envoyée à Léopol[278]. Ce monastère sera évacué *en mars* par les religieuses qui l'occupent. On pourrait donc y venir vers Pâques. J'ai visité le monastère. Il comprend, outre les lieux conventuels communs, 12 cellules. Il y a une petite chapelle qui conviendrait parfaitement pour une communauté réduite. Le monastère a en même temps beaucoup de simplicité et de bon goût. Situé dans la « Terre Sainte » il est cependant assez isolé, sur une petite colline, entouré de bois. Deux hectares de terre cultivable dépendent du monastère.

---

278. Les éditeurs de ce volume n'ont pu obtenir cette photographie.

Conditions financières

Le monastère peut être ou acheté ou loué. D'après Perridon, la location serait d'environ 2 000 gulden par an (avec le terrain de 2 hectares) ; l'achat serait d'environ 30 000 gulden.

Conditions canoniques

La fondation devrait être autorisée par l'évêque de Bois-le-Duc. Celui-ci exigera en tout cas, l'autorisation *préalable* de la Congrégation orientale.

Marche à suivre

Les Hollandais proposent que, si S.E. le Métropolite accueille favorablement l'idée de la fondation à Nimègue, on procède comme il doit :

1° Le Métropolite préviendrait *officieusement* Perridon qu'il accepte en principe l'idée de la fondation ;

2° L'Apostolat, réuni en séance plénière, écrirait au Métropolite pour lui dire – non pas qu'on l'invite à fonder, car l'Apostolat ne se juge pas assez qualifié pour une initiative de ce genre – mais qu'on serait favorable en Hollande à une fondation orientale et que le Métropolite semblerait très désigné pour la faire.

3° Très assuré d'avoir des sympathies en Hollande, le Métropolite s'adresserait directement à Mgr Diepe, évêque de Bois-le-Duc. Il importerait beaucoup de ne pas demander à cet évêque des conseils et ne pas lui présenter un projet vague, mais, au contraire, de le mettre en présence d'un plan précis auquel il n'ait à répondre que oui ou non. On croit qu'il n'oserait pas répondre non. Afin d'éviter toute enquête ou immixtion de Mgr Diepe dans le côté financier de l'affaire, le Métropolite lui dirait : je prends toute la question financière sous ma propre responsabilité. Il n'aurait pas à savoir comment cette question est réglée.

4° Le Métropolite contracterait aussitôt un emprunt auprès de banques hollandaises. 10 000 gulden pourraient suffire à la location et à l'entretien des moines pendant la première année ; l'année suivante, il faudrait beaucoup moins, et les besoins financiers iraient ainsi en décroissant, car le monastère recevrait de Hollande de plus en plus. Donc un emprunt initial de 25 000 guldens, par exemple, pourrait suffire. On m'a assuré que si le Métropolite paraissait lui-même en Hollande il recevrait aussitôt assez de *dons* pour couvrir cet emprunt. La Nederland Landbaubank d'Amsterdam s'est déjà offerte à prêter au métropolite 50 000 guldens seulement [*mots illisibles*] pour une période de dix ans. L'Apostolat aiderait financièrement. On peut croire qu'en peu de temps les frais initiaux seraient remboursés.

5° S'étant assuré que Mgr Diepe ne fait pas d'objection fondamentale, le Métropolite demanderait l'autorisation de la Congrégation orientale, et cette orientation une fois obtenue, il demanderait l'autorisation formelle de Mgr Diepe.

Difficultés de ce projet

1° Nous ne sommes pas très sûrs des sentiments de l'Ordinaire. Mgr Diepe vient de prendre des mesures pour empêcher plus ou moins la célébration de cérémonies orientales en Hollande. Il n'est pas très compréhensif. Cependant, il avait dit à Strotmann l'année dernière qu'il autoriserait une fondation orientale en Hollande et le curateur de la Terre Sainte, qui a vu Mgr Diepe récemment, nous a assurés que l'autorisation serait accordée.

2° Cette pseudo Terre sainte est un milieu bien artificiel. L'atmosphère dégage beaucoup de piété et de bonne volonté ; cependant, je crains que ce cadre artificiel et ce mouvement de pèlerins artificiel ne donnent aussi au monastère quelque chose d'artificiel.

3° Les moines studites seraient assurément très isolés et déracinés en Hollande.

4° Le milieu de Nimègue est extraordinairement riche et heureux. Les étudiants ecclésiastiques de l'Université vivent dans un confort qui dépasse beaucoup celui des Anglais. Le contact avec le milieu universitaire ne serait pas sans dangers pour les studites. Par contre, s'ils doivent vivre isolés dans leur monastère, des dangers ne se présentent pas.

Avantages du projet

1° Donner aux studites un point de contact avec l'étranger, faciliter les vocations étrangères, préparer des vocations pour la Galicie ou la Russie.

2° Cette fondation, au bout de quelques années, pourrait aider financièrement les studites de Galicie.

3° Elle serait une base plus commode qu'Univ pour d'autres fondations en Occident ou dans l'Orient asiatique.

Mon opinion personnelle

Tout ceci étant, je suis persuadé :

1) qu'il n'est pas bon qu'un groupe considérable de studites aille *se fixer* pour longtemps en Hollande ;

2) que cependant cette fondation présente des avantages réels qu'il ne faudrait pas laisser échapper.

La solution idéale serait, pour moi, que les Hollandais eux-mêmes se chargent de former une communauté orientale avec l'aide temporaire de quelques studites au commencement. Les studites se retireraient le plus tôt possible. Les Hollandais, sous la forme studite, continueraient à vivre, à aider la Galicie (qui ainsi aurait les avantages plutôt que les inconvénients de la fondation).

Pratiquement, je proposerais que 6 ou 7 studites au maximum aillent s'installer à Nimègue ; – qu'ils reçoivent le plus tôt possible assez de candidats hollandais pour occuper toute la maison (à la rigueur une quinzaine de moines peuvent y vivre) ; – qu'après quelques mois d'épreuve ces Hollandais soient admis aux vœux temporaires (qui seraient le vrai noviciat) – qu'après environ deux ans les studites de Galicie se retirent, laissant la communauté studite hollandaise se diriger elle-même et s'accroître, même si les moines hollandais n'ont pas encore les vœux perpétuels ; – on imposerait à la communauté hollandaise certaines obligations en hommes et en argent envers les studites de Galicie ; – elle resterait sous la direction du Métropolite et du P. Higoumène, mais elle vivrait sa vie propre, ce qui serait le meilleur moyen d'attirer à elle les Hollandais (car il ne faut guère songer aux Russes). – Les studites de Galicie qui auraient séjourné les deux premières années en Hollande seraient assez désignés pour faire ensuite une fondation soit dans l'émigration russe, soit en Palestine, fondation qui pourrait être mûrement préparée pendant les années de Hollande.

Strotmann a écrit à Perridon. Il est d'accord avec le plan d'une fondation en Hollande. Le P. Balfour, qui connaît bien les circonstances de Tchéco-Slovaquie, m'affirme que là-bas il n'y a rien à faire parmi les Russes ni en Podcarpathie à cause des luttes politiques[279].

---

279. Évidemment, on a considéré la possibilité de créer une Fondation studite en Tchécoslovaquie où les émigrés russes ont réussi à soutenir l'orthodoxie dans l'est du pays.

Je conclurais donc en faveur de Nimègue, sous la forme temporaire et restreinte que je viens d'indiquer, car je crois qu'une trans-
plantation [*mots illisibles*] mieux adopter ces deux dernières
solutions, Nimègue demeurant une troisième solution, un « pis-
aller » qui serait cependant préférable à ne rien faire. Si Son
Excellence était d'avis de fonder à Nimègue, il faudrait, je crois,
suivre la marche indiquée page 3.

Conclusion

En tout cas, il faut donner une réponse aux Hollandais. Je
suggérerais à Son Exc. d'envoyer un mot à Perridon pour le remercier des efforts très sérieux et consciencieux qu'il a faits en Hollande
et pour lui dire que l'on réfléchira encore jusqu'à la fin de janvier.
D'ici là, Son Excellence possédera toutes les données sur la
Palestine et sur l'émigration et pourra prendre la décision qu'elle
jugera la meilleure.

N° 39

fol. 137 v [sic]
[carte postale]
Prieuré Amay s/Meuse
6/1/27

Excellence !
Bonne fête de Noël ! J'ai été à Schootenhof, Louvain, Bruxelles,
Liège, et finalement j'ai eu une forte influenza dont il y a une
épidémie en Belgique. Mais la fièvre est tombée et j'espère pouvoir
partir pour Paris
3 jours. Actuellement, je ne suis [*Texte endommagé par l'eau et
devenu illisible*]
Le P. Balfour est rentré de Londr [*Texte endommagé par l'eau*]
sur la Palestine des renseignem [*Texte endommagé par l'eau*]
Je vous écrirai à ce sujet dès q [*Texte endommagé par l'eau*]
libre des brouillards de l'influ [*Texte endommagé par l'eau*]
communiquerai aussi tout ce qu [*Texte endommagé par l'eau*]
les affaires Slovita. Le P. Lambert [*Texte endommagé par l'eau*]
mère et a du lui-même s'abse [*Texte endommagé par l'eau*]

l'influenza. Je vous ai signalé l'introduction de 2 jésuites en Russie par Mgr d'H[erbigny][280]. Ils viennent d'être démasqués et expulsés tous deux. L'Action française[281] est en révolte ouverte contre Rome. Le card[inal] Dubois[282] en a interdit la lecture à Paris. Le frère du P. Balfour revient de Russie et trouve que tout est normal.

Votre humblement et filialement dévoué

moine Lev

---

280. Le 23 octobre 1926, les jeunes jésuites Josef Schweigl (1894-1964), un Tyrolien, et Joseph Ledit (1898-1986), un Français voyageant sous un passeport américain, entrèrent en URSS à la demande de leur père supérieur, Wlodimir Ledóchowski, qui leur avait donné le mandat canonique de fonder un séminaire à Odessa, Moscou ou Leningrad. Le 13 novembre 1926, ils demandèrent au Comité exécutif central – qui avait déjà permis aux luthériens d'ouvrir leur séminaire – l'autorisation d'ouvrir un séminaire à Leningrad. Ne sachant tout d'abord comment réagir à cette demande, les Soviétiques expulsèrent les deux hommes de Russie dix jours plus tard sans aucune explication. Dans les années 1950, le Père Ledit fonde une paroisse russe catholique à Montréal. Cette-ci est demeurée en fonction jusque dans les années 1990.

281. L'Action française désigne l'organisme et le périodique du même nom, fondés à la fin du XIXᵉ siècle par Maurice Pujo et Henri Vaugeois, auxquels se joignit Charles Maurras. Ce dernier, s'inspirant des théories de Maistre, donna beaucoup de son vernis intellectuel à un mouvement connu pour être royaliste, nationaliste et souverainiste. La vision d'ensemble de l'Action française reposait sur l'idéologie du « nationalisme intégral » et visait l'avènement d'une monarchie théocratique en France. À l'exception de Maurras, qui était agnostique, le mouvement comptait de nombreux adeptes catholiques, ce qui n'empêcha pas sa condamnation par le pape en mai 1926. Celui-ci reprochait en partie à l'Action française de jouer sur le catholicisme à la seule fin de soutenir des visées nationalistes et ethnocentriques. Le mouvement tomba encore plus profondément en disgrâce lorsqu'il appuya les fascismes italien et espagnol dans les années 1930 et le régime d'occupation de Vichy pendant la Deuxième Guerre mondiale. En pratique, l'Action française cessa d'exister en 1944, mais elle eut plusieurs avatars pendant la période de l'après-guerre.

282. Né à Saint-Calais, Louis-Ernest Cardinal Dubois (1856-1929) est nommé évêque de Verdun en 1901. Titulaire de l'archevêché de Bourges en 1909, il est transféré au siège de Rouen en 1916. La même année, il devint cardinal, puis transféré à Paris où il meurt.

N° 40

fol. 261r [sic][283]

Sur les possibilités d'une fondation studite en Palestine

Les renseignements qui suivent ont été obtenus par le P. Balfour au Ministère des affaires étrangères et au Ministère des colonies britanniques.

On a d'abord fait observer au P. Balfour que l'on pourrait bien donner des informations *officieuses* sur la Palestine, mais non pas des informations *officielles*. En effet, l'autonomie du Gouvernement palestinien est complète en ce qui concerne l'immigration et les autorités de Londres ne peuvent rien à ce sujet malgré le mandat britannique. On nous conseille donc, lorsque nous voudrons avoir des informations officielles, de nous adresser directement au : *Chief Secretary of the Government of Palestine, Jerusalem*. Cette réserve faite, voici les indications des autorités britanniques :

On se montre très large pour l'admission de ceux qui veulent se fixer en Palestine (settlers). En 1925, on a accueilli en Palestine 33 000 émigrants. Le principe est le suivant : on n'accueille pas ceux qui viennent en Palestine chercher du travail sans avoir de ressources initiales, mais par contre, on accueille tous ceux qui sont déjà assurés d'un travail. Le mieux est de posséder une terre en Palestine avant de s'y fixer. Cette possession constitue une garantie sûre aux yeux des autorités. Toutes les nationalités sont admises : on a reçu de nombreux immigrants de Pologne, d'Ukraine, de Russie soviétique. Il n'y a pas de conditions restrictives. Des moines voulant travailler la terre seraient très bien accueillis par les autorités et seraient textuellement : "It is just the sort of settlers we want[284]." Ces moines pourraient obtenir facilement, au bout de quelque temps, la qualité de sujets palestiniens et protégés britanniques. Le gouverneur actuel de Palestine, Lord Plummer[285] [sic], est très favorable à l'égard des catholiques.

---

283. Aux Archives, ce document se trouve à la fin du dossier car aucune date n'est indiquée. Il est toutefois évident qu'elle s'insère ici, d'après son contexte.

284. « C'est le type de colonisateurs dont nous avons besoin. »

285. Herbert Charles, Onslow Plumer (1957-1932), 1er vicomte Plumer, héros militaire des campagnes d'Afrique avant la Première Guerre mondiale, il se distingue durant la guerre en France et reçoit la dignité de maréchal en 1919. De 1919 à 1924, il devient gouverneur de Malte et, de 1925 à 1928, haut-commissaire de Palestine. Il est réputé pour allier fermeté et sincère compassion. Il entre en fonction comme

Pour se rendre en Palestine, les formalités à accomplir sont très simples. Il suffit de se rendre auprès du consul britannique le plus proche et d'obtenir de lui un "emigration certificate". Mais il serait bon, auparavant, de s'être mis en relation avec le Chief Secretary of Government dont l'adresse a été donnée plus haut.

Les autorités britanniques ont pour principe de n'accorder aux immigrants en Palestine aucune réduction ou facilité financière de transport. Les Juifs qui vont en Palestine à prix réduit peuvent le faire uniquement grâce à l'aide d'organisations sionistes privées, mais sans appui du Gouvernement.

La vie en Palestine est, d'une manière générale, plutôt chère. Cependant les prix sont très variables selon les endroits. Les immigrants ont actuellement une tendance à se fixer dans la plaine d'Esdrelon qui passe pour très fertile. Au contraire, ils évitent plutôt la région de Jérusalem, considérée comme assez stérile. On conseillerait à une petite communauté monastique [*mots illisibles*] d'autre part, les Juifs ne sont pas autorisés à s'y fixer.

Le prix de la terre en Palestine peut-être évalué *en moyenne* à 25 livres par acre (je ne sais pas la valeur exacte de l'acre). On calcule que, *en moyenne*, l'installation d'une famille en Palestine, avec acquisition d'une maison, d'un terrain, et les premiers frais, revient, *dans une partie riche*, à environ 600 ou 700 livres.

Voilà les renseignements fournis par les autorités de Londres. Les démarches faites par le P. Balfour dans les milieux catholiques ont été plutôt négatives. *Il n'a pas pu voir le cardinal Bourne.* La Société de Saint-Jean Chrysostome, fondée pour servir de trait d'union entre l'Angleterre catholique et l'Orient, n'est, paraît-il, qu'une façade[286]. Elle n'a pas d'argent et n'a même pas pu payer encore les frais de la

---

haut-commissaire en Palestine pendant une période de croissance financière et d'immigration. Toutefois, au milieu de son mandat de trois ans, cette croissance diminue considérablement. Le projet de David Balfour est rédigé, il va sans dire, au cours de cette période de croissance.

286. Gillet a pu être trop pessimiste dans son évaluation de la Société de Saint-Jean Chrysostome. Voici ce que *Irénikon* écrit au sujet de l'inauguration de la société en 1926 :

Le mercredi 31 mars, à l'ombre de la cathédrale de Westminster, s'est tenue, sous la présidence de S. Em. le cardinal Bourne, la séance inaugurale de la Société de Saint-Jean Chrysostome, société qui désire, en dehors de toute controverse, s'instruire des problèmes pendant entre l'Église catholique et ceux qui, professant le christianisme en Orient, ne sont pas dans la Communion du Saint-Siège.

Plusieurs mois plus tard, *Irénikon* publie les renseignements suivants :

récente Semaine catholique orientale de Lourdes ; elle donnerait volontiers aux studites un appui moral, mais ne pourrait les aider financièrement. C'est donc uniquement du côté de personnalités privées qu'il faudrait se trouver pour recevoir une aide pécuniaire de l'Angleterre. D'après le P. Balfour, la personnalité anglaise qui pourrait le mieux travailler à nous obtenir les ressources serait *un admirateur écossais du Métropolite André, Sir Stuart Coates [sic]*[287], à Ballanthie, Stanley, Perthshire, lui-même très riche.

[*Mots illisibles*] peut-être pas compter sur des dispositions très favorables de la part des Melchites. Mais on pourrait être appuyé par *Mgr Haggear, évêque de Bethlehem*[288], qui est une personnalité très

---

La nouvelle Société de Saint-Jean Chrysostome dont nous avons parlé dans notre numéro de mai (p. 119) a organisé pour la fin de ce mois une série de conférences que clôturera une Liturgie solennelle slave célébrée dans la grande cathédrale de Westminster. Son Éminence le cardinal Bourne, président de la Société, ouvrira la Semaine le soir du 26 dans le *Hall* de sa cathédrale, et Sa Grandeur Mgr d'Herbigny parlera de l'Institut Oriental à Rome qu'il préside. Suivront trois journées d'études au cours desquelles notons les conférences suivantes : M. Herbert Ward parlera de la position ecclésiastique en Mésopotamie ; Dom Lambert Beauduin, de « l'appel de l'Orient Chrétien et des espérances monastiques » ; le Comte Bennisen et le Prince Volkonsky, de l'iconographie et de la musique russes respectivement ; Miss Gertrude Morrison, du monachisme grec dans l'Italie méridionale. Après une explication de la Liturgie faite le soir du 29 par le R.P. David Balfour, Moine de l'Union, le Congrès finira le matin du 30 par une célébration qui promet d'être splendide. Dans la célèbre cathédrale de Westminster, de style byzantin, sera érigée une grande iconostase en harmonie avec son architecture ; le P. Abrikosoff, de Rome, chantera la Liturgie (précédée de Tierce) avec les RR. PP. Omez du séminaire de Lille, et Dom André Stoelen d'Amay, comme concélébrants. Les chants slaves seront exécutés par le chœur de la cathédrale, célèbre dans le monde musical de Londres, sous la direction d'un musicien russe.

La Société, dont le comité comprend des catholiques éminents comme les Docteurs Myers et Vance, le Révérendissime dom Butler, O.S.B., les RR. PP. Martindale, S.J. et Vassall-Phillips, C.SS.R., a invité pour ce Congrès des catholiques continentaux qui s'occupent de l'Union, y compris six Moines de l'Union. En tout cas, la Société continue d'exister en Angleterre jusqu'en 1989 et publie un journal à partir de 1960.

287. Sir Stuart Coats (1868-1959) est un membre de la célèbre famille d'origine écossaise qui a fait sa fortune dans l'industrie du textile. De 1916 à 1922, il devient membre de la Chambre des Communes britannique. Converti au catholicisme (1899), il devient aussi « Chambellan privé de cap et d'épée » des papes Pie X, Benoît XV, Pie XI et Pie XII. Voyageant fréquemment en Italie, on suppose qu'il a rencontré Sheptytsky à Rome, à moins que les deux ne se soient rencontrés en Angleterre au cours du voyage de Sheptytsky en 1921.

288. Basilien du Saint-Sauveur né au Liban, évêque melkite de Tolemaide (Ptolemais) ou Saint-Jean d'Acre, avec résidence à Haiffa, en Palestine, l'archevêque Grégoire Haggear (aussi Haggiar) (1875-1940) détient aussi les titres de « Nazareth et de toute la Galilée ».

active et énergique. Au Foreign Office, on croit que le moyen le plus sûr pour nous de réussir dans une entreprise de fondation en Palestine serait d'avoir le patronage du P. Pascal Robinson[289]. C'est un franciscain anglais qui est envoyé et observateur officieux du Saint-Siège en Palestine. Son influence est très grande tant auprès de la hiérarchie catholique que des autorités civiles. Si le Métropolite jugeait utile d'écrire au P. Robinson, Mr. Gregory, chargé des affaires slaves au Foreign Office, joindrait à la lettre du Métropolite une recommandation en faveur des studites ; cette affaire devrait être traitée par le P. Balfour, qui est un ami de Mr. Gregory.

Le P. Feuillien, de Maredsous, que le Métropolite connaît et qui a passé plusieurs années à Jérusalem après la guerre, offre de servir d'intermédiaire entre le Métropolite et les bénédictins de Jérusalem, au cas où ceux-ci pourraient faire quelque chose pour faciliter l'entreprise.

N° 41

fol. 136 [*sic*]
[Carte postale : Paris en flânant]
Paris, 20/1/27

Je suis à Paris depuis 4 jours. Ai vu Mgr Evréinof[290], le P. Vladimir Abr[ikosof] et son ami le baron Wr[angel]. Avec celui-ci conversation très intéressante et peut-être importante qui est, dans sa pensée, le prélude de négociations suivies avec Votre Excellence.

---

289. Au cours des années 1920, le P. Pascal Robinson est expert-conseil auprès de plusieurs dicastères du Vatican, y compris la Congrégation pour l'Église orientale.
290. Né en 1877 à Saint-Pétersbourg, Alexandre (Aleksandr) Evréinov fut le premier Russe de son époque à être sacré évêque catholique rattaché à un rite (et non à une juridiction) au *Russicum* le 6 décembre 1936. Il eut pour fonction d'ordonner les prêtres de rite slavo-byzantin et fut responsable du Bureau d'information du Vatican pour les prisonniers de guerre à partir de 1939 jusqu'à la fermeture du Bureau en 1947. Principal célébrant de la Divine Liturgie pontificale à Saint-Pierre de Rome lors du 950e anniversaire de baptême de la Rous' kiévienne, Evréinov aimait si peu le rite russe et était si latinisé que le cardinal Tisserant lui reprocha un jour publiquement de porter les vêtements liturgiques latins et d'utiliser le Bréviaire latin. Sa vie durant, Evréinov eut une fervente admiration pour les jésuites, auxquels il voulut se joindre avant son décès en 1959 ; la Société refusa sa demande, mais lui permit néanmoins de prononcer ses vœux lorsqu'il fut à l'article de la mort.

Je ne puis vous en parler par écrit. Je n'ai pas encore pu joindre Mgr Chaptal. J'espère pouvoir consacrer 2 ou 3 jours aux questions de librairie. Je vous enverrai une lettre vous donnant des détails. Hommages respectueux et tout dévoués.

fr. L. Gillet

chez Mme Rayband
126 boulevard Raspail
Paris

N° 42

fol. 138 r
Lyon 8 rue des Marronniers
25/1/27

Excellence,

Je suis à Lyon, chez mon frère, – donc sur la voie du retour (via Lyon-Genève-Vienne). Cependant je ne me mettrai en route pour Leopol qu'après avoir reçu vos instructions. Depuis mon départ de Leopol, je n'ai rien reçu de Votre Excellence (à qui j'ai écrit de Rotterdam, d'Amay, de Paris) et cela m'inquiète un peu. J'aurais à vous écrire une vingtaine de pages pour vous rendre compte des informations diverses que j'ai recueillies à Paris, des opérations de librairie que j'y ai faites, des gens que j'ai vus ; mais je me réserve, soit d'en parler à Votre Excellence si je rentre de suite, soit de vous en écrire ultérieurement si mon séjour doit se prolonger un peu. Aujourd'hui je voudrais seulement traiter de deux questions :

1) Secours religieux aux réfugiés ukrainiens en France.

Mgr Chaptal et M. Quénet estiment que la situation religieuse de ces émigrés est très dangereuse. D'une part, l'Église autocéphale ukrainienne[291] exerce une grande activité en France. Elle a à à Paris

---

291. Établie à Kiev en 1919, cette Église orthodoxe ordonnait ses premiers hiérarques en 1921. Jusqu'à la Deuxième Guerre mondiale, elle était dirigée par des évêques ordonnés selon une pratique considérée irrégulière, à la fois par les autorités catholiques et orthodoxes.

une paroisse, dirigée par un prêtre qui fut jadis au séminaire d'Olomutz, nommé Griechichkine ; elle a une autre paroisse dans la banlieue de Paris et deux paroisses en Lorraine. D'autre part, beaucoup d'Ukrainiens et aussi de Ruthènes[292] catholiques fréquentent l'église russe de la rue Daru[293] et le Serguiévskoïé Padvorié[294]. Les Ukrainiens orthodoxes ont demandé à l'archevêque de Paris un храм[295] pour le culte orthodoxe ; l'archevêque a cru qu'il ne pouvait pas mettre un local à la disposition d'un culte dissident. Des Ruthènes catholiques ont également demandé à l'archevêque un храм ; le cardinal Dubois a répondu qu'il était prêt à le faire et qu'il invitait ces Ruthènes à se mettre en rapports avec M. Quénet. Mais depuis ces Ruthènes n'ont donné aucun signe de vie. Il est extrêmement difficile de savoir où il y a des Ruthènes catholiques : les prêtres de la mission polonaise répondent systématiquement qu'il n'y en a pas, et comme les émigrants ruthènes sont inscrits en qualité de Polonais, on ne sait où les trouver. Cependant il est certain qu'il y en a un grand nombre : 11 à Paris ; 21 dans la région parisienne ; 31 dans les mines du Nord, notamment la région d'Amiens ; 31 [sic] dans la région de Metz ; 41 peut-être dans les Pyrénées. Aucun prêtre ne s'occupe de cette question. M. Quénet a attiré, par une circulaire, l'attention des évêques sur les Ruthènes catholiques, mais rien n'a été fait. En présence de cette situation, Mgr Chaptal et

---

292. Ceux qu'on appelle les Ruthènes (du terme latin désignant les descendants de l'ancien territoire de la Rous' [Rus] méridionale) étaient des immigrants de l'Ukraine occidentale actuelle. Depuis la Première Guerre mondiale, on les appelle les Ukrainiens. Gillet utilise ici le terme pour distinguer les grec-catholiques de Galicie de leurs compatriotes vivant en Ukraine soviétique.

293. Église Saint-Alexandre Nevsky, rue Daru, à Paris où le métropolite Euloge et son successeur, l'archevêque Vladimir, avaient leur état-major. La magnifique cathédrale était construite avec l'argent du tsar et consacrée en 1861.

294. Autre nom de l'Institut de théologie orthodoxe Saint-Serge fondé à Paris en 1925 par un grand nombre des premiers théologiens et intellectuels de la diaspora russe ayant fui la Révolution. Sous l'égide de l'Académie de Paris et de l'exarchat de l'Église russe en Europe occidentale, l'Institut avait pour mission de former des chefs profanes et ecclésiastiques pour l'Église au sein de la diaspora. Grâce à l'aide financière du docteur John Mott du YMCA, le métropolite Euloge inaugura le premier édifice de l'Institut le 18 juillet 1924, fête de saint Serge de Radonège. Quelques-uns des penseurs orthodoxes les plus illustres du XXe siècle ont enseigné ou étudié dans cet institut d'orientation fortement œcuménique, notamment Serge Boulgakov, Georges Fedotov, Antoine Kartachev, Cyprien Kern, Basile Zenkovsky, Nicolas Afanassiev, Constantin Andronikof, Georges Florovsky, Jean Meyendorff, Alexandre Schmemann.

295. Une église (temple).

M. Quénet me chargent de vous dire qu'ils considèrent l'envoi temporaire d'un prêtre ruthène comme une mesure insuffisante. Ce qui est nécessaire, selon eux, c'est un prêtre permanent résidant à Paris et rayonnant à travers toute la France. Son premier travail serait de chercher où sont les Ukrainiens et Galiciens, puis d'organiser des paroisses stables. Mais ici se pose la question financière. Mgr Chaptal ne peut pas se charger de l'entretien de ce prêtre. Toutefois, si ce prêtre connaissait la langue française et avait quelque habitude de la vie française et du monde français, on pourrait lui trouver à Paris certaines fonctions ecclésiastiques rétribuées. On insiste sur ce que ce prêtre doit avoir beaucoup de tact et pas de chauvinisme étroit, afin de pouvoir manœuvrer utilement auprès des évêques français, de la mission ecclésiastique polonaise, et des fractions politiques qui sont encore plus combattantes chez les Ukrainiens de France que chez les Russes. Les Ukrainiens de Grande Ukraine se méfient des Galiciens. Si c'était nécessaire, Mgr Chaptal interviendrait auprès du Gouvernement français pour faciliter au prêtre désigné l'obtention d'un passeport polonais. Voilà la situation.

2) Possibilités de fondation monastique en France.

Tous ceux que j'ai interrogés à ce sujet (Chaptal, Quénet, Tyszkiewicz, Abrikosof, Evreinof, jésuites de Lyon) ont été unanimes sur deux points : 1| un monastère serait la meilleure œuvre qui puisse être faite pour l'émigration russe en France ; 2| il y a parmi les émigrés russes de nombreuses aspirations à la vie monastique. Tous également considèrent comme possible que les studites entreprennent cette tâche.

Le P. Tyszkiewicz conseille une fondation dans le Sud-est de la France (Dauphiné ou Savoie). Il a organisé pour les Russes des séjours-retraites de plusieurs mois dans les Alpes et insiste sur l'influence pacifiante et sanctifiante du cadre de montagnes. Mais il se place toujours au point de vue de l'intelligentsia.

Mgr Chaptal est très positif sur l'utilité d'une telle fondation. Il vous suggère deux possibilités : – 1) Dans le sud-ouest de la France (Gers, Dordogne), la dépopulation et l'exode des paysans vers les villes ont créé de grands *latifundia* incultes. Le Gouvernement français s'inquiète de cette situation. Les ministères de l'Intérieur et de l'Agriculture sont prêts à faciliter financièrement l'acquisition de terres dans ces régions à des émigrés étrangers. Le climat est bon et chaud. Il serait facile aux studites d'avoir une ferme dans cette région. – 2) Mais il serait plus utile, du point de vue russe, de s'établir près de Paris. Si un emprunt était nécessaire, Mgr Chaptal s'offre de le faciliter. Il fait observer que les tout-puissants *syndicats agricoles* sont entre les mains de grands propriétaires catholiques. (Aussi possibilités d'emprunts hollandais?) Près de Paris, une telle fondation dépendrait surtout de Mgr Chaptal et serait donc assurée de la bienveillance et de l'aide de l'autorité ecclésiastique. Mgr Chaptal m'a dit que peut-être on confierait aux studites, dans ce cas, une "Maison pour vocations russes" dont l'établissement est à l'étude; mais il faudrait se hâter de dire oui ou non. Cette fondation – quelques moines galiciens à l'origine – pourrait devenir un centre religieux russe et ukrainien et étendre son action parmi les émigrés de France. Je vous rapporte textuellement les paroles de Mgr Chaptal: "Les Russes me demandent: Quand donc aurez-vous un monastère pour nous? Dites à Mgr Szeptizki que j'attends son monastère à Paris."

Mgr Evréinof pense aussi que Paris est le meilleur endroit pour une fondation (Paris = environs de Paris, car, dans la ville même, tout serait trop cher).

Le P. Abrikosof est très partisan d'une fondation à Paris. Il y voit le moyen de maintenir toute la politique religieuse de l'exarchat, ruinée selon lui par Mgr d'H[erbigny]. Comme lui-même, le P. A..., se propose désormais de vivre beaucoup plus à Paris qu'à Rome, il promet à cette fondation éventuelle sa collaboration constante et très étroite. Pour lui, cette maison devrait être le noyau d'une future Église orthodoxe-catholique pour la Russie.

3) Ce que je me permets de suggérer.

Après beaucoup de réflexions, voici à quelles conclusions j'arrive personnellement:

1. Le projet de Palestine ne doit pas être abandonné[296]. Mais rien n'empêche [*sic*] d'en ajourner et d'en *mûrir* la réalisation, et il serait même bon, pour l'avenir de ce projet, d'avoir une base en Occident. Il me semble donc qu'on peut attendre 2 ou 3 ans en ce qui concerne la Palestine.

---

296. Voir fols 264-266, « Sur les possibilités d'une fondation en Palestine. »

2. Une base en Occident nous est absolument nécessaire. La question actuelle est donc: Hollande ou France? Mais pour moi l'un n'exclut pas l'autre. Il faut Hollande *et* France. En ce qui concerne la Hollande, je maintiens le point de vue que j'ai déjà exprimé dans une lettre: la Hollande (Nimègue) nous est nécessaire à cause des vocations et de l'argent; toutefois, j'envisage la maison de Hollande comme une entreprise menée *par des Hollandais* agrégés aux studites plutôt que par des studites émigrés, car en Hollande une maison studite sera toujours très artificielle[297]. Je suis donc d'avis qu'il nous faut fonder *immédiatement* hors de Hollande avec des studites, mais recevoir quelques vocations hollandaises qu'on formerait le plus vite possible et qui dans 2 ans environ, feraient en Hollande une fondation *hollandaise* qui nous aidera sans être pour nous une gêne.

3. La fondation actuelle devrait, selon moi, se faire à Paris. Raisons: a) émigration russe et ukrainienne; b) sympathie des autorités ecclésiastiques locales; c) travail pour l'Exarchat.

En résumé: Paris – préparant Nimègue – les deux préparant la Palestine. Mais surtout Paris préparant des Russes et des Ukrainiens pour la Russie et l'Ukraine.

Pratiquement:

A) Si vous êtes d'avis d'essayer en France, je vous supplie d'envoyer le plus tôt possible en France le P. Higoumène. Lui seul peut apprécier et régler le côté financier et matériel de la question. Mais alors qu'il vienne pendant que je suis en France, pour que je le mette en contact avec ceux qui à Paris doivent nous aider. Si Votre Excellence pouvait venir, ce serait idéal. Mais je n'ose y compter. Donc, à la solution *France* prévaut, que le P. Higoumène vienne, de grâce, sans perdre de temps. Le P. Higoumène pourrait faire le crochet par la Hollande: ce serait très utile.

B) Si vous excluez la solution *France*, j'insiste pour que, à Pâques, nous nous établissions à Nimègue. Dans ce cas, puisque l'Ordinaire hollandais ne veut rien faire sans un document romain préalable, ne serait-il pas utile que je revienne par Rome et rapporte à Leopol une lettre, sinon officielle, du moins officieuse, signée Sincero[298] ou

---

297. Voir fols 253-255, « Notes sur le projet d'une fondation studite à Nimègue (Hollande). »

298. Aloisius (Luigi) Sincero naquit en Italie en 1870 et fut ordonné en 1892. Il travailla au Code de droit canon de 1917, fut fait cardinal en mai 1923 et, en 1926, fut nommé secrétaire de la Congrégation pour les Églises orientales. À ce

Papadopoulos? Vous en feriez l'usage que vous voudriez; mais je crois plus facile d'enlever ces choses-là par conversations orales que par lettres. On agirait aussitôt en Hollande.

Je désirerais savoir le plus tôt possible les intentions de Votre Excellence. Vous voudrez sans doute parler avec le R.P. Higoumène et les lettres mettent beaucoup de temps entre la France et la Galicie. Je vous prie donc de me *télégraphier* pour me dire : 1) ou de rentrer directement à Leopol; 2) ou de rentrer à Leopol par Rome, au cas où vous accepteriez en principe Nimègue et une démarche de moi auprès de la Congrégation; 3) ou d'attendre en France le P. Higoumène si vous acceptez la solution *France*.

Dans ce dernier cas, je vous proposerais ce qui suit : – Je pourrais utiliser le temps qui s'écoulerait avant la venue du Père Higoumène (temps qui devrait être le plus court possible) à rechercher les lieux de groupements des Ukrainiens catholiques et à préparer la besogne du prêtre que vous chargeriez d'une mission auprès d'eux. Mes relations dans le monde français me faciliteraient cette tâche. Certaines choses me sont très faciles, qui seraient difficiles à un prêtre de Galicie. Je prendrais un premier contact avec les groupements ukrainiens et donnerais les sacrements. J'ai assez d'argent pour vivre encore plusieurs semaines en France; s'il me fallait voyager pour aller auprès des Ukrainiens, peut-être me faudrait-il encore des dollars; je le dirais à Votre Excellence. – Si le P. Higoumène doit venir bientôt et si Votre Excellence juge que je ne dois pas me mêler des affaires ukrainiennes, je pourrais, en attendant le P. Higoumène, me retirer soit dans un monastère bénédictin (contre une rétribution modérée, je pense), soit à Amay ou Schottenhof où, en rendant des services, je n'aurais rien à payer.

Ayez la bonté de me faire connaître vos intentions. J'attends donc un *télégramme* de Votre Excellence, le plus tôt possible.

Comme je vous l'ai écrit, j'ai eu d'importantes conversations avec le baron Wr[angel] dont je vous rendrai compte oralement.

J'espère que Votre Excellence ne va pas mal.

Je vous prie, Excellence, d'agréer l'humble hommage de mon attachement filial.

---

titre, il bénit la pose de la pierre angulaire du *Russicum* de Rome le 11 février 1928. Sacré évêque en janvier 1929, il mourut en février 1936.

moine Lev

Prière de télégraphier à l'adresse suivante où je serai dans 3 jours :

L. Gillet, 6 rue de l'Équerre

Valence (Drôme)

France

N° 43

fol. 143 r [*sic*]

Conversations avec le baron Constantin Wrangel[299]

Paris, janvier 1927[300]

1) Le succès d'un mouvement monarchiste en Russie n'est pas impossible, même actuellement. Il semble que nous soyons très proches d'une guerre générale. Elle mettra aux prises les anciennes puissances de l'Entente, d'une part, l'Allemagne et l'URSS d'autre part. La Russie se trouve militairement et économiquement sous une telle dépendance de l'Allemagne que celle-ci pourra facilement lui imposer sa volonté en nature de politique intérieure. Or une Allemagne orientée à droite – et c'est l'Allemagne qui vient – aidera en Russie un mouvement de droite. Il y a une sorte de connexion entre les mouvements nationalistes ou fascistes de divers pays de

---

299. Il ne faut pas confondre le baron Constantin Wrangel, un émigré russe orthodoxe qui travailla sous d'Herbigny à l'Institut oriental pontifical de Rome au début des années 1920, avec le baron Piotr Nikolaïevitch Wrangel, commandant en chef de l'armée russe dite « blanche ». Invité à Nice par l'évêque Van Caloën en mars 1926 pour prononcer une conférence sur les perspectives d'unité entre orthodoxes et catholiques, Constantin Wrangel déplora dans son allocution le prosélytisme et les politiques vaticanes de l'époque, faisant valoir que toute l'aide catholique aux immigrants et à d'autres devait être clairement séparée de la politique ecclésiale ou œcuménique. Van Caloën fit imprimer ce discours dans une brochure qu'il posta aux évêques de France et de Belgique et envoya à Rome ; elle suscita universellement l'admiration, mais indigna d'Herbigny, qui publia des « Rectifications » dans la collection *Orientalia Christiana Analecta* et en envoya des exemplaires à tous les évêques français et belges.

300. Même si ce texte date de janvier 1927 (et trouvé dans les archives parmi les folios de cette période), il est possible que, en fait, Gillet l'ait soumis à Cheptytsky à une date ultérieure, après avoir eu l'occasion de lui présenter un rapport oral tel qu'il le lui avait promis à la fin de sa lettre du 25 janvier. Il a probablement écrit ce rapport entre février et mai 1927, c'est-à-dire durant son troisième séjour en Galicie.

l'Europe centrale. Ces événements sont beaucoup plus proches qu'on ne l'imagine. L'opinion générale admet bien la possibilité d'une nouvelle guerre; mais on ne se rend pas assez compte que ce n'est peut-être qu'une question de mois.

2) Dans ces bouleversements éventuels, un rôle très important reviendra à la Galicie orientale, à la fois au point de vue politique et au point de vue religieux.

3) Au point de vue politique, le rôle de la Galicie serait double. D'une part, la Galicie orientale pourrait, par la force, contribuer à la désagrégation de la Pologne actuelle et même servir de passage à des contingents armés allant d'Europe centrale en Ukraine. D'autre part, les partis ukrainiens de Galicie pourraient servir de liaison entre les monarchistes russes émigrés et la Grande Ukraine. Car l'Ukraine doit devenir la base du mouvement monarchiste; il s'agit de refaire toute l'histoire russe en partant de Kief comme au Moyen Âge. La Galicie s'unirait avec l'Ukraine. Dans la Russie future, qui sera une confédération de peuples, l'Ukraine jouira d'une pleine autonomie aussi bien administrative que culturelle. L'empire russe admettrait la reconstitution du hetmanat avec tous ses droits. Cependant, l'on ne pourrait pas admettre qu'une dynastie de hetmans traite sur pied d'égalité avec la dynastie impériale, comme le veulent certains partisans de Skoropadsky[301]. Le hetman devrait reconnaître la suprême autorité du tsar.

4) Au point de vue religieux, l'empire russe, très convaincu de la nécessité de restaurer avant tout les forces morales, assurerait la liberté et un statut légal au catholicisme. Ce serait alors le moment de songer à réaliser l'Union. L'empire traiterait avec le catholicisme de rit byzantin sur les bases préparées par le Métropolite Szepticky quand celui-ci a institué l'exarcat. Seule cette politique religieuse, et non celle qui prévaut actuellement à Rome à l'égard des Russes, serait acceptable pour l'empire.

---

301. Né en Allemagne en 1873 dans une grande famille de Cosaques ukrainiens, Pavlo (Pavel/Paul) Skoropadsky (Skoropadski) se fit connaître après avoir pris la tête d'un coup d'État à Kiev le 29 avril 1918. Proclamé *hetman* d'Ukraine et commandant en chef de l'armée, il obtint l'appui des armées allemande et autrichienne qui occupèrent l'Ukraine après le Traité de Brest-Litovsk. À la suite de l'armistice générale du 11 novembre 1918, lorsque les soldats allemands qui soutenaient son régime quittèrent Kiev, Skoropadsky fut forcé à démissionner et se réfugia en Allemagne, où il mourut en 1945.

5) Concrètement, deux choses sont demandées du Métropolite André : – Qu'il entre en conversations avec les monarchistes russes relativement aux questions religieuses. – Qu'il mette en relations le parti monarchiste russe avec les partis politiques de Galicie orientale. – Pour pouvoir entrer dans des précisions concernant ces divers points, il faudrait qu'un représentant régulièrement mandaté du grand-duc Cyrille puisse se rencontrer avec un représentant, également mandaté, du Métropolite. Il serait souhaitable que cette rencontre ait lieu dès le printemps.

N° 44

fol. 141 r [*sic*]
Lyon 30/1/27
Excellence,

J'ai reçu une lettre du T.R.P. Higoumène m'apprenant que vous aviez été malade et que maintenant vous allez mieux. Je souhaite à Votre Excellence un complet rétablissement. Il vous faudrait le soleil et le ciel bleu que nous avons ici.

Dans cette lettre, le Père Higoumène me disait que probablement, en ce qui concerne les studites, rien ne se ferait cette année. Je supplie Votre Excellence et le Père Higoumène de bien peser encore les avantages d'une action à l'étranger et d'une action *prompte*. En Galicie, nous sommes plus ou moins paralysés, mis à l'étroit, nous manquons d'air, nous demeurons une petite Congrégation locale – quel en sera l'avenir après vous, après votre frère ? En Europe occidentale, nos forces seront décuplées, centuplées, par une atmosphère d'*initiatives* et de *sympathie*. Les possibilités s'ouvrent à chaque pas. Il faut absolument s'établir à l'étranger, si petitement que ce soit, pour avoir une base, pour pouvoir connaître et exploiter ces possibilités, car en Galicie *nous ignorons quelles occasions se présentent et nous les laissons perdre*. Et puis il s'agit de toute la Russie. C'est seulement à l'étranger que nous pouvons travailler pour l'Exarchat, et maintenant, après mes entrevues avec le P. Abrikosof, je vois bien l'importance et l'*urgence* de ce travail. Tout ce que vous avez fait depuis 1900 s'écroule par suite de la nouvelle politique romaine ; je vous en parlerai en vous rapportant en détail mes conversations avec le P. Vladimir. Seule une fondation studite rapide peut essayer de sauver ce qui peut être sauvé. Enfin, Excellence, rappelez-vous que nos amis occidentaux sont des gens qui aiment les réalisations rapides et les réponses nettes. S'ils voient que nous attendons, que nous tergiversons, ils *perdront confiance* en nous, ils se tourneront d'un autre côté et les occasions perdues ne se représenteront pas. Voilà pourquoi j'ose insister dans le sens de ma dernière lettre. *Que le Père Higoumène vienne en France* le plus tôt possible, si Votre Excellence ne peut venir ; qu'il voit lui-même les possibilités au point de vue financier, et, s'il ne veut rien conclure en France, que du moins il accepte Nimègue qui paraît une affaire assez sûre et qui pourra nous servir de départ pour d'autres choses (Volhynie, etc.)[302]. Pardonnez la hardiesse de mon insistance. Ce n'est pas mon sentiment personnel qui me fait parler, mais la conviction que nous pouvons vraiment faire quelque chose. Il faudrait commencer dès le printemps. Enfin, quoi qu'il en soit, je m'en remets à votre décision.

Je le répète : il y a des possibilités à chaque pas. À Dessine, village près de Lyon, il y a un *cinq mille* Russes orthodoxes avec qui j'ai pris contact. Et puis voici du nouveau : de grands industriels de Lyon vont prendre à Nice la mission de Mgr Van Caloën qui se retire. Ils veulent organiser à Nice du travail pour les Russes avec une pension de famille et une sorte d'orphelinat. On m'a pressenti pour savoir si les studites ne voudraient pas s'associer à cette entreprise. On pourrait à eux aussi fournir du travail. Quelle possibilité d'action sur un milieu russe ! À la suite de demandes insistantes, je vais aller passer 2 ou 3 jours à Nice pour voir de près la situation dont je vous ferai un rapport exact. J'ai hésité à cause de la dépense, mais somme toute ce voyage coûte relativement peu, et une autre raison m'a déterminé à y aller. Groum Gemaïl est à Nice. Or le P. Abrik[osof] a insisté d'une manière singulière pour que j'aille auprès de lui, disant qu'il souffre et que quelqu'un venant à lui de votre part lui fera du bien. Le P. Vladimir a même semblé m'en faire

---

302. Gillet fait allusion à la « néo-Unia » de la partie est de la Pologne (à présent le nord-ouest de l'Ukraine) qui, avant la Révolution, faisait partie de l'Empire russe. Le but était d'établir divers centres catholiques de l'Orient au sein d'un territoire à prédominance orthodoxe. Ces centres pratiquaient une forme de liturgie très orientale tout en s'efforçant de convaincre les orthodoxes que l'on pouvait être en union avec Rome et néanmoins « conserver ses propres traditions ».

un devoir. De plus je viens d'apprendre que le P. Groum est suspect dans les milieux ecclésiastiques de Nice qui ne le connaissent pas. Dans ces conditions je crois bien faire en allant à Nice. – Ce n'est pas encore aujourd'hui que je peux vous envoyer la longue lettre détaillée que je voudrais. En attendant, je vous prie, Excellence, de me croire toujours votre fils humblement dévoué, indigne serviteur du Christ.

бр. Лев[303]

adresse : 6 rue de l'Equerre, *Valence*, Drôme
Du Chayla, qui est ici, salue Votre Excellence.

N° 45

fol. 146 r
Valence 6 rue de l'Équerre
1er février 1927
Excellence,

En arrivant à Valence, où je suis venu voir ma mère, j'ai trouvé votre télégramme. Je renonce donc à l'espoir de voir venir le Père Higoumène et je vais rentrer directement à Léopol. Directement, – c'est-à-dire que je pars cependant pour Nice dans deux jours, d'une part à cause du P. Groum, d'autre part pour examiner la succession Van Caloën. J'espère que vous ne supposez pas que je vais à Nice pour faire un voyage d'agrément ! Ce que je désire, c'est voir de près ce qui serait possible pour nous. Je resterai environ deux jours à Nice, puis je prendrai le chemin de Leopol, via Lyon-Genève-Vienne. J'espère que votre télégramme ne signifie pas que toute idée d'expansion à l'étranger est abandonnée. Je demeure constant dans mon humble avis : une telle fondation pourrait et devrait se faire le plus tôt possible. Lors de mon départ de Leopol, j'étais un peu sceptique, mais tout ce que j'ai vu et entendu m'a rendu très optimiste. D'ailleurs, l'atmosphère occidentale a je ne sais quoi qui éclaircit les idées et stimule l'énergie. Mes préférences personnelles sont toujours les mêmes : fondation en France, si possible, *à cause du*

---

303. fr. Lev.

milieu russe, et pour préparer d'autres fondations ; à défaut de la France, Nimègue, qui, de toute façon, nous est nécessaire ou nous sera nécessaire, mais qui, en l'absence de Slaves, sera, selon moi, un établissement hollandais.

Voici quelques petites nouvelles. Le P. Abrikosof vit donc à Paris (hôtel de la gare des Invalides, 40 rue Fabert) avec sa mère. Tout en gardant nominalement sa résidence à Rome et en refusant de s'engager dans aucun ministère officiel à Paris, il pense vivre désormais plus à Paris qu'à Rome, trouvant que Paris est un milieu plus favorable pour le travail pour l'Exarchat. Il considère toujours ce travail pour l'Exarchat comme le but de sa vie. D'après lui, Mgr d'H[erbigny] a tout fait pour ruiner votre œuvre ; il aurait transformé le titre d'exarque en celui de vicaire général de rit oriental de Mgr Neveu[304] ; on croit même que vous auriez été invité, de Rome, à ne plus intervenir dans les affaires russes. La visite de Mgr d'H[erbigny] aurait causé la recrudescence de persécutions et d'emprisonnements. D'après le P. Vladimir, il faut que tous les amis de l'Exarchat se resserrent autour de vous et travaillent en silence ; il voudrait qu'il y eût une liaison régulière entre Léopol et Paris pour les affaires russes et m'a dit de vous proposer de m'envoyer à cet effet à Paris plusieurs fois par an. (Je sais bien que c'est une chimère irréalisable !!!) C'est surtout à cause de l'Exarchat que le P. Vladimir serait heureux de voir une fondation studite en France ; lui-même y collaborerait avec enthousiasme. La Galicie, dit-il, est trop loin ; c'est ce qui le décourage de vous écrire. L'avenir de l'Exarchat est selon lui très lié à celui du baron W[rangel] (qui loge avec lui). Je vous apporterai une lettre (banale) de W. et des ouvertures orales (plus intéressantes).

Evréïnof est très pessimiste et aigri. Il vous salue. Les histoires de Lille[305] et d'ailleurs l'ont persuadé que tout ce qu'on a fait pour les Russes a abouti à un échec total.

---

304. Né en France en 1877, Eugène-Joseph Neveu prit le nom de Pie lorsqu'il entra dans la Congrégation des Augustins de l'Assomption et fut ensuite ordonné prêtre. Installé à Moscou en 1924, il y fut un certain temps prêtre de la paroisse française de Saint-Louis. Il fut secrètement nommé évêque titulaire de Citrus le 11 mars 1926 et consacré par le nouvel évêque Michel d'Herbigny. Il vécut dans la terreur et le harcèlement jusqu'à son départ de Russie en août 1936, y laissant sa santé. Il mourut le 17 octobre 1946.

305. Le séminaire Saint-Basile de Lille avait été inauguré en 1923 sur un site suggéré par le pape Pie XI. Il était dirigé par les dominicains de France et devait remplacer l'institut missionnaire créé à Lublin par l'archevêque Eduard von der Ropp, qui avait fermé ses portes.

J'ai trouvé deux solutions possibles pour Deubner[306] (j'élimine Amay) : 1) Sipiaguine se retire en février (à Amay), dès que le provincial des jésuites reviendra des Indes. Sacha pourrait devenir prêtre russe à Saint-Georges[307] (où tout le monde vous aime et vous salue). Sipiaguine recommanderait Sacha aux jésuites. 2) Evréïnof a besoin d'un auxiliaire, car les Russes catholiques ont maintenant une chapelle à Paris et il y a beaucoup de travail auprès des malades russes dans les hôpitaux. Evréïnof prendrait Sacha avec plaisir, d'autant plus qu'il rêve d'organiser un groupe de prêtres russes vivant à Paris en communauté. Mais il faudrait que Votre Excellence aide financièrement Sacha. C'est toujours la question d'argent.

Enfin je transmets ces informations à Sacha en lui conseillant de prendre votre avis. Pour moi, il devrait aller à Paris et, dès que nous aurions une fondation à l'étranger, se joindre à nous.

Personne n'a pu me donner de nouvelles de Krijanovsky. Spassky est à Paris [mots illisibles] catholique. – Le P. Bourgeois est aussi à Paris. – Les S. J[308]. organisent un noyau russe : de jeunes pères qui étudient activement les questions russes. Ils sont à Lyon. Je les ai vus. Ils sont très bien. Les pères qui dirigent à Lyon l'œuvre jésuito-russe sont très sympathiques (du moins ils le disent) à notre extension en France. Les cisterciens (trappistes)[309] exercent une certaine attraction sur les Russes de la région lyonnaise, par leur vie laborieuse et pauvre ; c'est pourquoi les jésuites nous prédisent le succès.

---

306. Né en 1899, Alexandre (Sacha) Deubner, fils d'Ivan, fut l'un des premiers prêtres catholiques russes (de rite oriental) de Saint-Pétersbourg avant sa conversion à l'orthodoxie en 1927. Membre de la Commission *pro Russia* de d'Herbigny, Deubner devait traverser à plusieurs reprises la frontière confessionnelle entre l'orthodoxie et le catholicisme au cours de sa vie et fut accusé d'être un espion bolchevique, accusation qui fut réfutée après une enquête de la Gestapo allemande.

307. Il s'agit d'un pensionnat pour garçons tenu par les jésuites, établi d'abord à Constantinople en 1921, transféré ensuite à Namur en Belgique en 1923, puis finalement à Paris durant la Seconde Guerre mondiale. Après la guerre, il s'installe à Meudon, au sud de Paris.

308. Les jésuites.

309. Les cisterciens (communément appelés « trappistes » en raison des réformes de l'Ordre instituées par l'abbé de Rancé [1626-1700] à l'abbaye de La Trappe) sont un ordre fondé à Cîteaux, en France, en 1098 par saint Robert, abbé de Molesme. Voulant restaurer le plus exactement possible la règle de saint Benoît, l'abbé de Rancé fonda une communauté réputée pour sa stricte discipline d'ascèse et de contemplation. L'influence cistercienne s'étendit dans toute la France et l'Italie, et elle produisit un bon nombre de saints, le plus célèbre étant Bernard de Clairvaux.

Du Chayla a maintenant une villa à Lyon et voyage entre Paris et Genève. Il considère 1926 comme une année de crise terrible dans la politique soviétique. D'après lui, les éléments extrêmes ont pris le dessus, les modérés (Tchitchérine) sont sans influence, et un vent de folie souffle à Moscou. Du Chayla est maintenant en très bons termes avec Euloge. Il m'a appris qu'il avait été ordonné jadis lecteur à Potchaïef par Antoine. Les relations entre les Soviets et la France (renseignements du Chayla) sont très tendues. Les autorités soviétiques sont furieuses d'avoir été roulées par Mgr d'H[erbigny]. Jusqu'ici l'ambassadeur de France à Moscou a empêché l'expulsion de Mgr Neveu, mais on ne sait s'il pourra s'y opposer plus longtemps. Le P. Tyszkiewicz m'a dit être enchanté de l'expulsion de Mgr d'H[erbigny], car son activité en Russie aurait compromis toute la cause catholique.

L'affaire Morozof[310] est très commentée. On fait circuler la copie d'un mémoire confidentiel de Morozof à Rome et généralement on donne raison à Morozof, en attribuant son erreur à la situation créée par les évêques polonais. À Paris, tous sont très sévères envers l'épiscopat polonais. Le P. Abrikosof dit d'ailleurs qu'avec la politique de Mgr d'H[erbigny] il est actuellement impossible pour un Russe de se réunir en sauvegardant son trésor spirituel russe.

La lutte continue entre Euloge et Antoine. Euloge a dû être jugé à Karlovtsi par contumace cette semaine. À Paris, les Russes prennent généralement parti pour lui. L'évêque Benjamin, qui semblait pencher vers Antoine, a quitté le Serguievskoïé Padvorié[311] et s'est retiré en Yougo-Slavie. Le métropolite Serge de Nijni Novgorod[312] a

---

310. À l'été 1925, l'archimandrite Philippe Morozov de Vilnius se rendit à Rome puis, sous l'influence de Charles Bourgeois, participa aux efforts de réunion des chrétiens à Vilnius. Il se convertit au catholicisme vers la même époque, mais pour un temps seulement, et revint à l'orthodoxie en janvier 1927, geste qu'il expliqua dans une lettre publique à l'archevêque polonais de Vilnius. Dans cette lettre, il faisait valoir que le moment n'était pas encore propice à l'unité institutionnelle entre catholiques et orthodoxes, et conseillait à ces derniers d'attendre que les catholiques soient plus enclins à les approcher « dans l'esprit de l'Évangile ». Morozov avait été consterné par le traitement réservé aux convertis orthodoxes par les Polonais et par la façon dont on défigurait et « latinisait » les rites liturgiques orientaux.

311. Il s'agit de l'Institut de théologie orthodoxe Saint-Serge.

312. Le métropolite Serge (Sergius/Sergy) Stragorodskii devint *locum tenens* du trône patriarcal en 1927 ; à ce titre, il formula la célèbre déclaration professant l'obéissance de l'Église au régime soviétique. Ce document fut la cause directe du schisme dans l'Église russe et mena à la création de l'Église russe « hors-frontières ».

adressé à Euloge une lettre rappelant que l'Église tykhonienne avait condamné le synode de Karlovtsi. Le jour de l'Épiphanie, j'ai vu Euloge pontifier à l'église de la rue Daru. Je ne suis pas allé le saluer de votre part, car lui ou du moins certains personnages de son entourage auraient interprété cette démarche comme un témoignage de sympathie donné au parti evloguiste contre Antoine et peut-être contre Chaptal-Quénet. Euloge a fondé un monastère de femmes près de Paris.

J'ai été deux fois au Сергиевскоіе Подворіе [sic][313]. Mon impression a été très profonde. Matériellement, grande pauvreté. Ils sont beaucoup moins bien installés qu'a Uniov. Leur installation me rappelle celle des camps de prisonniers de guerre : ils couchent sur des planches superposées en plusieurs étages. Il y a 60 étudiants et 4 jeunes moines avec un archimandrite. L'église est achevée, – simple et parfaite, rien de pareil à la rue Daru, mais genre de l'ancien собор[314] de Potchaïv. Du point de vue théologique, le [Podvorié] prend une très grande influence, jusqu'en Grèce et en Roumanie. Leur orthodoxie est très différente de la vieille orthodoxie des sept premiers conciles. Elle est surtout lyrique, émotionnelle, teintée de protestantisme, de théosophie et de slavophilisme. Dostoïevskyi est la loi et les prophètes. Boulgakof[315] rejette ouvertement la norme des conciles, disant que c'est encore là une norme extérieure, objective, latine, et que seul le témoignage du Saint-Esprit dans le cœur des fidèles leur indique où est l'Église. Beaucoup d'anticatholicisme. Les jeunes moines sont pleins d'idéalisme et d'enthousiasme. Mais ce n'est plus du tout le type du vieux moine

---

Celle-ci refusa de reconnaître le gouvernement, et ses hiérarques refusèrent de lui prêter un serment d'allégeance. Les défenseurs du métropolite Serge font valoir que les accommodements du métropolite ont permis de maintenir intacte la hiérarchie de l'Église et de continuer à offrir les sacrements aux fidèles.

313. L'Institut St-Serge.

314. Cathédrale.

315. Né près d'Orel en Russie en 1871, Sergueï Nikolaïevitch (Serge) Boulgakov s'éteint à Paris en 1944. D'une famille de prêtres, il fréquenta des penseurs religieux aussi célèbres que Florensky, Berdiaev et Soloviev, mais Boulgakov ne fut ordonné qu'en 1918, après avoir traversé une phase marxiste et obtenu un doctorat en philosophie des sciences économiques. Forcé de quitter la Russie après la Révolution, il fut doyen de l'Institut Saint-Serge de Paris de 1925 jusqu'à sa mort. La sophiologie qu'il y enseignait attira les foudres du Synode des évêques russes hors-frontières et du patriarcat de Moscou. Boulgakov s'inclina devant le métropolite Euloge de Paris et déclara que son œuvre n'était qu'une simple « opinion » (ou théologoumène).

russe qui affirmait tranquillement et avec autorité, sans prétendre savoir beaucoup intellectuellement. Ce sont, dit Abrikosof, des intellectuels en riassa[316]. Cependant, une conversation avec l'un d'eux, le prince Dmitri Chakhovskoï[317], qui revient du Mont-Athos[318], m'a beaucoup édifié. Il prend très à la lettre la conception de la vie angélique[319]. Il faut, dit-il, se purifier pendant des années, puis donner aux autres ce qu'on a reçu, et être sur la terre comme un ange qui aide et fait le bien. Séraphin de Sarov demeure leur idéal. Je ne peux pas vous exprimer la beauté des liturgies au Подворie [*sic*][320]. Pas de luxe extérieur, chants très simples, – mais un tel recueillement! On développe là-bas la confession fréquente.

Le prince Ghika[321] vous salue. Il a fondé dans la Haute-Marne un monastère pour une congrégation nouvelle : les frères de Saint-Jean. Ce sont des hommes et des femmes qui mènent la vie religieuse en prenant pour règle le précepte de l'amour tel que l'a développé saint Jean. Les actes bons et les péchés sont tous envisagés

---

316. Appelé *exo-rason*, en grec et *riassa* en slavon, il s'agit du manteau porté par les ecclésiastiques de rite byzantin par-dessus leur soutane. Le plus souvent de couleur noire, il se ferme par une simple agrafe au cou et comporte de larges manches flottantes. Sa forme ample rappelle une houppelande.

317. Né à Moscou en 1902, le prince Dimitri Chakhovskoï (Chahovskoï) (1902-1989) servit brièvement dans l'armée blanche, puis fut évacué en France. Il étudia l'histoire et la politique à Louvain et se rendit au mont Athos en 1926 pour y être tonsuré moine sous le nom de Jean. Ordonné prêtre en Yougoslavie par l'évêque Benjamin en 1927, il commença sa vie missionnaire dans ce pays, non sans susciter une certaine opposition. Rappelé en France, il fut ensuite réaffecté en Allemagne et fait higoumène, puis archimandrite en 1937. On l'affecta à une paroisse de Los Angeles en 1946, puis il fut sacré évêque de Brooklyn en 1947 et nommé doyen du séminaire Saint-Vladimir. Évêque de San Francisco en 1950, il fut fait archevêque en 1961 et le resta jusqu'à sa retraite en 1973. Il fut l'auteur de nombreux écrits et émissions radiophoniques au cours de sa vie mouvementée.

318. Presqu'île monastique en Grèce, véritable république monastique.

319. Il s'agit de l'état monastique.

320. L'Institut Saint-Serge.

321. Né à Constantinople en 1873 de parents orthodoxes dans la famille royale de Moldavie, Vladimir Ghika devint catholique en avril 1902 à Rome, où il fit par la suite un doctorat en théologie à l'Institut dominicain de la Minerve. Ce n'est qu'après le décès de sa mère – qui s'opposait farouchement à sa vocation catholique – qu'il put être ordonné prêtre, en octobre 1923, avec le privilège de célébrer selon les rites latin et byzantin. En septembre 1939, Ghika rentra à Bucarest, où il se consacra corps et âme à son ministère et distribua toute sa fortune. Arrêté en novembre 1952 et torturé à en perdre temporairement la vue et l'ouïe, l'octogénaire subit un simulacre de procès et fut condamné à trois ans d'incarcération dans un cachot de la prison de Jilava, où il mourut le 17 mai 1954.

sub angulo amoris. Vie à la fois contemplative et active. On admet dans cette œuvre et le rit romain et les rits orientaux : Messing est avec Ghika. Ils ont une mission – un vieux wagon ! – dans la banlieue de Paris. De plus, Mgr Chaptal leur a confié l'église des étrangers, rue de Sèvres.

La mise à l'index de l'*Action française* continue à soulever des tempêtes. Un très grand nombre de catholiques suivent l'A[ction] F[rancaise] dans sa révolte ouverte. Il y a des manifestations jusque dans les églises !

Vous ai-je dit que l'Action catholique de la jeunesse belge avait organisé des journées pour l'Union à Bruxelles et m'a demandé une conférence ? Je l'ai faite. À la suite de je ne sais quelle erreur, des journaux belges ont fait suivre mon nom de la qualité : supérieur du séminaire de Lemberg. J'ai déploré cette usurpation du titre ; je n'ai aucun désir de supplanter le P. Slipyj !

Je voulais aller chez les rédemptoristes[322] de la rue Belliard. Un jour, j'ai pris le train pour Bruxelles à cet effet. C'était au temps de la grippe. Arrivé à Bruxelles, j'ai été pris d'un tel accès de fièvre, tremblant et frissonnant, que j'ai renoncé à cette visite et me suis réfugié dans une salle d'attente ; j'ai repris le premier train en partance pour Louvain et suis allé me coucher au Mont-César. J'ai écrit au P. Provincial des rédemptoristes pour m'excuser de n'être pas allé le saluer et pour lui donner des nouvelles de Galicie ; je l'ai fait en termes tels qu'on ne pourra pas me taxer de froideur envers les rédemptoristes.

Voici quelles opérations de librairie j'ai faites à Paris :

Chez Povolozky, j'ai demandé qu'on me rende ce qui restait d'argent déposé par vous. Povolozky m'a demandé d'attendre un peu, pour qu'il ait le temps d'établir votre compte et de retrancher

---

322. La Congrégation du Très-Saint-Rédempteur – généralement appelée les Rédemptoristes – fut fondée par saint Alphonsus Maria Liguori en 1732 près d'Amalfi, en Italie, pour faire œuvre missionnaire auprès des démunis. À la toute fin du XIXe siècle et au début du XXe siècle, les rédemptoristes furent appelés à desservir les Ukrainiens catholiques récemment immigrés dans l'Ouest canadien. Le premier, un rédemptoriste belge du nom d'Achilles Delaere, adopta le rite byzantino-ukrainien en 1906 pour s'occuper des pionniers sans clergé qui avaient instamment prié Cheptytsky de leur envoyer des prêtres. Avec le temps, d'autres se joignirent à lui, inspirant Cheptytsky, qui leur avait rendu visite en Saskatchewan, à œuvrer à la création de monastères rédemptoristes en Ukraine. La communauté de Yorkton finit par devenir une province de la Congrégation internationale.

le prix des dernières commandes. Il doit vous envoyer l'argent à Leopol (il était difficile de prier Povolozky de déposer l'argent chez le libraire où nous constituons un nouveau dépôt). Je ne crois pas qu'il y ait quelque chose à craindre, car, d'une part, j'ai le reçu de Povolozky (août 1926) et d'autre part, on m'a représenté la maison Povolozky comme très sérieuse, à Paris. De fait, P. est admirablement fourni en livres russes. J'ai encore commandé chez lui une anthologie de poètes russes soviétiques et des exemplaires de Нова Україна[323] et de Українскый [sic] Вiстнiк [sic][324]. Il continuera à envoyer ses catalogues.

À l'Office central de librairie et de bibliographie, j'ai déposé, contre un reçu, 2 200 francs belges. Vous m'aviez remis 3 000 francs belges, mais c'est sur cet argent belge que j'ai en Belgique payé mes dépenses et les subventions données à Louvain dont je vous ai rendu compte ; je préférais ne pas entamer les dollars : c'est un simple virement, l'argent belge dépensé se retrouvant du côté argent américain.

J'ai payé la YMCA et les *Nouvelles religieuses*. J'ai renouvelé votre abonnement aux *Études* et à la *Revue des 2 Mondes*. J'ai demandé pour vous des livraisons-spécimen du *Mercure de France*, du *Correspondant* de la *Nouvelle revue française*. Je vous ai commandé les ouvrages suivants : Chapman, *Michel Paléo[lo]gue*, H. Carter, *The New Theater and Cinema of Soviet Russia*, A. Michel, *Humbert und Kerularios*, A. Heisenberg, *Neue Quellen zur Geschichte des lateinischen Kaisertums und der Kirchenunion*, L. Mohler, *Kardinal Bessarion als Theologe, Humanist und Staatsmann*, Métropolite Antoine, Опыт Христiанскаго православного катихизиса[325], Taube, *La Russie et l'Europe occidentale à travers dix siècles*, R. von Walter, *Ein Russischer Pilgerleben*, R. Sokolof, *Vie intellectuelle de la République des Soviets*, L. Bénéditte, *Le Musée du Luxembourg*, Faure, *Histoire de l'art*, Michel, *Histoire de l'art, 8ᵉ tome, 2ᵉ partie* ; toute la collection *Valori Plastici*, Gayet et Énard, *L'art byzantin*, S. Malsagoff, *An Island Hell* (il s'agit de l'île Solovetski où est détenu l'exarque) ; Gouliva, *La*

---

323. Au moins trois publications ont porté ce nom. Gillet parle sans doute de celle créée à Prague en 1922, qui parut jusqu'en 1928. Cette revue, qui fut un important organe pour l'émigration ukrainienne, avait un point de vue éditorial vigoureusement anti-soviétique et indépendantiste.

324. Plusieurs publications de l'entre-deux-guerres ont porté ce nom, mais la principale, *Ukraïns'kyi visnyk*, fut un quotidien publié à Lviv de janvier à septembre 1921 pour remplacer le vénérable *Dilo*, interdit par les Polonais.

325. *Un résumé du Catéchisme chrétien orthodoxe.*

technique des peintres. – Tous ces ouvrages sont récents. – Enfin deux anthologies de la plus moderne prose et poésie françaises.

Avec Letouzey[326], j'ai eu des difficultés au sujet du livre de Jugie[327]. D'abord, Letouzey prétend qu'on ne lui a commandé qu'un seul exemplaire, celui qu'il a envoyé. Puis il ne remplacera pas le livre où la page est déchirée, mais il offre de remplacer cette page ! Pour ce qui est des commandes, je sais bien que plusieurs Jugie lui ont été commandés en 1925 et, si je ne me trompe, vous avez le reçu du payement de l'un, effectué à Paris quand vous y étiez. En tout cas, je ne lui ai rien payé et je lui ai dit que je vous rendrais compte de l'affaire.

Je n'ai rien acheté sur les quais. Ce n'est pas que les livres manquaient ! Au contraire, dans les librairies, je n'ai jamais vu autant de si beaux livres, en particulier sur la Russie. Il faudrait passer au moins un an à Paris pour inventorier ces richesses et choisir. Je n'ai pas acheté, parce qu'une chose par-dessus toutes les autres m'a séduit : c'est une collection d'art russe moderne – une série d'albums – (soviétique – textes et illustrations en couleurs – splendide !), mais cela coûte 1 025 francs français. D'une part, je n'ai pas osé acheter à un tel prix sans votre consentement ; d'autre part, en ne faisant pas d'autres achats que ceux cités plus haut, j'ai réservé la possibilité financière d'acheter cette série d'albums, si vous la voulez. C'est chez Povolozky. Moi, j'achèterais...

Je suis allé à l'Office pour la propagation du livre français, en vue du Stoudion de Leopol. Hélas ! le ministère des affaires étrangères françaises vient de supprimer la subvention qu'il donnait à cet Office et il n'y a plus rien à en attendre. J'ai alors commencé une négociation avec l'Institut de coopération intellectuelle de la Société des Nations ; du Chayla m'a offert son appui ; j'attends une réponse de l'Institut. D'autre part, j'espère obtenir quelque chose de l'Alliance

---

326. Un éditeur à Paris.

327. Martin Jugie (1878-1954), prêtre de la Congrégation des Augustins de l'Assomption, avait la réputation d'être un spécialiste hors pair, bien que souvent tendancieux, du christianisme oriental. On se souviendra surtout de ses tentatives pour justifier les dogmes marianistes du catholicisme aux XIXe et XXe siècles, surtout le dogme de l'Assomption. Il aurait même aidé à rédiger le décret officiel *Munificentissimus Deus* promulgué par Pie XII en 1950. Il fut l'auteur des cinq volumes de la *Theologia dogmatica christianorum orientalium ab Ecclesia catholica dissidentium*. Le manque d'objectivité du père Jugie poussa Jaroslav Pelikan à le classer parmi les érudits « aux vastes connaissances, mais à la compréhension limitée ».

française et de la Maison du livre français ; mais il faudra passer par l'intermédiaire du consul de France à Léopol. En Angleterre, le P. Balfour s'est mis en relations, pour nous, avec la John Ryland's Library de Manchester, spécialisée en questions orientales ; mais on ne lui a pas encore répondu.

Le P. Abrikosof a eu des nouvelles sur la courte période de liberté de l'exarque en 1926, par une personne qui a vu le P. Leonide. Lors de sa libération, l'exarque paraissait avoir une santé excellente et débordait d'activité. Il a donc résidé d'abord à Kalouga. Puis il a fait à Novgorod et à Mohilef des prédications qui ont eu un succès immense. Le gouvernement s'est ému de ce succès et c'est la cause réelle de sa deuxième arrestation. Le prétexte, c'est que l'exarque a notifié ses déplacements aux Soviets locaux et non au GuéPéOu[328]. Le P. Abrikosof trouve que l'exarque manque parfois de prudence : il croit que l'exarque aurait pu facilement se tenir en dehors de l'affaire des vases sacrés qui causa son procès, au lieu de se solidarises avec Cieplak.[329]

J'arrête pour aujourd'hui cette longue lettre. Je vous écrirai aussitôt après Nice et d'ailleurs, dans quelques jours, je serai auprès de vous. Mon adresse est toujours à Valence. Priez pour moi Excellence, et croyez toujours à l'humble dévouement de votre très indigne fils.

fr. Lev

---

328. La Guépéou (GPU) est l'ancien nom de la police secrète soviétique.

329. Né à Dombrowa (Dabrowa) en haute Silésie en 1857, Jan Cieplak fut ordonné prêtre en 1881. Il enseigna à l'Académie catholique de Saint-Pétersbourg jusqu'à la Révolution. Sacré évêque auxiliaire de Moghilev (Biélorussie) en décembre 1908, il fut promu au rang d'archevêque en mars 1919, puis nommé administrateur apostolique de Moghilev en juillet 1923. Il fut arrêté en 1923 et condamné à mort, mais sa peine fut commuée grâce à l'intervention de la Grande-Bretagne et du Saint-Siège, et il fut plutôt expulsé de Russie en 1924. Nommé archevêque de Vilnius (Lituanie) en décembre 1925, il mourut deux mois plus tard, le 17 février 1926, lors d'une visite pastorale dans le New Jersey.

N° 46

fol. 150 r
Valence, 6 rue de l'équerre
7 février 1927
Excellence,

Je pars demain pour Leopol, par la Suisse et l'Autriche. Je ne ferai que deux arrêts, l'un à Lyon pour voir Du Chayla, l'autre à Genève pour prendre les visas polonais et autrichien. Je serai donc dans quelques jours auprès de vous.

J'ai passé deux jours à Nice (où c'est le printemps). Voici quelles informations je vous en rapporte :

J'ai vu le père Grum[330]. C'est un homme exquis, si cultivé et profondément bon, et qui vous aime beaucoup. Il va mieux et mène une vie de repos ; je crois qu'il est actuellement à l'abri de soucis financiers. Mais je dois vous dire que sa situation est moralement difficile. Il m'a donné une lettre pour Votre Excellence ; je ne sais s'il vous parle de ces difficultés. Le fait est que, dans les milieux hiérarchiques catholiques, on le tient pour suspect, pour les raisons suivantes :

1) Son genre de vie, qui est celui d'un riche barine russe, sa liberté d'allure et même son vêtement (il ne porte pas toujours la soutane) ont étonné ; vous savez combien certaines gens ont l'esprit étroit et se plaisent aux suppositions malveillantes !

2) Il a agi en vrai Russe, c'est-à-dire en homme impressionnable, passionné et versatile (je ne lui en fais pas un grief !) dans une affaire délicate concernant l'œuvre russe de Mgr van Caloën. À un certain moment, une personnalité russe qui joue un rôle stable dans cette œuvre a été l'objet de reproches assez graves. Le P. Grum a pris parti pour cette personnalité avec une certaine violence qui a surpris. Mais ensuite il s'est brouillé avec la même personne et aujourd'hui il déclare qu'il ne s'occupera pas de l'œuvre russe tant que cette personne (qui est un de ses anciens condisciples) y aura une part prépondérante. Ce revirement, et la fougue mise dans les deux attitudes successives, ont donné l'impression que le P. Grum manquait d'équilibre et lui ont fait un grand tort dans l'esprit de l'évêque de Nice et dans celui de Mgr van Caloën.

---

330. Grum-Grzimailo.

3) Tout un clan de monarchistes russes exploite contre le P. Grum son passé libéral, son opposition au tsarisme et ses relations avec Tchitcherine (pour le rapatriement de certains Russes); on serait enchanté de le faire passer pour un agent bolchéviste.

4) Enfin voilà le plus grave. Mgr van Caloën a reçu de la Congrégation orientale[331] une note disant de ne pas laisser le P. Grum prêcher ou confesser, attendu qu'il est l'objet d'une enquête de la part de Rome; je ne sais si Grum connaît ce fait; je le tiens de Van Caloën lui-même.

Quant à moi, j'ai insisté auprès de Mgr van C. sur l'estime que vous-même et le P. Abrikosof avez pour Grum et sur mon impression personnelle de Grum, qui est excellente. Peut-être serait-il bon que Votre Excellence témoigne en faveur de G., soit à Rome, soit à Nice, ou suscite une intervention de Mgr O'Rourke[332]? Tout ceci est déplorable, car G. est actuellement le seul homme capable d'avoir une influence sur les Russes de Nice. Il a prêché une fois pour eux avec un grand succès. (Il a les deux rits). Sa nature bonne et cordiale, sa piété profonde attirent. Et le pauvre prêtre bulgare, le P. Stoïtchef[333], est incapable d'avoir une action quelconque sur les Russes.

Maintenant une autre question. Un établissement des studites à Nice serait vu avec une véritable joie par Grum, par Mgr v[an] C[aloen], et par plusieurs autres. Mgr v[an] C[aloen] abandonne provisoirement l'œuvre russe; il a eu des difficultés financières et morales qui proviennent, non de la situation, mais de son propre caractère (qui est fort difficile!). Il va désormais concentrer son acti-

---

331. Créée en 1862 par Pie IX en tant qu'organe subordonné de *Propaganda Fide* – qui avait pour fonction d'orchestrer l'activité missionnaire –, la Congrégation devint une entité distincte au sein de la Curie romaine en 1917 sous le pontificat de Benoît XV et fut appelée *Congregatio pro Ecclesia Orientali*. En 1967, elle fut rebaptisée *Congregatio pro Ecclesiis Orientalibus* par Paul VI, qui lui donna le mandat de soutenir le développement des Églises catholiques orientales, de protéger leurs droits et de maintenir tout leur patrimoine liturgique, canonique, théologique et disciplinaire.

332. Né en 1876, Eduard Graf O'Rourke fut ordonné prêtre à Žemaitija (Lituanie) en 1907. Sacré évêque de Riga (Lettonie) en décembre 1918, il renonça à son siège épiscopal en avril 1920 pour devenir l'administrateur apostolique de Danzig (Gdansk), puis évêque de la ville en janvier 1926. Il vécut à Danzig jusqu'à sa mort le 27 juin 1943.

333. Le père Stoïtchev était un prêtre catholique bulgare de la Côte d'Azur que l'évêque Gérard Van Caloën avait fait venir pour s'occuper des émigrés russes, qu'il aidait matériellement, puis tentait de convertir spirituellement.

vité sur la paroisse et les œuvres qu'il a fondées au cap d'Antibes. Un industriel de Lyon acquiert pour cinq ans la maison russe de v. C. à Nice. La chapelle russe-catholique et le bureau du travail continueront à fonctionner ; de plus, il y aura des orphelins dans la maison. Mais cet industriel agit purement pour rendre service à v. C. Il est prêt à céder *aussitôt* la maison (jardin et chapelle) aux mêmes conditions où lui-même les a acquises ; cette cession est même prévue par le contrat de louage. Donc nous pourrions acquérir (de suite, si nous voulons) cette maison, qui est neuve, très claire et gaie, avec un petit jardin, très bien située sur une hauteur dans un faubourg ouvrier (ce qui est bien à notre point de vue) de Nice, et avec une chapelle slave organisée (j'y ai célébré, il y a un petit chœur russe). Les conditions financières sont les suivantes. Il faudrait payer 100 000 francs (4 000 dollars) pour l'immeuble ; de plus, il faudrait payer deux dettes, chacune de 50 000,00 F l'une dans un délai assez bref, l'autre à échéance lointaine (et qu'on pourrait peut-être faire remettre). Cette somme peut paraître énorme, mais il faut observer :

1) que l'on pourrait *facilement* recourir à un emprunt hollandais ;

2) que, à Nice, il serait facile de trouver de l'argent ; si v. C. a eu des difficultés, c'est qu'il n'a jamais pu s'entendre avec personne ;

3) que Grum mettrait volontiers à notre disposition, comme don, 100 000,00 F qu'il vient de recevoir d'une comtesse argentine, sa parente, pour ses bonnes œuvres, – il me l'a dit lui-même. Une dizaine de studites pourraient s'établir à Nice. Ils formeraient cette communauté de travail dont nous avons parlé, c'est-à-dire qu'il faudrait quelques bons artisans – menuisiers, cordonniers, forgerons, etc. – qui donneraient leur travail pendant la journée, à des patrons civils. Les Salésiens[334] m'ont dit : *Nous nous chargeons de placer en 48 heures 20 ouvriers qui gagneraient des salaires allant jusqu'à 35 F par jour.* Une telle communauté assurerait sa propre subsistance. Avec de l'argent trouvé sur place, on continuerait le Bureau du Travail, le service de la chapelle (avec Deubner), et l'on pourrait arriver à avoir des enfants. Il y a beaucoup à faire à Nice, non dans l'intelligentsia, mais dans le monde ouvrier russe (il y a à Nice un

---

334. La Société salésienne de saint Jean Bosco, dont les membres sont communément appelés les salésiens, fut fondée à Turin en 1859 pour favoriser l'éducation chrétienne des jeunes. Autorisée par le pape en 1868, elle s'étendit dans plus de 120 pays, ce qui en fait le troisième en importance des ordres monastiques catholiques pour les hommes.

évêque et deux églises russes). Seuls des moines-ouvriers peuvent atteindre ce monde. L'entreprise a évidemment ses périls, mais il faut bien qu'un jour nous en venions à ce contact avec le peuple russe. Grum est enthousiaste à l'idée d'une fondation de ce genre. Si elle avait lieu, son concours serait très utile ; Grum se fixerait alors à Nice – Grum insiste sur le fait que des moines-ouvriers sont actuellement l'œuvre la plus nécessaire pour les Russes (il n'est pas possible d'avoir des moines agriculteurs sur la Riviera où la terre est infertile et très chère). D'autre part, Mgr v[an] C[aloen] est aussi très emballé pour cette idée. J'ai fait tout ce que j'ai pu pour le calmer ; je lui ai dit que je n'avais aucun mandat pour négocier en votre nom et qu'une telle fondation ne se présentait actuellement que comme une pure hypothèse. Il m'a demandé de lui écrire dès mon retour à Léopol pour lui faire connaître votre opinion. J'aurais des moyens personnels d'approcher dans des conditions favorables l'industriel lyonnais qui succède temporairement à v[an]. C[aloën]. Il est certain qu'à Nice on pourrait faire ce que l'on pourrait aussi faire dans la banlieue de Paris. Il y a sur Paris l'avantage du climat (économies de chauffage !) Que pense Votre Excellence ? Pour moi, j'hésite dans mes préférences entre Nice et Paris ; je penche peut-être vers Nice, et, d'ailleurs, une fondation à Nice, si elle réussissait, devrait aboutir à une fondation à Paris. Comme je regrette que le P. Higoumène ne soit pas ici ! Pour Nice comme pour Paris, il faut se décider *rapidement* ; si nous nous retirons, on appellera aussitôt d'autres gens et on se désintéressera de nous.

Votre Excellence se rappelle ce que Mgr Chaptal me disait sur des possibilités de fondation dans le Sud-Ouest de la France. Mes renseignements personnels confirment ces dires. J'apprends par le Bureau du Travail d'Auch que, dans le département du Gers, il y a, faute de main-d'œuvre, 30 000 hectares incultes et 2 500 fermes plus ou moins abandonnés. De toutes parts, vous le voyez, il y a des possibilités pour nous. Il est absolument nécessaire, si vous persévérez dans l'idée d'une extension studite à l'étranger, que Votre Excellence ou le P. Higoumène vienne bientôt en France. C'est l'avis de Grum.

Autre précision statistique : dans les seuls départements du Nord et du Pas-de-Calais, il y a, sur 310 000 ouvriers étrangers, 224 000 Polonais ; sur ce nombre, je compte qu'il doit y avoir environ 75 000 Ruthènes. Dans le Sud-Ouest, il y a 60 000 ouvriers

polonais : donc probablement 20 000 Ruthènes, proportionnel-
lement. D'où nécessité et urgence d'une organisation religieuse pour
eux.

Me voici donc à la fin de mon voyage. Je ne crois pas qu'il ait été
inutile. Il me semble que les résultats en sont plutôt positifs, en ce
concerne nos possibilités monastiques. Financièrement, j'ai pu
réaliser de grosses économies sur l'argent que j'avais emporté. Au
cours de ce séjour à l'étranger – presque deux mois – je me suis
presque toujours fait loger et nourrir chez des parents ou amis. Ce
sont les frais de transport qui m'ont beaucoup coûté : ces frais sont
formidables partout! Enfin il me reste 62 dollars, 35 francs-or
suisses, et 300 francs français. C'est bien plus qu'il ne me faut pour
rentrer à Léopol.

À bientôt donc, Excellence. C'est la dernière lettre que je vous
envoie de l'étranger. J'aurai la joie de vous revoir au début de la
semaine prochaine. Que Votre Excellence veuille bien prier pour moi
et agréer l'hommage de mon respectueux et filial dévouement.

fr. Lev Gillet

N° 47

fol. 154 r
No 2 [*sic*][335]
Valence, 28/5/27

Excellence!

Je mets en tête de cette lettre un numéro d'ordre, car je numé-
roterai tout ce que je vous écrirai, afin que vous sachiez ce qui vous
parvient et ce qui aura pu s'égarer. Je vous ai déjà envoyé une carte :
c'est pourquoi je marque no. 2 au début de cette lettre.

Je ne sais rien de plus en ce qui concerne Nice qu'au moment
où j'ai quitté Léopol. À Lyon où je me suis arrêté plusieurs jours, je
n'ai pas pu voir, parce qu'ils étaient absents, les jésuites qui s'occupent des œuvres russes. Je leur ai écrit pour les informer de mon
changement de résidence et solliciter leur sympathie active. J'ai écrit

---

335. La carte postale à laquelle il est fait référence dans cette lettre est la
première d'une série de quatre, selon Gillet, et n'existe plus.

également à Mgr d'Herbigny dont je n'ai pas reçu de réponse. J'ai attendu à Valence une lettre du P. Stoïtchef me disant quand il partira de Nice : j'ai reçu sa lettre, mais il me dit qu'il ne sait pas quand il partira ! Je souhaite que ce soit le plus tôt possible, car si nous étions tous deux à Nice ma position serait un peu fausse et gênée et la question de logement se poserait pour moi d'une manière difficile. Quoi qu'il en soit, j'ai résolu de ne pas attendre, et le mercredi 1er juin je serai à Nice. On peut m'y écrire *avenue de Pessicart*, no. 20 (Nice, Alpes-Maritimes). C'est l'adresse de l'œuvre russe. Je ne sais donc pas du tout comment la situation va se présenter à Nice ni comment je pourrai y organiser ma vie. Enfin j'essaierai de me débrouiller et Dieu m'aidera. Je vous écrirai après les quelques premiers jours passés à Vice.

N'ayant pas passé par Paris, je n'ai presque pas de nouvelles. Votre Excellence doit être beaucoup mieux renseignée que moi sur le monde oriental ou orientalisant. J'ai reçu une lettre de Krijanowsky, que j'envie à Votre Excellence ; il est inutile de me la renvoyer ; je ne sais quels événements se sont passés au séminaire russe de Lille. Du Chayla, vu à Lyon, m'a appris que le Gouvernement français avait pris parti pour Euloge contre Antoine, que l'entrée du territoire français avait été refusée à deux évêques envoyés par les hiérarques de Karlovtsi pour déposer Euloge, et que, à la demande de la France, la Yougo-Slavie avait nettement mis Antoine en demeure de cesser toute activité contre les Eulogiens. Le baron W., l'ami du P. Abrikosof, m'a écrit en insistant pour que je vienne à Paris : je lui ai répondu [*sic*] que c'était impossible, et que, s'il voulait me voir, j'étais à sa disposition à Nice. Par des lettres d'amis de Paris, j'ai appris que plusieurs personnalités russes de l'Académie de théologie et du Mouvement de jeunesse universitaire chrétienne[336] seraient désireuses d'entrer en relations avec moi et me verraient avec plaisir prendre part à la retraite annuelle des

---

336. Fondé en France à la fin des années 1920, ce mouvement, qui tire ses origines de l'Association catholique de la jeunesse française (1886) et de la Jeunesse ouvrière chrétienne belge (1925), est né de la crise européenne qui suivit l'hécatombe de la Première Guerre mondiale. La Jeunesse étudiante chrétienne voulait revigorer les jeunes et la culture en général en résistant à l'apathie culturelle et à la tendance de la classe politique catholique française à s'allier aux forces conservatrices. Son mot d'ordre, « *le Christianisme dans toute la vie* », visait à faire porter la réflexion théologique sur diverses questions – surtout socioéconomiques – par le biais de son journal, *L'Appel de la JEC*.

Étudiants chrétiens russes (orthodoxes)[337]. Je me suis demandé si je devais chercher à faire naître et à développer ces relations – ou demeurer purement passif. Je me suis résolu à ce dernier parti, qui me semble plus conforme au genre de vie que je désirerais mener à Nice. Je me bornerai à envoyer quelques mots de remerciements à M. Fedotof[338] qui, dans Путь[339], a fait un compte rendu très bienveillant de ma petite publication sur les orientations de la pensée religieuse russe contemporaine[340].

J'ai passé trois jours à Salzburg ou j'ai eu de longs entretiens avec David Belfour. Il est vraiment très sympathique. Il doit faire sa profession perpétuelle en juillet ; il m'a dit que, s'il n'était pas déjà si lié à l'égard d'Amay, il se serait joint à moi, à Nice, et que ce que je vais entreprendre correspond parfaitement aux aspirations du parti russe d'Amay. Il sera diacre cet été, et essaiera d'obtenir la permission de venir pendant environ un mois diakonieren à l'église russe de Nice, en vivant comme je vivrai. Mgr d'Herbigny a pris part aux fêtes de Jeanne d'Arc à Orléans comme descendant de Jeanne d'Arc (? ?)[341] Balfour m'a appris que le P. Karalevsky donnait un grand retentissement à sa brochure : il en a distribué lui-même 500 exemplaires dans la Curie Romaine et en fait préparer une traduction allemande.

En France, on continue à lire l'*Action française* et, malgré tous les ordres donnés, les confesseurs se montrent singulièrement larges en cette matière. On boycotte le denier de Saint-Pierre.

Je n'ai aucune nouvelle de Deubner. Je voudrais savoir s'il viendra à Nice.

---

337. Il s'agit de l'Action chrétienne des étudiants russes (ACER), fondée à Prague quelques années auparavant.

338. Georges Fedotov (1886-1951) était un historien des cultures et l'auteur d'œuvres comme *The Russian Religious Mind : Kievan Christianity Tenth to Thirteenth Century*. Il fut l'âme de *Novyi Grad*, une revue de l'immigration russe en France qui cessa de paraître durant la Deuxième Guerre mondiale.

339. Les 61 numéros de la revue russe Путь (« Pout' ») parurent entre 1925 et 1940 sous la direction de Nicolas Berdiaev. Cette revue exerça une grande influence sur l'émigration russe à Paris grâce à la collaboration d'intellectuels comme Boulgakov, Zenkovsky ou Kartachev. Sur la revue « Pout' », voir en particulier Antoine Arjakovsky, *La génération des penseurs religieux de l'émigration russe, La revue La Voie (Put')*, *1925-1940* (Kiev-Paris : L'Esprit et la Lettre) 2002.

340. Il s'agit de l'article, « Les orientations de la pensée religieuse russe contemporaine », *Irénikon* 2, no. 1 (1927).

341. L'une des raisons pour lesquelles Gillet a pu insérer des points d'interrogations ici, c'est que Jeanne d'Arc était vierge et ne pouvait avoir que des descendants collatéraux. D'Herbigny prétendait être l'un de ces descendants collatéraux.

Je n'en écris pas davantage aujourd'hui, parce que, à vrai dire, tant que je n'aurai pas vu moi-même la situation à Nice, ce que je pense et dois faire, je me sens un peu mal à l'aise, comme si je tâtonnais dans la nuit, dans l'incertitude. Évidemment, il est bien improbable que je réussisse. Je me compare au corbeau que Noé lâcha après le déluge. Il ne trouva pas de terre sèche et revint dans l'arche. Là où le corbeau avait échoué, une colombe réussit ensuite. En sera-t-il ainsi pour moi? Enfin, que la volonté de Dieu soit faite!

Je souhaite bien que la santé de Votre Excellence s'affermisse. Je me demande si vous êtes allé à Ostrobrama[342]. Naturellement, toutes les lettres que j'écrirai à Votre Excellence sont aussi destinées au Rév. Père Higoumène. Si vous aviez des documents à rédiger en français, qui ne soient pas urgents, vous pourriez m'en charger; je les renverrais à votre signature. Si vous aviez à m'écrire en français, le fr. Januariy pourrait vous servir de secrétaire. Je me permets de joindre à cette lettre un mot pour Perridon; je prie Votre Excellence de vouloir bien le lui faire parvenir: étant donné le coût des lettres, j'économise le plus possible... Donc je vous écrirai bientôt de Nice. Vos prières sont le secours dans lequel j'ai la plus grande confiance, et aussi l'intercession des studites, car je me considère comme leur délégué dans cette entreprise. Bénissez-moi, Excellence, et croyez-moi toujours votre fils pécheur, mais humblement dévoué

moine Lev

Toute ma famille prie Votre Excellence d'agréer l'hommage de sa vénération.

---

342. Ostrobrama est une ville de Lituanie. Dans l'église Sainte-Thérèse (catholique romaine) à Vilnius, on trouve une image de Notre-Dame d'Ostrobrama vénérée par les catholiques comme par les orthodoxes.

N° 48

fol. 156 r
No 4 [*sic*][343]
20 avenue de Pessicart, Nice (Alpes-Maritimes)
10 juin 1927

Excellence,
Ma première parole doit être pour remercier Dieu, car je n'aurais jamais espéré que tout – je ne peux pas dire encore : irait aussi bien – mais : s'annoncerait aussi bien, et si vite. Nous voici déjà trois prêts à tenter l'expérience monastique. – Mais je vais vous raconter les choses par le début. Je suis arrivé à Nice le 1ᵉʳ juin. Mgr van C[aloen] absent : encore en Allemagne, parce que malade. L'évêque de Nice absent : en tournée de confirmation, ne rentrera pas d'ici à un certain temps. Le P. Stoitchef encore ici : ne partira que quand Mgr van C[aloen] sera rentré. J'étais attendu. Je me suis installé à la Maison des œuvres russes, avenue de Pessicart, où se trouve aussi notre église. Les premiers jours, j'ai essayé de me faire une idée nette de la situation. Voici celle-ci, telle qu'elle m'est apparue :
1) *L'église catholique russe.* Elle est pratiquement inexistante. Il vient aux offices un chœur *orthodoxe* payé pour cela, des Français ou des Italiens latins, et quelques Russes catholiques latins, qui, dans le profond de leur cœur, préfèrent le rit latin. Il n'y a pas à Nice un seul catholique russe qui soit à proprement parler de rit oriental. J'ai saisi sur le vif l'erreur de ceux qui croient réunir les Russes de l'*intelligentsia* (et c'est à cette catégorie qu'appartiennent presque tous les Russes de Nice, fussent-ils ouvriers) en leur ouvrant des églises catholiques orientales. Ces églises leur font horreur et ils n'y voient qu'un piège, surtout quand il n'y a pas sur place des catholiques orientaux. Ainsi à Nice les Russes ne se gênent pas pour dire que toute l'œuvre de charité catholique est secrètement organisée pour les mener à la chapelle uniate. L'archevêque Vladimir est venu visiter notre église ; il a été très courtois, mais, en partant, il a lancé cette phrase qui exprime bien la pensée de beaucoup : Tout cela est très

---

343. Inexplicablement, Gillet assigne le numéro « 4 » à cette lettre, tandis qu'il attribue le numéro « 3 » à la suivante (voir plus bas).

bien. Mais pourquoi cette icônostase [*sic*]³⁴⁴ et tout le reste? Soyez donc franchement latin ou orthodoxe. Mais ne soyez pas entre les deux. Les quelques Russes qui s'intéressent au mouvement unioniste (lecteurs d'*Irénikon*, etc.) disent que ces sympathies orientales des catholiques indiquent un mouvement de retour de l'Église romaine vers l'orthodoxie et que l'Union se fera – mais par la réunion des catholiques pénitents et contrits avec l'orthodoxie. Le P. Stoïtchef a franchement échoué dans sa tâche. Il est très bon, très pieux. Mais, d'une part, les Russes le regardaient avec mépris parce que Bulgare et parce que n'ayant pas un rit pur, et lui, de son côté, considère les Russes comme orgueilleux et prétentieux. D'autre part, les Français ne lui ont jamais manifesté de sympathie. Résultat: il est aigri et est devenu complètement passif; il s'isole dans sa chambre; même le jour de l'Ascension, il n'a pas voulu célébrer de liturgie solennelle. Il ne prêche jamais.

2) *L'œuvre catholique russe*. Encore un échec. Toutes les personnes qui s'en occupent sont brouillées entre elles et se lancent à la tête toutes les accusations possibles. Le Bureau russe du travail se sépare avec M. Penkof de l'œuvre catholique et passe aux mains de la Croix-Rouge russe. L'œuvre catholique se réduit donc: au comité de secours, et à cette maison de l'avenue de Pessicart où se trouvent quelques dames russes et enfants russes pensionnaires. Seuls des moines pourraient, s'ils avaient cette maison, relever ces œuvres. La directrice actuelle de la maison est une Française, très active et dévouée, mais nationaliste, autoritaire, ignorant tout des choses russes, et s'aliénant les Russes par son manque de psychologie et de tact. Le P. Stoïtchef dit avec justesse: Nous n'avons pas gagné un seul cœur; nous en avons au contraire repoussé beaucoup.

3) *La colonie russe*. Il y a dans la région de Nice 40 000 Russes, dont un régiment de cosaques de l'ataman Krasnof³⁴⁵, qui campent

---

344. L'iconostase est la cloison ornée d'icônes placées dans un ordre défini qui sépare le sanctuaire de la nef dans une église de rite byzantin. Elle est percée de trois portes – les portes diaconales au nord et au sud, et les portes centrales qu'on appelle « portes royales » ou « portes saintes » – par lesquelles entrent et sortent les célébrants.

345. Piotr Nicolaïévitch Krasnov (1869-1947) servit dans l'armée russe pendant la Première Guerre mondiale, puis fut envoyé comme commandant à Petrograd pour étouffer la Révolution. Défait et emprisonné, il fut libéré par les Soviétiques contre la promesse de ne plus rien faire contre la Révolution. Il se réfugia dans la région du Don et prit la tête du régiment anti-révolutionnaire

tous ensemble. Il y a Nice deux églises russes soumises à Euloge, dont le соборъ de l'archevêque Vladimir, et une église (à public ultra-monarchique) qui s'est mise du côté d'Antoine. Plusieurs restaurants russes, bibliothèques russes, etc. Sauf un petit noyau de jeunes gens qui communient avec l'esprit de *Путь* et du Сергіевскоіе Подворіе [*sic*], la masse est observante de la religion, mais n'est pas intensément religieuse. Pas de courants religieux puissants comme chez les Russes de Paris. L'atmosphère Niçoise est démoralisante. Nice et les villes environnantes ne sont que des villes de plaisir. Tout jeune Russe muni d'un beau physique peut facilement se faire entretenir par une femme. Un Russe que je connais a été abordé, sur la promenade des Anglais, par une étrangère qui lui a offert 40 000 francs par an ; il a répondu que ce n'était pas assez, et d'ailleurs il vit déjà avec une femme. Dès qu'un Russe a 500 F, il ne résiste pas à la tentation d'aller les jouer à Monte-Carlo. Beaucoup sont nerveusement détraqués. J'en connais un qui est normal la plupart du temps, mais qui est parfois hanté par l'image de ses parents fusillés (ils l'ont été) et qui alors se réfugie dans l'alcool jusqu'à l'ivresse totale. C'est un cas fréquent. Beaucoup sont cocaïnomanes, morphinomanes, etc. Mais il y a dans cette immigration de beaux côtés. Le courage simple et la résignation de beaucoup de travailleurs. Et une grande charité. Même ceux qui n'ont presque rien donnent tout ce qu'ils peuvent à d'autres. Une des églises russes a pour annexe une столовка, sorte de restaurant organisé dans une intention charitable et où, sous une icône devant laquelle brûle une lampe, on vous donne des repas à 2,50 F. Cette œuvre est pour les Russes, mais des étrangers peu scrupuleux s'y nourrissent, et parmi eux des Juifs qui se moquent des Russes ! Comme la quantité des aliments qui se trouvent à la столовка[346] est limitée, il arrive que de pauvres ouvriers russes, venant un peu trop tard, ne trouvent plus rien à manger parce que des étrangers ont déjà pris leur repas, en payant 2,50 F. Eh bien ces pauvres russes repartent sans manger et

---

cosaque, aidé à la fois par les Alliés et les Puissances centrales, pour empêcher les Soviétiques de s'emparer de la région. S'étant réfugié en Allemagne en 1919, il écrivit des romans et des ouvrages généraux et rallia le *Reichskommissariat Kaukasus* nazi, pour lequel il tenta de créer des régiments cosaques pendant la Deuxième Guerre mondiale. Il se rendit aux Britanniques en Autriche en 1945, mais fut trahi et remis aux Soviétiques, qui le pendirent.

346. Sorte de restaurant organisé dans une intention charitable.

sans une plainte (j'ai été témoin de la scène) et les jeunes adminis-
trateurs de la столовка, tout rouge de confusion et souffrant de
pareilles choses, ne disent cependant pas un mot pour écarter les
étrangers parasites, parce que ce ne serait pas chrétien m'a dit l'un
d'eux. Personnellement, j'ai trouvé chez tous les Russes orthodoxes
de Nice avec lesquels j'ai été en contact un accueil plein de sympathie et de courtoisie. Le fait que je suis allé au соборъ russe (ce que
ne ferait pas le P. Stoïtchef) les a, paraît-il, favorablement impres-
sionnés. J'ai déjà été appelé dans une famille orthodoxe pour essayer
de réconcilier l'un avec l'autre le père et le fils !

   12 juin,
   Je continue cette lettre après une interruption. Donc un premier
contact avec les Russes de Nice m'avait convaincu : 1) que la
chapelle n'était pas actuellement et ne serait probablement pas
d'une grande utilité pour les atteindre ; 2) mais qu'il y avait beaucoup à faire par des contacts privés. Je me préparais à organiser mon
activité en conséquence lorsque se produisit (le 8 juin) un coup de
théâtre : arrivée du P. Alexandre Deubner. L'évêque de Nice était
d'accord pour que je fasse l'intérim et il avait dit à Deubner de ne
venir que lorsqu'il l'appellerait. Mais la Congrégation Orientale, ne
sachant probablement que faire de Deubner pendant l'été, lui enjoi-
gnit de se rendre aussitôt à Nice. Deubner lui-même vous racontera
son séjour à Rome ; j'ai été heureux d'apprendre en quels termes
affectueux et même émus Mgr d'Herbigny s'était exprimé sur Votre
Excellence et de savoir aussi qu'il encourageait vivement notre
tentative monastique à Nice : nous absolument, a-t-il dit à Deubner,
jeter les bases d'un monastère *russe*, agissant dans le silence et l'humilité, et ne nous révéler au public que lorsque nous serons déjà un
noyau. Voilà donc Deubner à Nice. Je lui ai aussitôt remis la chapelle
russe : il a des pouvoirs de la Congrégation orientale, et je n'ai à me
mêler en rien, par conséquent, du travail paroissial (mais lui-même
m'a prié de l'aider, et je ne lui refuserai certes pas cette aide, lorsqu'elle lui sera nécessaire.) Actuellement, la situation est ainsi : le
P. Stoïtchef quitte Nice dans deux jours ; Deubner, prêtre chargé de
l'église catholique russe, reçoit de l'Oeuvre russe sa nourriture et
son logement (à la maison de l'avenue de Pessicart), plus 210 F par
mois ; quant à moi, naturellement, puisque je cesse d'avoir une fonction et que je deviens simple prêtre étranger en résidence à Nice, je

perds le logement (que reçoit Deubner), et, comme rien d'autre ne m'était assuré, je dois provisoirement pourvoir à mon entretien total. J'ai loué pour un mois une chambre dans la maison des Œuvres russes, près de Deubner (150 F) ; je prends chaque jour dans cette maison mon repas du soir (3 F) et je m'arrange pour me nourrir au dehors à midi, de telle sorte que ma nourriture pour toute la journée me revient à environ 6 F. Bref, chaque jour mon entretien doit me revenir au total à environ 4 zlotys. Je crois que ce n'est pas une dépense exagérée. Je n'ai pas encore entamé les dollars que le P. Higoumène m'a remis pour le séjour à Nice et je pense que j'arriverai à la fin du mois sans y avoir touché. Il faudra que je me débrouille pour trouver une occupation rémunératrice, car je ne voudrais pas être à la charge des studites et il y semble bien que mon séjour à Nice doive se prolonger – puisque nos perspectives monastiques, comme vous allez voir, ne sont pas mauvaises.

Il faut d'abord que je vous parle de Deubner. Il est arrivé en vrai pope : barbe, riassa, Kamilafkion[347], croix pectorale[348], chevelure flottante. Parle très bien le français *et le russe.* Très intelligent. Études solides. Pense par lui-même et ne se contente pas de formules toutes faites. Parle beaucoup et longuement. N'a pas le sens du temps et de l'heure. Nerveux, mais rien d'anormal. Intransigeant, violent dans l'expression de ses idées, dit parfois brutalement aux gens ce qu'il pense. Grande franchise et loyauté. Plus tenace que la plupart des Russes, tient très ferme au fond d'idées sur lequel il s'est établi. Piété profonde et sens de l'ascèse orientale : aime beaucoup la liturgie, la lecture des Pères, attache de l'importance aux métanies[349], au jeûne. Voit très bien ce qui différencie le monachisme oriental des Ordres occidentaux. *Déteste* (le mot n'est pas trop fort), autant qu'un chrétien

---

347. Le *calimavkion* (*kalimafkion/kamilafkion*) est un chapeau noir cylindrique porté par les moines et les moniales de rite byzantin ou décerné aux membres du clergé à titre honorifique (auquel cas il est en général violet ou rouge). Les ecclésiastiques de rite byzantin latinisés (et d'autres) ont tendance à rejeter le *calimavkion*, dont la forme actuelle est inspirée du fez turc.

348. Chez les Slaves orientaux, la croix pectorale n'est plus seulement l'un des emblèmes épiscopaux (avec l'*encolpion*), car depuis le XIXᵉ siècle, son usage s'est répandu parmi les prêtres ordinaires, et même parmi les moines ou moniales dirigeant des monastères. Les Grecs et les melchites résistent cependant à cette tendance.

349. Les métanies sont des prosternations exécutées devant des icônes et unies à la prière. De fervents chrétiens orthodoxes exécutent fréquemment de telles prosternations dans leur maison au cours de prières personnelles.

peut détester, les latins et le latinisme : il a beaucoup souffert par eux. Il est *beaucoup plus violent* que Korolevsky contre les latins et les uniates ; il s'exprime sur les latins comme un Grec du XVIᵉ siècle et a été scandalisé par Rome (dialogue d'hier : J'éprouve une répulsion physique pour les prêtres latins. Ces figures rasées me font horreur. Je fais un détour dans la rue pour ne pas les rencontrer ! Ces soutanes latines me dégoutent – Mais alors [dit timidement le P. Stoïtchef, qui a une soutane latine] je dois vous dégoûter ? – Eh bien oui, je vous le dis franchement, vous me dégoûtez ! Vous n'avez plus rien d'oriental. Et votre rite est une mascarade. Le P. Stoïtchef, qui est un brave homme, a ri de bon cœur. – Et encore : Oh ! ces latins ! Ils ont tous de grosses figures rouges ! Il n'y a que la chair et le sang ! Je les ai bien vus à Rome ! Avec de pareilles figures, comment pourraient-ils être des ascètes ? Ils doivent être pleins de passions. Évidemment, ils ne jeûnent pas. C'est pourquoi l'Occident est si rationaliste : on ne peut pas avoir la vie de la foi quand on ne jeûne pas.) Heureusement devant les prêtres latins, il se tient très bien et ne les choque pas. Il pense comme le P. Cyrille en matière de liturgie, abhorre les uniates et les Ruthènes (les Ruthènes de Rome l'ont mal impressionné), bref, assez exclusif et étroit quant au rit – mais ici c'est peut-être un avantage, car à Nice tout doit être stricte- ment по московскому[350]. Très opposé au rosaire, Sacré-Cœur (contre son père à ce sujet), etc. Admet les fêtes de Séraphim de Sarov, Alexandre Nevsky[351], et leurs icônes. Sous l'influence du P. Serge Verighine, et en contradiction avec ses propres théories, il mêle à son rit beaucoup d'éléments grecs et balkaniques. Politiquement nationaliste, monarchiste, slavophile. Intellectuellement, avant tout disciple de Soloviev (que son père a bien connu) ;

---

350. À la muscovite.

351. Saint Alexandre Nevsky (v. 1220-1263) naquit à Pereslavl-Zaleski (au nord-est de Moscou) et se fit rapidement un nom tant pour sa piété que pour ses prouesses politiques. Après les premières invasions tatares de la Rous' kiévienne, son père, le prince Yaroslav Vsévolodovitch, devint grand-prince de Kiev, confiant à Alexandre la garde de Novgorod, que l'armée suédoise envahit en 1210. La bataille victorieuse d'Alexandre contre les Suédois sur les bords de la Neva lui valut le surnom de Nevski. Après de nombreuses victoires politiques et militaires, il devint grand-prince de Vladimir en 1252. On pense qu'il revêtit le schème monastique peu avant sa mort en 1263. Il fut canonisé en 1547, et sa fête est célébrée le 23 novembre, date de son décès, ainsi que le 30 août, anniversaire de la transla- tion de ses reliques incorrompues, en 1724, à la laure Saint-Alexandre-Nevski de Saint-Pétersbourg (elles s'y trouvent encore aujourd'hui).

platonicien ; influencé par les théoriciens de Путь et du Сергіевскоіе Подворіе [sic] que cependant il déclare modernistes. Très influencé par Dostoïevsky. Redoute le séparatisme ukrainien. Le P. Serge a eu sur lui une grande influence ; il a comme le P. Serge quelque chose d'un peu fantastique ; le P. Serge l'a mené à un starets[352] qui serait né sous Napoléon 1er (?)[353] et qui serait venu à pieds de Perse à Rome (? ?), qui est donc très vieux et très sale (!!), et qui lui a dit qu'il devait aller à Nice parce que celui qui l'y envoyait, et qui s'appelle André – c'est Votre Excellence – savait que c'est sa place. Cette histoire de starets est bien dans le genre du P. Serge, – et aussi de Deubner lui-même. (Ces Russes sont étonnants. Ils disent, par exemple : Aujourd'hui, savez-vous ce qu'Athanase [un évêque russe] a annoncé ? Il a parlé tout à fait selon notre âme et nous a dit des choses grandement consolantes. Il a prédit qu'avant un mois nous serions en Russie. Athanase le sait, parce qu'il y a de saints vieillards qui le disent...). Mais je reviens à Deubner. Au point de vue de l'Union, il est (malgré son aversion pour la curie et la Rome papales) *très profondément catholique* et prêt à donner sa vie pour la foi catholique. Je devrais plutôt dire pour l'orthodoxie catholique, car il tient beaucoup à ce vocable de pravo-slave-catholique, comme à toutes les idées qui servirent de base à l'Exarcat ; enfant, il a connu le petit milieu orthodoxe-catholique russe, le groupe de Petrograd, comme il dit, et il veut travailler selon les idées et la ligne que suivait le *Slovo Istinny* [sic][354]. De tous les jeunes prêtres russes ou futurs prêtres russes, il est celui qui comprend le mieux (ou peut-être le seul qui comprenne bien) l'idée du travail pour l'Exarcat. À l'égard de Votre Excellence, il a une affection toute filiale. Son idée de l'apostolat à Nice diffère un peu de la mienne, en ce que j'aurais surtout envisagé une aide matérielle et morale des Russes souffrants en leur faisant surtout connaître le Christ sous l'aspect du *Venez à moi, vous tous qui souffrez...*, tandis que lui (d'ailleurs sans aucun prosélytisme froissant) veut d'emblée

---

352. (En grec, *gerontas*.) Terme slave signifiant littéralement « vieillard », le *starets* désigne un père spirituel exceptionnel (d'habitude un moine) réputé pour sa sainteté, sa sagesse et son intuition de la vie spirituelle.

353. Napoléon Ier a été empereur des Français de 1804 à 1814 et en 1815. Dans les années vingt, le starets aurait eu plus de cent ans.

354. Revue publiée à Saint-Pétersbourg par les gréco-catholiques russes avant la Révolution.

faire connaître l'orthodoxie catholique, agir sur les intellectuels, et arriver à former un Кружокъ въ именне Вл. Соловіева[355]. C'est d'ailleurs une très bonne conception et qui, je l'espère, portera des fruits. Naturellement, j'évite en tout de paraître imposer mes idées quant au ministère auprès des Russes; c'est le P. Alexandre qui a la *Seelsorge*, et ma situation non officielle auprès de lui est évidemment très délicate, mais j'espère m'en tirer, car nous nous entendons parfaitement bien.

14 juin,

Je reprends cette lettre. Il n'y a pas d'heure où je ne sois interrompu par des Russes, et il est moralement *impossible* de les renvoyer. Provisoirement, j'essaie d'assurer ma vie spirituelle en faisant deux heures de prière mentale (plutôt contemplative) par jour. Au bout de quelque temps, lorsque la situation sera mieux assise, j'arriverai, je pense, à régler mon régime de vie. Je reviens à Deubner. Il est aussitôt entré dans sa tâche avec un enthousiasme et un courage admirables. Déjà les Russes viennent à lui et lui témoignent une sympathie qu'ils n'ont jamais montrée au pauvre père Stoïtchef. J'ajouterai que même ce qu'on pourrait appeler les petits défauts du P. Alexandre (outrance de pensée et de langage, intégrisme dans son traditionalisme moscovite avec une incontestable étroitesse par rapport à l'Occident, inexactitude matérielle) le rendent sympathique aux Russes, qui se reconnaissent en lui. "Онъ широкъ по натуре, онъ нашъ[356]..." (J'ajoute, pour me louer aussi [*mot illisible*] toutefois c'est un compliment! qu'hier un Russe m'a demandé comment, n'étant pas Russe d'origine, j'avais pu devenir si Russe de tendances). Le P. Alexandre a débuté à la chapelle le jour de la Pentecôte et a très bien réussi. Il a fait un petit discours très simple et qui partait du cœur. Peut-être n'aurais-je pas, comme lui, fait une charge contre le bolchévisme (ce qui a d'ailleurs plu à quelques auditeurs russes), mais là où je trouve qu'il a été exact c'est quand il a dit qu'il venait à Nice avec une mission qui [*mot illisible*] que de paix et de charité et qu'il demandait les prières de tous pour qu'il puisse se sanctifier lui-même et sanctifier les autres.

---

355. Le Cercle Vladimir Soloviev.
356. « Il est très généreux. Il est des nôtres. »

15 juin,

J'ai encore dû m'interrompre. Mgr van Cal[oën] de retour d'Allemagne, est venu hier ici. Il a été très content de son entrevue avec Deubner. Il espère toujours que Votre Excellence achètera plus tard cette maison et y établira des moines russes. Deubner vient de me lire la lettre qu'il écrit à Votre Excellence. J'ai eu avec Deubner des conversations intéressantes sur le concept d'orthodoxie catholique. Il se considère, non pas comme un membre de l'Église catholique qui suivrait le rit oriental (ce qui est pour lui l'uniatisme), mais comme un membre de l'Église orthodoxe russe, soumis au patriarcat de Moscou et *in radice* aux évêques russes orthodoxes, mais qui pour le moment s'est séparé de ses propres évêques parce que ceux-ci sont momentanément en rébellion contre l'évêque de Rome. Il n'admet pas que l'Église russe en tant qu'Église soit schismatique et par suite il admet qu'un Russe catholique, même s'il y a à proximité des églises catholiques, se contente, le dimanche, de suivre les offices orthodoxes (d'ailleurs il nie qu'un Russe, soit catholique soit orthodoxe, ait l'obligation d'entendre aucun office le dimanche). Il fait un grand usage du principe d'économie[357] et rejette toute application de la discipline latine aux Orientaux. *C'est dans ces idées que j'ai été élevé à la maison, dit-il ; mon père me menait en pèlerinage dans les sanctuaires orthodoxes, et je ne puis oublier que, tout enfant, j'ai été dans les bras de Soloviev. Ici à Nice, mon véritable ordinaire est l'archevêque russe Vladimir, et, si ce n'était la crainte du scandale, je le nommerais à la liturgie.* Même si l'on n'admet pas toutes ces idées, il faut reconnaître qu'elles permettent à Deubner de se rendre plus facilement acceptable aux Russes ; il les aborde en disant : Je suis un prêtre de l'église pravoslave russe ; je suis aussi pravoslave que vous, mais plus traditionnel...

J'en viens à la question monastique. Deubner semble comprendre très bien le monachisme oriental. Il n'y a en lui aucun orgueil. Peut-être sa conception est-elle plus intellectuelle que la

---

357. En droit canon et dans la pratique pastorale orthodoxe, on invoque le principe d'économie (*economia*) lorsqu'un prêtre ou un hiérarque décide d'appliquer la loi avec indulgence ou de soustraire quelqu'un à ses dispositions pour obtenir un bien supérieur ou en présence de circonstances atténuantes. Ainsi, par exemple, bien que l'Église orthodoxe interdise l'incinération des morts, elle la permet par économie dans certains cas lorsqu'un bien supérieur, comme la prévention des maladies lors d'une épidémie, le justifie.

mienne; il rêve d'un monastère dont les moines travailleraient à construire une théologie orthodoxe-catholique *russe* selon la ligne de Soloviev, mais il voit très bien que le royaume de Dieu dans l'âme et non telle ou telle œuvre est le but du monachisme, et il admire les старци[358]. Il désire *beaucoup* devenir moine. Ne pourrait-on pas procéder ainsi: dès le 1er juillet, il serait послушникъ[359] (j'emploie le terme moscovite, car avec Deubner il faut absolument moscovitiser) de la laure d'Univ; il voudrait prendre le nom d'André (Alexandre-André, comme Votre Excellence); si dans la suite tout allait bien, et puisque, le vrai noviciat étant chez nous le temps des vœux temporaires, il n'y a pas d'inconvénient à hâter la profession temporaire, ne pourrait-il pas devenir moine avec des vœux d'un an à Noël 1927? *Je prierais Votre Excellence de vouloir bien me répondre à ce sujet, si possible, avant le 1er juillet.* J'écrirai à Votre Excellence dans ma prochaine lettre comment j'envisage le noviciat de Deubner. Il sera très occupé par son ministère; *plus* d'une demi-journée sera *absolument* nécessaire à ce ministère, je le vois bien, mais je crois que tout pourra s'arranger. Je crois Deubner tout à fait incapable de devenir un religieux occidental, je doute même qu'il lui serait possible de s'adapter à un monastère galicien (à cause du rit et de la mentalité générale), mais je le crois très capable de devenir un bon *moine russe*. Je crois qu'avec lui on ferait fausse route en voulant lui imposer telle ou telle tendance ou telles observances très précises; ce qu'il faut, c'est veiller à ce qu'un certain feu qu'il possède ne s'éteigne pas, mais continue à brûler, puis laisser se développer assez librement son ascèse qui est un peu originale (comme chez tous les Russes), mais sérieuse, et voir seulement qu'il n'y ait pas d'écarts hors de la voie. Je le répète, sur les modalités de ce noviciat, je vous écrirai plus longuement. D'ailleurs c'est à Vous et au Père Higoumène à prescrire: nous sommes simplement vos moines. Et voilà que nous serons (je l'espère) trois! Car il y a un troisième. Un grand géant blond, de 34 ans, de Kief, parlant russe et ukrainien, mais se considérant comme purement russe, étudiant, officier et grand propriétaire, – actuellement jardinier et figurant de cinéma – Anatole Apouchkine. Depuis longtemps, il désire être catholique; il

---

358. La forme plurielle de *starets*.
359. Premier rang de la vie monastique orientale, équivalant à celui de postulant. Le terme signifie littéralement « qui obéit ».

ne l'est pas encore formellement (on a voulu qu'il attende), mais il est псаломчикъ [sic][360] de notre chapelle, avec une vraie voix de diacre russe. C'est un vrai mystique russe: il raconte comment les *Frères Karamazof* expriment sa *Weltanschauung*, comment il a renoncé à la viande pour développer en lui le principe spirituel et étouffer le principe charnel, comment il croit qu'avec la grâce un homme pourrait totalement jeûner pendant 40 jours, ce qui est son désir, – etc. Le pauvre P. Stoïtchef ne comprend rien à tout cela et dit: Il est extravagant! et il voulait l'envoyer au monastère du prince Ghika. Deubner et moi avons beaucoup parlé avec lui: loin de le tenir pour extravagant, nous le trouvons très sensé, très religieux, ayant à la fois beaucoup d'humilité et beaucoup de force, avec des idées un peu fantastiques, mais pas plus que n'importe quel autre Russe. Apouchkine est décidé de se joindre à nous pour essayer de mener une vie religieuse (les modalités matérielles, financières, de cette conjonction reste en à préciser, – il continuera à travailler pour son compte). En octobre, il verra si notre vie lui plaît et s'il veut défi-nitivement être nôtre; sinon, il ira chez Ghika. Donc, actuellement, nous allons être trois. C'est plus et plus vite que je n'aurais osé l'es-pérer. Si l'expérience réussissait, si Deubner et Apouchkine pouvaient devenir moines, et si d'autres se joignaient à nous, ainsi la première communauté monastique orthodoxe-catholique russe aurait été établie par les studites, et ce serait pour l'Exarcat un vrai pas en avant.

Mgr van C[aloen] m'a proposé de continuer à tenir ouvert le Bureau du travail de M. Penkof. Ce dernier est devenu directeur d'un Bureau du travail à la Croix-Rouge russe, mais je crois qu'il ne s'offenserait pas de ce qu'un autre Bureau du travail existât, comme par le passé, à l'Œuvre catholique russe, cela pour deux raisons: 1) parce que les catholiques versent encore 500 F par mois à M. Penkoff comme traitement personnel; 2) parce qu'il y a assez à faire à Nice pour deux Bureaux du travail russe. Les évêques catho-liques tiennent à ce qu'un Bureau du travail continue à exister dans leur œuvre, mais ils n'ont en ce moment pas assez d'argent pour rétribuer le secrétaire de ce bureau. Mgr van C[aloen] me propose de tenir le bureau ouvert sans que je reçoive aucune rétribution

---

360. Dans une église russe, un *psalomchtchik* est le chantre responsable de certaines parties du service et, en l'absence d'une chorale, de tous les répons.

pendant le mois de juillet; si, dit-il, cette expérience d'un mois montre que les Russes viennent et que ce bureau garde sa raison d'être malgré le transfert de celui de M. Penkoff à la Croix-Rouge russe, alors on fera ce qu'on pourra pour vous assurer un traitement dans la suite. J'accepte donc de tenir gratuitement le bureau en juillet: c'est un travail de charité, convenant à un moine, ne prenant pas trop de temps, et où je peux travailler en liaison avec Deubner; si l'expérience réussit, j'aurai un traitement et serai délivré dans la suite du souci financier. Je mets comme condition que nous *collaborions* avec le bureau de Penkoff et de la Croix-Rouge russe, et je m'assurerai d'abord des dispositions que l'on a de ce côté-là.

Groum a totalement disparu. Il avait quitté Nice en disant que le Saint-Siège l'appelait à Rome, mais, à Rome, personne ne l'a vu, ni à la Congrégation orientale, ni à la Commission russe. Personne ne sait où il est. Cette disparition donne lieu à toutes sortes de commentaires malveillants. Il paraît que, dans les derniers temps de son séjour, il lui arrivait de prendre un billet de chemin de fer pour un lieu quelconque, mais, une fois à la gare, lorsque son train allait partir, il s'asseyait sur un banc et se demandait: Est-ce que je veux vraiment prendre ce train? Et il laissait partir le train...

16 juin,

Ce matin, Deubner critiquait en termes violents les latins. Je lui ai fait observer, très doucement, que nous devions nous efforcer d'être plus constructifs que négatifs et de ne pas juger quand ce n'est pas nécessaire. Il s'est mis à pleurer en disant que les latins l'ont tant fait souffrir, etc. – qu'il voyait bien que j'étais mécontent de lui et qu'il était inapte à la vie monastique, etc. J'ai tâché de le consoler. Il veut maintenant refaire la lettre qu'il vous a écrite hier, de peur que cette lettre (assez peu latinophile) vous mécontente! Je lui ai conseillé de vous envoyer cette lettre telle quelle. Je vois qu'il faudra parfois agir avec lui comme avec un enfant.

Je concélèbre chaque jour avec Deubner. Avant la liturgie, nous avons ensemble, à l'église, la *vétchérnia*[361] précédée du *déviatyi tchass*[362]. À la liturgie, nous mentionnons: 1) Votre Excellence; 2) puis l'exarque; 3) et enfin l'évêque de Nice.

---

361. Vêpres.
362. None.

Krijanovsky m'a de nouveau écrit. Bonne et longue lettre. Le séminaire de Lille est définitivement fermé (on dit que, parmi ces séminaristes bolchévistes, il y avait Lénine, il y avait Trotsky, il y avait Zinovief, et il y avait même le многострадальный русскій народъ[363], représenté par le pauvre Spassky !) Krijanovsky, qui travaille dur pour ses études et pour la subsistance de sa soeur et la sienne propre, déplore de n'avoir pas reçu les dollars que vous lui aviez envoyés au commencement de l'année. Je lui envoie 50 F, car il a besoin d'argent pour des livres. Mes ressources sont limitées, mais je crois qu'envoyer un peu d'argent à K. me portera bonheur.

Längauer m'a aussi écrit. Il est bien inquiet à la pensée que vous allez peut-être lui retirer sa subvention. Je ne me permets pas de demander à Votre Excellence quoi que ce soit en faveur, je peux seulement vous assurer que ce que vous faites pour lui ne tombe pas dans un cœur ingrat et qu'il a, cette année, consciencieusement travaillé.

Pour réduire mes frais de correspondance, je joins à cette lettre ma réponse à Längauer ; je prierais Votre Excellence de vouloir bien la faire parvenir sous enveloppe à l'adresse suivante : Längauer, Politechnika, Lwow. Je vous serais aussi très reconnaissant, à l'occasion, de rappeler à Perridon que j'attends une réponse concernant le *Maasbode* ;[364] j'ai mis une lettre pour Perridon dans la lettre que j'ai envoyée à Votre Excellence de Valence, j'espère que Votre Excellence a reçu cette lettre. Enfin, Votre Excellence aurait-elle la bonté de demander au P. Matthieu de faire suivre mes *Irénikon* ; je n'ai pas reçu celui de mai. Pardonnez-moi de vous charger ainsi de mes affaires et de vous envoyer d'aussi longs et incohérents bavardages. Je n'ajoute rien pour le P. Higoumène, puisque toutes mes lettres sont aussi pour lui.

Que les studites veuillent bien prier pour Deubner, pour Apouchkine et pour moi. Que Votre Excellence nous bénisse et me croie toujours son fils très humblement dévoué.

Fr. Lev

Deubner a annoncé pour dimanche une pannychide[365] pour les dernières victimes de Moscou. Cela a produit une très bonne impression.

---

363. « La nation russe qui a beaucoup souffert. »
364. *Maasbode* est un journal hollandais publié durant les années vingt.
365. Un service commémoratif pour les défunts d'une durée de 20 à 40 minutes, selon son abrègement.

N° 49

fol. 165 r

No 3 [*sic*][366]

[Carte postale : Nice, cachet postal 11/6/27]

Pessicart, 11/6/27

Deubner déjà ici. Bonnes perspectives d'avenir. J'espère que mes correspondances numérotées 1 (carte) et 2 (lettre) sont arrivées. Lettre suit.

Hommage filial.

L.G.

N° 50

fol. 166 r

Nice, 16 juin

Cher Iouri Vladimirovitch ![367]

Merci beaucoup pour votre carte. Je ne vous oublie pas. J'ai écrit au Métropolite André et lui ai parlé de vous ; soyez sûr que j'ai mis dans cette lettre toute l'affection que j'ai pour vous. J'espère que tout pourra s'arranger au mieux de vos intérêts. J'ai célébré une pannychide pour votre sœur Nina. Me voilà donc à Nice, et déjà deux Russes se joignent à moi pour essayer de vivre la vie monastique ! Je ne sais quel sera le résultat. Il y a par ici 40 000 Russes, presque tous très malheureux. Je ne vous écris pas longuement, car ici je suis très occupé. Mais je veux vous dire encore ce que je vous ai dit en partant : je vous aime beaucoup et je regrette de ne vous l'avoir pas assez montré, de n'avoir pas fait pour vous à Lvof tout ce que j'aurais voulu faire. Dites à Donat Vladimirovitch que je le remercie encore d'avoir été toujours si amical pour moi. Tenez-moi au courant de ce qui vous arrive. Je vous embrasse affectueusement, cher Iouri, et demeure toujours votre ami dévoué

hiéromoine Lev

---

366. Voir la note *supra* au sujet de la séquence inversée des numéros 4 et 3.

367. Cette lettre fait partie des archives de la correspondance Gillet-Cheptytsky. Bien sûr, Gillet voulait que Cheptytsky en ait une copie, particulièrement parce qu'il y fait mention du métropolite.

N° 51

fol. 167 v

Nice 20 av. de Pessicart
7/7/27

Excellence !
Je vous écrirai longuement à Velehrad. Aujourd'hui seulement un mot pour vous dire que tout va bien. Le P. Alex. est pour quelques jours à Paris ; comme je vous l'expliquerai, ce voyage ne semble pas inutile. *Notre effort rencontre en ce moment beaucoup de sympathie.* Je vous donnerai des détails. Merci beaucoup pour votre carte. Reçu une carte d'Allemagne du P. Higoumène.
Respectueusement et affectueusement vôtre,
смиренный іеромонахъ Л[368].

N° 52

fol. 168 r

Paris, 17/7/27
Преосвященный Владыко и дородой Оче [*sic*][369] !
Je quitte Paris ce soir et je n'ai pas le temps de Vous écrire longuement. Demain, en cours de route, je Vous enverrai une seconde lettre développant et précisant celle-ci. Vous voyez dès maintenant par ce qu'écrivent le P. Vladimir, le P. Serge (Grum G.), et le P. Alexandre (celui-ci à Nice), ce qui est désiré de Vous. Je me joins à eux pour Vous dire que, si votre santé et la question financière le permettent, il serait très utile que vous veniez de Velehrad à Paris. 1) Cela permettrait d'avoir, à défaut de d'un соборъ[370] formel, un създъ[371] des prêtres de l'Exarcat actuellement en France, et cette réunion aurait une grande influence sur le travail pour l'Exarcat ; 2)

---

368. « L'humble hiéromoine L[ev]. »
369. « Très saint Maître et cher Père ».
370. Concile
371. Un congrès.

Il y a la question monastique (je reviens là-dessus plus loin) ; 3) le baron ami du P. Vladimir et plusieurs personnalités désirent vous voir, vous savez pourquoi, – les projets semblent se concrétiser et déjà on semble fixer une date (toute proche) pour les premiers événements.

Question monastique. Nos amis sont tous d'avis que l'Exarcat doit avoir *près de Paris* un подворіе[372] où se trouveraient à la fois des moines et des prêtres ou fidèles séculiers travaillant selon cette ligne. Le P. Serge, dans la compétence financière et organisatrice duquel le P. Vladimir a toute confiance, fait des démarches pour trouver une maison avec un terrain pouvant faire vivre la maison (par la culture) et pour vous présenter prochainement un projet d'achat acceptable. Ni Vous ni moi n'envisagions si tôt un tel achat ni un établissement près de Paris, et c'est à Votre Haute Toute Sainteté d'apprécier les arguments qu'ils font valoir. Mais de toute façon, je dois vous dire que la question de l'acquisition d'un local (que ce soit à Paris, à Nice ou d'ailleurs) se pose *dès maintenant* et devrait être résolue *avant l'automne*. En effet, déjà cinq ou six candidats russes, loin de Nice, dont chacun nous est connu personnellement et donne de bons espoirs, – je vous donnerai les noms et détails – nous ont sondés pour se joindre à nous. Mais, en supposant qu'ils trouvent : 1) de l'argent pour venir à Nice ; 2) un travail d'ouvrier à Nice (et à Nice un tel travail est *extrêmement difficile* à trouver), ils en seront toujours réduits, une fois à Nice, faute de local dont nous disposions, à vivre séparés et peut-être à une grande distance les uns des autres. Moi-même, comme je vous l'expliquerai, je suis déjà obligé de manger et de coucher dans un autre local que le P. Alexandre. Dès lors la vie monastique devient presque impossible. Tant que nous n'aurons pas une petite maison, louée ou achetée, où nous puissions réunir nos candidats, nous ne pouvons guère accueillir de vocations, et je crains que ceux qui semblent venir à nous ne s'éloignent à cause de cela. Comment résoudre la difficulté ? Un emprunt en Hollande ? On trouve, soit près de Paris, soit près de Nice, des occasions financières extrêmement favorables. Nous voudrions parler de tout cela avec vous, Ваше Високопреосвященство[373]. Mais, dès maintenant, je crois qu'il faut se préoccuper d'avoir un local.

---

372. Un centre ou foyer.
373. L'équivalent slave de « Son Excellence »

Si vous veniez à Paris, je dois vous dire que ni le P. Alexandre ni moi n'aurions des ressources suffisantes pour y aller sur nos propres fonds (l'aller-retour Paris-Nice, 3ᵉ classe coûte 345 F) Si vous veniez à Paris et ne jugiez pas opportun que le P. Alexandre et moi y venions, nous vous prierions de venir à Nice ; vous pourriez voyager par la Suisse ou par Milan-Trieste. Si vous ne veniez pas du tout, ne serait-il pas bon que le P. Higoumène vînt pour les questions monastiques ? Veuillez faire connaître le plus tôt possible vos intentions au P. Vladimir. Je le considère ici comme votre délégué, et lui-même me considère comme appartenant au moins temporairement) à l'Exarcat. Je vous écrirai donc dès demain, toujours à Velehrad. J'espère que ce voyage ne vous fatiguera par et que votre présence et, je pense, votre parole porteront des fruits. Vous aurez su la mort de l'archimandrite Dabitch.

Благослови, Владыко[374] !

Votre fils très humblement dévoué dans le Christ.

іеромонахъ Левъ[375]

N° 53

fol. 170 r

17/7/27

Высокопреосвященный Владыко и Оче [*sic*] [376] !

En route de Paris à Nice – j'ajoute quelques explications à ma lettre d'hier. Le P. Alexandre était donc allé à Paris pour prendre contact avec le P. Vladimir et de là à Auberive, dans la Hᵗᵉ Marne, pour parler avec des jeunes Russes qui s'intéressent à notre œuvre. De retour à Nice, il m'a apporté un appel pressant du P. Vladimir et de Grum pour que je vinsse de suite à Paris : Grum désirait que je voie sur place une propriété à Neuilly, avec terrain, à céder dans des conditions financières très favorables : 150 000,00 F dont seulement 50 000,00 F payables cette année et 200 000,00 F payables dans un délai de 20 ans ; on avait jusqu'au 1ᵉʳ août pour accepter ou refuser, d'où l'urgence de mon voyage. Grum et Abrikosof voulaient

---

374. Maître [c'est-à-dire Évêque], daigne bénir !

375. « L'hiéromoine Lev ».

376. « Très saint Maître et Père ».

absolument que vous preniez cette maison, quitte à faire un emprunt, et qu'elle devînt un centre à la fois monastique et ecclésiastique pour l'Exarcat ; je devais, si cela me paraissait favorable, vous rendre compte aussitôt de l'affaire. Après mûr examen à Paris, il nous a semblé meilleur de ne pas chercher à acquérir cette maison de Neuilley, le terrain étant trop restreint pour permettre à une communauté d'en vivre par la culture ; mais Grum déclare qu'il a d'autres occasions, que vous devez absolument faire une fondation dans les faubourgs russes de Paris, etc. Mgr Chaptal est du même avis et a dit à Abrikosof qu'il regrettait que je sois allé à Nice. Si vous veniez à Paris, Grum pourrait aussitôt vous présenter de nouvelles propositions concrètes ; il est en rapports avec toutes sortes d'hommes d'affaires et d'hommes de loi. Je n'insiste pas sur la question du съѣздъ, que tous croient utile. Je n'insiste pas davantage sur mes conversations avec le baron W. Je ne peux pas en parler dans cette lettre.

Au point de vue monastique, Deubner nous est donc tout acquis. Je vous ai déjà dit que notre псаломчикъ [*sic*] de Nice, A. Apouchkine, désirerait se joindre à nous ; il a fait, il y a une semaine, son adhésion formelle à l'orthodoxie-catholique. Messing[377], que vous connaissez, et qui est actuellement l'hôte du prince Ghika à Auberive, sans être agrégé aux frères de St-Jean, a dit à Deubner qu'il se joindrait aussitôt à toute organisation monastique qui lui permettrait de mener une vie tout à fait retirée et anachorétique ; jusqu'ici son regret a été de ne rien rencontrer de semblable chez les Orientaux catholiques ; je crois que, comme moi, vous voyez en Messing un homme très sérieux et vivant une vie surnaturelle profonde ; l'avoir serait un excellent point de départ. Ordintsev, d'Amay, que vous connaissez aussi de réputation, m'a écrit qu'il devait faire ses vœux perpétuels le 6 juillet (il est déjà moine, d'un monastère pravoslave), mais qu'il se sentait repoussé d'Amay où la vie est trop bourgeoise et liturgiquement hybride, qu'il veut une ascèse russe, qu'il me demande de le prendre, etc. Je lui ai répondu prudemment, sans l'encourager à quitter Amay, lui disant cependant que nous l'accueillerions volontiers, et ne lui dissimulant pas que nous ne pouvons pas, en ce moment, l'entretenir financièrement,

---

377. Il s'agit sans doute de Dimitri Messing, dont on ignore à peu près tout sauf les dates de naissance (1887) et de décès (1944).

qu'il doit donc gagner assez d'argent pour venir à Nice et y subsister. Il est probable que cette réponse l'aura découragé. C'est une âme très bonne, mais extrémiste, violente. Enfin, Gavrov, que je connais personnellement et qui vivait jadis à Nice (un jeune), et Kamensky[378], un autre jeune actuellement à Auberive et que Deubner a connu à Constantinople, tous deux sincèrement pieux, intelligents, sans avoir en ce moment une vocation monastique, voudraient vivre avec nous une vie religieuse, travaillant de leurs mains, et se consacrant aussi à un apostolat intellectuel dans le sens de l'orthodoxie-catholique (mouvement de Pétrograd, *Слово истинны* [sic]) ; leur idéal serait d'installer dans notre monastère une typographie. Abrikosof a le même désir. Vous voyez que les éléments humains se présentent, mais faute d'un immeuble avec possibilité de culture et donc d'entretien autonome, je ne puis les accueillir et les grouper, et je crains même que l'impossibilité où je suis de leur donner une réponse ferme n'ait déjà découragé leur mobilité russe. Abrikosof assure que, si nous étions près de Paris, nous aurions une foule de candidats et la possibilité de faire un bon triage parmi eux. Comme je vous l'ai écrit, il est pratiquement presque impossible d'avoir une communauté à Nice (à moins de posséder un terrain cultivable), car 1) il est très difficile de trouver du travail comme ouvrier ; 2) ce travail oblige à vivre tout à fait dispersé dans la ville ou même assez loin de la ville. Mon intention personnelle aurait été de vous prier de louer une petite ferme près de la mer ; on en trouve à bon marché et surtout on peut revendre dans cette région avec de gros bénéfices. Mais vous voyez comme Abrikosof et Grum insistent pour que nous venions près de Paris. Si vous veniez, vous pourriez vous former une opinion. Je m'attendais à passer de longs mois seuls, sans que personne parle de venir, et voici que déjà notre effort trouve de l'écho. Que faire ?

Deubner est *excellent*, très nerveux et désordonné, à vrai dire, mais c'est secondaire ; on peut compter sur lui. Le P. Higoumène doit m'envoyer le texte de la cérémonie pour l'admission d'un послушникъ ; il sera alors possible de le recevoir officiellement. Je trouve Deubner très représentatif des qualités et des défauts des Russes ; il les synthétise et les met en relief avec clarté, et par là je

---

378. Aucun renseignement n'est disponible au sujet des ces jeunes hommes qui, semble-t-il, ont quitté la scène ecclésiastique russe sans laisser quelque trace.

commence à me former une idée nette de ce que peut être la vie monastique avec des éléments moscovites; Deubner – et tous les autres, je crois – ne pourront jamais se plier à des horaires très précis et à un cadre de vie très fixe; il me semble qu'avec eux le mieux est de veiller simplement à la permanence d'une certaine flamme, à la continuité d'un certain effort ascétique, et, quant aux modalités de cet effort, leur laisser une grande liberté, – les laisser être des chercheurs de Dieu chacun selon son appel et sa grâce propre. Ils diffèrent énormément des Galiciens, déjà si occidentalisés et moins violents, et ne pourraient se plier comme les Galiciens à des formes de vie où déjà l'ordre latin se fait sentir. Ainsi je crois que nous serons amenés à prendre en très sérieuse considération la conception russe du noviciat : c'est-à-dire pas de maître des novices et pas de formation unique pour les послушники mais liberté pour le послушникъ de s'attacher à tel ou tel ancien moine. J'ai rencontré à Nice plusieurs Russes pieux qui passaient jadis leur temps à courir de старець en старець, de skite en skite[379], et qui m'ont donné des renseignements très précieux sur l'organisation intime de la vie dans ces milieux; d'autre part, Abrikosof connaît très bien les observances du désert d'Optina ; tout cela m'est très utile. Sur le conseil d'Abrikosof, j'essaie de me conformer à la Pratique d'Optina quant au nombre des Господи, I. X., помилуй мя грѣшнаго[380] et поклоны[381] de chaque jour. Les jésuites de Lyon m'ont avoué que les candidats russes des noviciats jésuites n'ont pas réussi, parce qu'on n'a pas pu leur donner le genre de подвигъ[382] dont ils ont besoin : non pas seulement une vie monastique de rit oriental, mais une ascèse spécifiquement russe, – la tradition de saint Serge de Radonièje et de saint Séraphim de Sarov.

Au point de vue purement ecclésiastique, je dois remercier Dieu de ce que notre œuvre à Nice semble réussir de mieux en mieux. Je

---

379. Dans le monachisme orthodoxe, on trouve d'habitude trois types de « communautés ». La première regroupe de nombreux moines et s'appelle en général un monastère; s'il est particulièrement vaste et important, il reçoit parfois l'appellation de « laure ». Le skite (du grec) est un simple bâtiment où habite une petite communauté, souvent isolée. La troisième forme de monachisme n'est pas à proprement parler une communauté, mais désigne simplement les ermites vivant dans la solitude.

380. « Seigneur Jésus-Christ, aie pitié de moi, qui suis pécheur ».

381. « Prosternations ».

382. En russe, un « podvig » est une forme de discipline spirituelle ou d'ascétisme.

ne veux pas dire que les orthodoxes se convertissent, mais ils viennent à nous avec sympathie. L'église était vide au temps du P. Stoïtchef, et maintenant il y vient du monde, non seulement pour la liturgie, mais aussi pour la всенощная[383] du samedi : ce sont des orthodoxes qui l'entretiennent, y mettent des cierges, des fleurs, etc. Le P. Alexandre prêche le samedi soir et le dimanche matin : sermons courts, pleins de cœur, tout pénétrés de la pensée de Soloviev et d'attachement à la Святая Русь[384]. Quand il ne peut pas, c'est moi qui prêche (même en russe !), et je dois constater, objectivement, qu'on vient volontiers nous entendre. J'ai été très étonné de ce qu'une dame russe profondément orthodoxe, fille spirituelle et amie intime de l'archevêque Vladimir de Nice, m'ait prié de donner le законъ Божий[385] à sa fille. La lutte entre Euloge et Antoine facilite la tâche du P. Alexandre ; les fidèles ont pris l'habitude de voir, à Nice même, telles églises relevant d'Euloge, telle autre relevant d'Antoine, et ils trouvent tout naturel qu'une autre église *orthodoxe* (car nous insistons beaucoup sur notre appartenance à l'*Église orthodoxe russe*) soit en communion avec l'архиерей [*sic*][386] de Rome. Les orthodoxes s'intéressant aux questions religieuses nous prient de venir les voir, de parler avec eux. Mgr van Caloën nous a confiés (se chargeant de l'entretien matériel) trois enfants russes, orthodoxes-catholiques, dont l'un veut devenir prêtre ; ils vivent avenue de Pessicart, no 20. Je ne crois pas trop dire en avançant que Nice est maintenant l'un des points où l'œuvre religieuse pour les Russes va le mieux, et, certainement, c'est le seul point où, en tout, on travaille dans le sens de l'Exarcat et de l'orthodoxie-catholique, – remarquez que nous ne disons pas dans le sens du catholicisme de rit byzantino-russe, car, pour nous, l'orthodoxie catholique russe est quelque chose d'autre, de spécifique – nous ne sommes pas des catholiques qui pratiquons le rit oriental, – nous sommes des *orthodoxes*, admettant toute la tradition orthodoxe russe (et ses saints), en communion avec la chrétienté occidentale et son patriarche, – c'est le point de vue Fédorof-Abrikosof, – et remarquez

---

383. Dans la tradition byzantino-slave, la « vsenochnaia » est un service composé des vêpres et des matines et célébré la veille d'une fête importante ou le samedi soir comme partie intégrante de la célébration du dimanche.
384. "La sainte Rus'"
385. Littéralement, la « Loi de Dieu », de fait, le catéchisme.
386. L'hiérarque, c'est-à-dire l'évêque de Rome.

aussi que nous ne nous disons pas католический, mais каѲолический. Deubner met un abîme dans ce Θ[387] !!! Je crains parfois que l'universalisme chrétien ne perde un peu dans cette conception d'une orthodoxie-catholique russe que, par ailleurs, on associe étroitement (au moins dans le cœur, sinon en chaire) avec le nationalisme moscovite et la dynastie impériale (le tsar christophile), mais je dois constater que cette idéologie exerce un puissant attrait sur les Russes et que, par là, Deubner agit sur eux comme jamais Sipiaguine ou Evrénioff ne pourrant le faire.

Comme je vous l'ai écrit, tout en gardant mon domicile officiel à la Maison des œuvres russes, 20 avenue de Pessicart, j'ai cessé d'y loger et d'y manger.

D'abord, parce que cette maison, actuellement pension de famille pour dames russes, n'est destinée à abriter, comme prêtre, que le prêtre chargé de l'église (Deubner), et aussi parce que je voulais vivre plus retiré, si possible hors de Nice. J'ai donc loué pour trois mois (1er juillet – 1er octobre) un petit appartement de 2 pièces ou plutôt 1 cuisine, 1 chambre et 1 corridor, dans une maison située à Saint-Sylvestre, à la campagne, à 2 kilomètres de Nice. Il y a là aussi un jardin dont je peux disposer. Je partage ma journée en deux moitiés. Le matin, je vais avenue de Pessicart, je célèbre la liturgie, je vois Deubner, je reçois les Russes. L'après-midi, je reste à la campagne, m'occupant des choses de Dieu et d'un travail manuel que je préciserai tout-à-l'heure. Je ne suis pas seul dans mon petit logis. Pouvais-je y vivre alors que tant de Russes sont sans toit ? Au lieu de dépenser mon argent en secours à droite et à gauche, j'ai préféré aider plus solidement des gens qui m'en semblaient très dignes. J'ai donc installé dans ce petit logis une famille russe : le père, Nicolas Krilof, ancien lieutenant de la garde, 28 ans, blessé de guerre, maintenant ouvrier plombier ; la mère, Evguénia Nikolaevna, 23 ans, Cosaque du Kouban ; 3 bébés : Kolia, Iourka, Tatiana. Ils étaient sans travail, sans pain, sans logement, chargés de dettes. Ils sont très bons, très sympathiques, profondément chrétiens (orthodoxes non-unis). Bientôt je

---

387. En russe, on peut translittérer et traduire καθολικός de deux façons. La première signifie « catholique » dans le sens confessionnel, c'est-à-dire « catholique romain » ou « catholique de l'Orient », etc., tandis que la seconde indique le sens étymologique – « selon le tout », ou « plénitude » – *kat holon*. Tandis que le second sens n'exclut pas le premier, il dépasse assurément les catégories confessionnelles.

crois qu'un jeune Russe de Marseille viendra augmenter cette petite colonie. Je me suis réservé le droit d'être nourri par eux, – je partage donc leurs repas, je leur ai abandonné chambre lits et draps, – jusqu'ici j'ai couché dans le jardin, par terre, ce qui est possible avec les chaudes nuits de Nice, et, quand il fera froid, je coucherai par terre, dans un coin de la cuisine. L'après-midi, je les aide un peu aux travaux du ménage : laver la vaisselle, éplucher les légumes, etc. J'essaie en tout de me sacrifier pour eux ; ils le sentent et ont pour moi un vrai attachement, – je crois que cette façon de vivre (assez peu ordinaire, je l'avoue) peut constituer un genre de подвигъ monastique. Notre commune vie matérielle est tout ce qu'il y a de plus pauvre. Notre nourriture (sans viande) varie suivant l'argent que Nicolas Nicolaïevitch[388] ou moi avons et le travail qu'il trouve. Bref, je puis dire que je mène en ce moment une vie plus dure matériellement et plus pauvre qu'un moine d'Univ. J'ose penser que c'est une humble façon d'annoncer le Christ et que ceux au moins qui partagent mon toit perdront certains préjugés contre la forme religieuse que je représente. Je dois dire aussi que je me sens très soutenu par Dieu. Je vis dans un état de joie, de lucidité mentale, et comme de spiritualisation physique. Il paraît d'ailleurs que c'est un effet du climat de Nice ; l'influence de la mer met dans un état continu de vibration nerveuse, rend le sommeil court et léger, diminue l'appétit, ce qui est une bonne condition spirituelle. Et je trouve que le panorama de la mer et de la côte a quelque chose qui élève l'âme. Je ne passe jamais près de la mer sans sentir mon horizon spirituel élargi et fortifié. N'allez pas en conclure que je suis sur la voie de devenir un starets ou un saint. Je voudrais simplement devenir un pécheur pénitent qui prendrait pour подвигъ essentiel la charité effective envers ses frères russes. Богъ есть любовь[389] : priez Dieu Amour d'accroître en moi l'amour.

Je considère Grum comme un vrai starets et un saint. Il est de ceux qui reçoivent le royaume de Dieu avec la simplicité d'un enfant. Il avait quitté Nice sans prévenir personne pour Vichy ; de là, Paris. Il vit à Boulogne sur Seine, en costume complètement laïc, sans jamais célébrer la liturgie (il se trouve indigne et est peut-être

---

388. Il s'agit de Nicolas Krilof, le père mentionné plus haut.
389. « Dieu est Amour. »

scrupuleux, il m'a dit que, depuis son ordination, il n'avait pas connu un seul jour de joie et de paix). Il communie chaque dimanche. On l'a fait beaucoup souffrir. Il met l'accent sur l'esprit et déteste la lettre. À Soleure[390], il avait prêché sur la conscience. L'évêque lui a fait une scène. La conscience, ça n'existe pas. La conscience d'un catholique, c'est son évêque, son curé, son confesseur. Vous êtes moderniste ou protestant. Au-dessus de son bureau, il a mis deux gravures qui, pour lui, représentent les deux aspects de l'Église : saint Bruno, fondateur des Chartreux, et l'Inquisition condamnant Galilée. Il m'a dit que Vous seul et l'évêque O'Rourke pouvez le comprendre. Mais c'est un homme qui, on le sent, a des aperçus profonds sur le monde surnaturel. Je serais heureux que le P. Alex. Deubner subisse un peu son influence. Le P. Alexandre, par son devoir même, est précipité dans la vie extérieure. Il faut qu'il sache apprécier le silence, la contemplation, la recherche du royaume de Dieu dans l'âme. Je voudrais que Vous ou le Père Higoumène lui indiquent en quoi un hiéromoine chargé d'une paroisse doit différer d'un prêtre séculier chargé de la même tâche : il me semble qu'il doit y avoir une grande différence, et, cependant, quand j'essaie de concrétiser ce que devrait être cette différence, sur tel ou tel point précis de la charge pastorale, je n'arrive pas à me le représenter nettement... Le P. Alexandre a une qualité qui va droit au cœur des Russes : sa charité. Il donne tout ce qu'il a. En ce moment, il porte des souliers tout percés, préférant distribuer en aumônes l'argent nécessaire à une réparation. Il ne suit certainement pas les règles de la prudence humaine, mais je ne veux pas l'en blâmer. Je trouve son attitude plus sympathique que celle d'un sage ou d'un prudent selon l'opinion de ce monde, et Dieu saura bien nous tirer toujours d'affaire.

Je ne sais ce que fait Perridon. Je n'ai pu obtenir une réponse de lui concernant la collaboration à des journaux hollandais (que lui-même m'avait proposée) et cependant cette collaboration me serait bien utile matériellement.

---

390. Soleure (Solothurn en allemand) est la capitale du canton du même nom dans le nord-ouest de la Suisse. Au début du XXe siècle, il était peuplé d'une écrasante majorité de germanophones catholiques. On y trouve un monastère et un site de pèlerinage très populaire, Mariastein. Au cours des derniers six cents ans, des pèlerins y ont accouru pour voir l'image de la Mère de Dieu dans une caverne.

Berg[391] a été déchargé de la Fürsorge[392] des Russes à Berlin. Il paraît qu'il s'est compromis dans la stupide affaire de la pseudo-Anastasia Romanovna.[393]

Le *sobor*[394] des églises russes relevant d'Euloge vient d'avoir lieu à Paris. Quatre-vingt-dix paroisses étaient représentées. C'est beaucoup relativement, mais enfin ce n'est guère que la France ; la majorité orthodoxe reste fidèle à Antoine. Euloge n'a avec lui que deux hiérarques, Vladimir de Nice et Serge de Prague. À l'occasion du *sobor*, le Patriarche oecuménique Basile III[395] a adressé à Euloge une lettre où, au nom des patriarches orientaux, il renouvelle la reconnaissance d'Euloge comme seul canoniquement institué en vertu des dispositions du Bienheureux Patriarche Tykhone et blâme une fois de plus Antoine et les Karlovatski. Les Antoniens font circuler des pamphlets violents contre Euloge. Ils ont, je ne sais comment, intercepté une lettre privée où Euloge déclarait à un correspondant qu'il appelle cher Serge Serguiévitch (sans doute Boulgakov) qu'il avait dû voir un médecin parce que, à la suite de toutes ses affaires, il se sentait шумъ въ головѣ и какой-то туманъ[396]. Les Antoniens ont publié cette lettre en se moquant et en disant qu'Euloge a parfaitement décrit son propre état mental. Au fond, c'est une question politique. Tous les Cent-Noirs[397]

---

391. Prêtre de rite romain, Ludwig Berg vient en aide aux émigrés à Berlin. Il dirige et publie en 1926 une collection d'articles écrits par des russes « convertis » au catholicisme.

392. Soins pastoraux.

393. Après la Révolution bolchevique, deux femmes, Anna Anderson et Eugenia Smith, surgissent en Europe occidentale prétendant être Anastasia, l'une des filles du Tsar Nicolas assassiné. Ce renseignement concernant la participation de Berg dans l'affaire de la pseudo-Anastasia ne semble pas de source fiable.

394. Concile.

395. Basile Georgiades était métropolite de Nicée lorsqu'il fut élu archevêque de Constantinople et patriarche oecuménique en 1925, titre qu'il conserva jusqu'en 1929. Il reconnut le statut patriarcal de l'Église orthodoxe roumaine, mais aussi celui de l'« Église vivante » créée par les Soviétiques en Russie. À Constantinople, il participa avec les catholiques à des pourparlers oecuméniques qui semblaient si prometteurs que Basile s'apprêtait à envoyer à Rome une délégation de quatre représentants des anciens patriarcats. Seules les hésitations du patriarche d'Alexandrie le firent reculer.

396. En russe, « Un bruit gênant dans la tête et une certaine confusion. »

397. Nom donné aux réactionnaires tsaristes en Russie après la rébellion de 1905. Les Cent-Noirs se composaient de différents groupes – ecclésiastiques, négociants, artisans, ouvriers – unis sous le mot d'ordre tsariste « *Autocratie, orthodoxie, Caractère national* ». Ils publièrent des journaux, organisèrent des sociétés et des congrès, mais furent aussi responsables de pogroms et d'actes terroristes à l'endroit des révolutionnaires.

marchent avec Antoine. Euloge s'oriente du côté Milioukof. Les Antoniens cherchent à faire dévier le débat sur le terrain théologique et disent qu'avec la bénédiction d'Euloge le Серриевское Подворие [sic] devient un centre de protestantisme[398]. C'est faux d'ailleurs. Les catholiques tirent des conclusions très inexactes de cette dissension entre hiérarques. L'évêque Chaptal disait à Abrikosof: ce schisme prouve maintenant aux orthodoxes la fausseté de leur position. Abrikosof l'a fort étonné et presque scandalisé en répondant: pas plus que le grand schisme d'Occident ne prouvait la fausseté du catholicisme. Comme Séraphim de Sarov avait prédit qu'il reviendrait sur terre quand la voix des évêques ne serait plus entendue, beaucoup de Russes attendent son retour. Le sanctuaire de Sarov a été brûlé, mais de grands pèlerinages y vont encore.

Vous avez à Nice une grande admiratrice, orthodoxe. C'est la femme du général Bezak[399], ancien maréchal de la noblesse du gouvernement de Kiev. Elle est venue me demander votre photographie et m'a raconté ce qui suit: – C'est son mari qui a obtenu que vous fussiez interné à Kiev à l'Hôtel Continental. Un jour, comme il parlait avec le général Trepov[400], celui-ci lui dit:

J'attends un prisonnier: le Métropolite André de Lvof.

– *Et où allez-vous le mettre?*

– *En prison.*

– *Ce n'est pas possible! Vous ne pouvez pas mettre un évêque en prison.*

– *Mais j'ai des ordres formels de Pétrograd.*

– *Cela ne fait rien. Mettez le Métropolite à l'hôtel.*

C'est ce qui fut fait. Les Bezak étaient intimes avec Euloge à Kholm; une fois à Lvof[401], Euloge les y invita et leur parla avec admiration de ce qu'il avait appris sur votre activité pastorale. Cela fit une

---

398. Dans cette lutte opposant Antonii (Khrapovitskii) et Euloge (Gueorgievskii), d'Herbigny appuyait Antonii.

399. Le général A. P. Bezak était le gouverneur général militaire de Kiev durant la seconde moitié du XIXe siècle.

400. Il y a au moins deux hommes qui, à la fin du XIXe et au début du XXe siècles ont porté le titre de « Général Trepov », mais cette référence semble s'appliquer plus probablement à celui qui fut Commandant au Palais impérial et, comme tel, chargé de la sécurité de la famille Romanov sous le règne du tsar Nicolas II.

401. Cela s'est probablement passé en 1914-1915 durant l'occupation tsariste de Lviv (Lvov) lorsque Euloge y était affecté au service des troupes orthodoxes et également occupé à convertir les grecs catholiques.

grande impression sur Mme Bezak. Plus tard, en 1925, elle vint voir Euloge à Paris, et, un jour de décembre, elle arrivait au Сергіевское Подвопіе [sic] où l'évêque Benjamin lui dit : si vous aviez été ici cinq minutes plus tôt, vous auriez rencontré le Métropolite André Szeptycki[402]. Elle se précipita aussitôt pour essayer de vous trouver, et elle vous aperçut au moment où Euloge vous présentait à la grande-duchesse Maria Pavlovna[403]. À ce moment, paraît-il, elle ressentit un bouleversement intérieur et eut l'*intuition* que vous devez jouer un grand rôle dans sa vie et dans l'histoire de la Russie. Mais voici où l'histoire devient intéressante. Le lendemain, elle retourna auprès d'Euloge, lui raconta ce qu'elle avait éprouvé en vous voyant, et lui demanda si ce sentiment venait de Dieu. À sa grande surprise, Euloge lui dit : Eh bien, ce que vous m'avez décrit, je l'ai éprouvé moi-même en parlant avec le Métropolite André. J'ai eu tout d'un coup une grande émotion intérieure, et j'ai senti chez cet homme tant de sincérité, tant d'amour pour notre peuple russe, que j'ai la conviction que Dieu veut se servir de lui comme d'une force pour agir dans l'histoire de notre peuple[404]. Cette dame passait son temps à la Печерская Лавра[405] et à visiter des *startsi*. Elle est de ceux qui

---

402. La visite de Cheptytsky à l'Institut St-Serge est décrite par Gillet qui signe « Testis », qui signifie « témoin » dans « Le métropolite Andrew Sheptitsky [sic] », *Eastern Churches Quarterly* 5 (1944) : 344-48.

403. Maria Pavlovna (1890-1958), petite-fille du Tsar Alexandre II et fille du grand-duc Paul Alexandrovich et Alexandra Georgievna de Grèce. Également une sœur aînée du grand-duc Dimitri Pavlovich de Russie, assassin de Raspoutine. Elle épousa le deuxième fils du roi Gustave V de Suède, le prince Wilhelm, duc de Sudermannia, avec lequel elle eut un fils, puis divorça. Après la Révolution russe, elle se retrouva à Paris où, appauvrie et devant travailler, elle oeuvra dans l'industrie de la mode. Ses mémoires, *L'éducation d'une princesse* et *Une princesse en exil*, furent publiées en 1930 et 1932.

404. Pour saisir la profonde admiration du Métropolite Euloge envers Cheptytsky, veuillez consulter ses mémoires Путь моей жизни, Paris, 1947, ou la version française : Euloge (Guéorguievsky), *Le Chemin de ma vie, Mémoires du Métropolite Euloge* (Paris : Presses Saint-Serge, 2005).

405. Monastère des Cavernes de Kiev. Appelée laure ou (monastère de Kiev Petcherski, Kievo-Petcherskaya Lavra ou Kyivs'ko-Petcherska Lavra), cette fondation monastique, construite à partir d'un ensemble de cavernes souterraines à Kiev, est l'une des plus vieilles et des plus importantes de tout l'Orient slave. Fondée par saint Antoine des Cavernes au milieu du XIᵉ siècle, elle attira de grands saints ainsi que des protecteurs issus de la famille royale et de l'aristocratie. Saccagé à plusieurs reprises au cours des siècles, presque entièrement détruit par un incendie en 1718, le monastère fut toujours reconstruit en plus grand, acquérant au fil des ans d'immenses richesses, une grande influence et de nombreux moines (ils étaient plus de mille avant la Révolution russe). Au début des années vingt, les Soviétiques confisquèrent une

croient que le государъ императоръ[406] n'est pas mort et que le général Tatichtcheff[407] a pris la place de Nicolas Alexandrovitch[408]. Le point de vue de ces croyants en la survivance du tsar est purement religieux et très intéressant : le Seigneur n'a pas pu ne pas soustraire son Oint au massacre, et il l'a mis à l'abri, pour que l'Oint passe lui-même par toutes les souffrances de son peuple pendant le temps actuel, se purifie parfaitement, et, au moment voulu de Dieu, reparaisse pour établir une Russie complètement chrétienne et sainte.

Je ne sais quel sort Dieu réserve à l'émigration russe. Mais quand je vois la somme de souffrance humblement supportée, de charité, de prière, qu'on rencontre parmi ces réfugiés, je ne puis croire que leur rôle soit fini. Dieu se servira d'eux, je ne sais comment : mais il ne laissera pas se perdre un tel trésor. Ce n'est pas l'émigration de la Révolution française : celle-ci n'avait pas fait pénitence, mais l'émigration russe est vraiment une жертва вечерная[409]. Les larmes de ces cœurs brisés et humiliés monteront devant Dieu, яко кадило[410]... Je n'approuve pas l'acte de Boris Koverda[411], mais, pour

---

foule d'objets de valeur et convertirent certains bâtiments à des fins commerciales avant de fermer complètement le monastère en 1926 pour le transformer en musée – il fallut pour cela exécuter ou exiler la plupart des moines qu'il abritait. Pendant la Deuxième Guerre mondiale, l'église principale fut détruite par les Soviétiques. Après la guerre, un modeste monastère d'une centaine de moines fut autorisé à fonctionner jusqu'en 1961. Depuis la chute de l'Union soviétique, la laure est de nouveau florissante, et le gouvernement de l'Ukraine vient d'en reconstruire l'église principale.

406. « L'empereur souverain », c'est-à-dire le tsar.

407. Le général Tatichev (Taticheff/Tatischeff) : Aide de camp du tsar Nicolas II, Ilia Tatichev fut choisi par ce dernier pour accompagner la famille impériale en exil, d'abord à Tobolsk, puis à Iekaterinbourg, lieu de son incarcération finale. Tatichev fut fusillé en 1918 après l'exécution des Romanov, à qui il était dévoué. L'Église russe songe à le canoniser.

408. C'est-à-dire Nicolas II Romanov.

409. « L'offrande du soir », cf. Ps 140 (141).

410. « Comme l'encens », cf. Ps 140 (141).

411. Boris Koverda (1907-1987) fut l'assassin du révolutionnaire russe et diplomate soviétique Piotr Voïkov à Varsovie en 1927. Voïkov, envoyé en Pologne comme plénipotentiaire soviétique, était généralement considéré comme ayant participé à l'assassinat de la famille Romanov, ce qui mit en fureur le jeune monarchiste Koverda. Staline blâma publiquement les Britanniques (alliés des Polonais, lesquels étaient le véritable objet de ses craintes) et se saisit de ce prétexte pour ranimer la perspective d'une guerre contre les ennemis « impérialistes » et « capitalistes » de l'État soviétique, qu'il cherchait à consolider par ce subterfuge. Koverda ne devait purger qu'une courte peine de prison pour son crime, mais d'autres eurent moins de chance, car Staline y vit un nouveau prétexte pour arrêter et exécuter de nombreux espions et monarchistes présumés.

la personne même de Koverda, je me sens tant de sympathie ! Je ne peux pas vous exprimer à quel point j'aime les Russes, à mesure que je les connais. Si j'avais à choisir entre la Russie et la France, je choisirais certainement la Russie ; je n'ai pas la prétention – qui serait ridicule et qui fut celle de Korolevskij – que les Russes me considèrent entièrement un des leurs, mais je voudrais qu'ils me considèrent comme les Juifs considéraient les prosélytes de la porte.

Vous verrez à Velehrad l'évêque Michel d'H[erbigny]. Abrikosof me dit qu'à Rome on le déteste de plus en plus, mais que tout le monde le flatte. Il a envoyé à Deubner une lettre très amicale.

Quel bavardage je vous inflige ! Mais il me semble parler avec vous, dans votre cabinet. Je ne puis me figurer que je doive rester un temps long sans vous voir. Je serais si heureux que vous veniez maintenant ! Le Père Higoumène ne viendra-t-il pas en France ? Je pensais que, si le frère Vassili[412] ne va pas en Ukraine, peut-être l'atmosphère *russe* et très strictement orientale que nous essayons de développer autour de nous lui serait plus congénial que le milieu galicien, car je crois qu'il sent et pense en russe. Je m'arrête, vénéré et très cher Vladyka[413], en demandant très humblement votre bénédiction paternelle pour le P. Alexandre et pour moi.

бр. Левъ[414]

Je voudrais que nos frères d'Univ et de Lviv (studites) se rendent bien compte que ce que nous faisons, c'est eux qui le font. Ce sont eux qui agissent auprès des Russes par l'intermédiaire du P. Alex. et de moi, et, à ce point de vue, je suis particulièrement heureux de ce que nous semblons réussir à Nice. Si nous réussissons, ce sera *leur* réussite.

Bulgakof vient de publier un livre sur Jean le Précurseur : *L'ami de l'Époux*[415]. Grum en dit le plus grand bien du point de vue ascétique.

---

412. Il s'agirait d'une allusion au bénédictin qui, sous le nom de « diacre Basile », a publié en russe, en 1966, une étude sur Leonid Feodorov.
413. "Maître" [c'est-à-dire Évêque].
414. Frère Lev.
415. Le livre de Serge Boulgakov, *L'ami de l'Époux*, sur la vénération des orthodoxes pour saint Jean le Baptiste, a été publié en russe à Paris par les presses du YMCA en 1927. La version française du livre est *L'ami de l'Époux, De la vénération orthodoxe du Précurseur*, L'Âge d'homme, 1997.

Une société d'iconographie russe, *Ikona*, s'est constituée à Paris sous la présidence de Bilibine[416]. Elle se met sous le nom et le modèle d'André Roublev[417]. Elle pense que la fameuse icône de Roublev, les trois anges à la table d'Abraham, constitue l'expression la plus achevée de la culture religieuse esthétique *russe*, comme distincte à la fois de l'Occident et de Byzance, et elle donne ce mot d'ordre : Apprenons de nouveau à sentir, à prier comme A. Roublev ! Très sympathique n'est-ce pas ?

N° 54

fol. 175 r
Suite à une carte postale envoyée il y a une huitaine de jours.
Nice, 11 août 1927
20 av. de Pessicart

Excellence !
Nous continuons à espérer que Vous serez bientôt auprès de nous. Je ne puis que répéter ce que je Vous ai déjà écrit : notre œuvre monastique est déjà existante, en ce sens qu'il y a au moins trois sujets déjà réunis, mais nous existons dans des conditions telles que notre vie monastique ne peut pas se développer. Car : 1) ayant dû, faute de place, me loger très loin du P. Alexandre j'ai trop peu de

---

416. Ivan Bilibine (1876-1942) était un artiste et un illustrateur de renom, qui représenta surtout le folklore de la Russie septentrionale, ainsi qu'un dessinateur de costumes de théâtre. Né à Saint-Pétersbourg dans une famille bourgeoise, il préféra l'étude de la peinture à celle du droit et visita le Moyen-Orient et l'Europe occidentale en quête d'inspiration avant de s'établir à Paris jusqu'en 1935. Il retourna ensuite en Russie avec sa femme, Alexandra Chtchekana-Pototskaïa, artiste elle aussi, qui poursuivit l'œuvre de son mari après son décès. Depuis 1967, il existe un musée à leur nom dans la ville d'Ivangorod, à l'ouest de Saint-Pétersbourg.

417. Andreï (André) Roublev (Roublyov/Rublev/Rubljev) (v. 1360-v. 1430) est généralement considéré comme le plus grand iconographe russe. Son style associe un ascétisme strict à l'harmonie byzantine classique. Son œuvre la plus renommée est l'icône de la Trinité (ou « Hospitalité d'Abraham »), écrite vers 1410. Considéré par certains comme l'équivalent russe des artistes de la Renaissance italienne, il écrivit des icônes et peignit des fresques pour les cathédrales de la Dormition à Moscou, de l'Assomption à Vladimir et de la laure de la Trinité-Saint-Serge de Radonège à Zagorsk. Au concile dit des « cent chapitres » en 1551, son iconographie fut érigée en modèle pour toute l'Église. L'Église russe a canonisé Andreï Roublev en 1988 et célèbre sa fête le 4 juillet.

contact avec lui et sa vie ; 2) le P. Alexandre étant pris, et très pris, par ses devoirs de pasteur, ne peut être moine que titulairement ; 3) A.P. Apouchkine, devant consacrer tout son temps aux enfants qu'on nous a confiés, n'a pas le temps nécessaire à une préparation monastique. Aussi sommes-nous tous trois d'accord sur ce point : il nous faudrait le plus tôt possible nous rendre libres de tout ministère apostolique et de tout travail éducatif, de telle façon que nous puissions, à la campagne et affranchis de toute responsabilité envers des prélats latins, travailler à notre propre préparation ascétique. Agir autrement, ce serait construire sur du sable. À Lwow, à distance, je ne pouvais pas me rendre compte de deux choses que l'expérience d'ici me démontre clairement : la première est que la *Russische Seelsorge*, à Nice, si l'on veut s'en occuper consciencieusement, ne permet pas de mener en même temps une vie cénobitique régulière (vie commune, offices à heure fixe, etc.) ; la deuxième est que l'on peut bien avoir un groupe de moines ouvriers, mais que, à moins qu'ils n'aient une profession commune et un chantier commun, ces moines, par suite des nécessités de leur travail, devront vivre si loin les uns des autres que la vie monastique leur sera pratiquement impossible. D'où nécessité de se concentrer quelque part, sous un toit qui soit à nous, et non dans une vague pension de famille, et de renoncer à tout travail ecclésiastique extérieur, au moins pour un temps. Le P. Alexandre s'en rend si bien compte que lui-même désirerait être remplacé le plus tôt possible, avoir un successeur comme chapelain russe. Je lui ai dit clairement, et il l'admet, que je ne puis pas, en ce moment, prendre la responsabilité de son noviciat. Car la plus grande partie et même la totalité de sa vie m'échappe en raison de ses devoirs extérieurs. Or lui-même, ayant seul mandat d'administrer la paroisse orthodoxe catholique, est seul qualifié pour apprécier ce que son ministère exige. Mais il me semble impossible de l'admettre à la profession monastique, même temporaire, si, au moins pendant quelques mois, il ne renonce pas à ce ministère pour se mettre entièrement entre les mains d'un supérieur quelconque. C'est d'ailleurs son propre avis que j'exprime ici. Je confirme ce que j'ai dit de lui : il est *excellent*, il a l'étoffe d'un apôtre, peut-être même d'un grand apôtre – et en somme il réussit très bien auprès des Russes – il y a aussi en lui beaucoup de docilité et d'ouverture, mais je le crois moins apte à *diriger* une entreprise quelconque, même une petite église, car il manque trop de méthode, d'ordre, de diplomatie dans ses relations et ses paroles, et enfin sa nervosité le fait vivre dans des alternatives d'exaltation et de dépression. Je dois dire qu'en ce moment c'est plutôt la dépression. Cela vient: d'une part, de ce que la directrice du Foyer[418] (dont je vous ai déjà dit le peu d'intelligence) lui suscite sans cesse de petits incidents, des coups d'épingles, – si le P. Alex[andre Deubner], qui a le bon droit pour lui, n'est pas assez maître de ses paroles, – enfin j'ai fait un coup d'éclat en obligeant la directrice à signer une déclaration écrite où elle reconnaît avoir attribué faussement au P. Alex. des propos qu'il n'a jamais tenus – c'était d'ailleurs une futilité; d'autre part, Mgr van Caloën trouve que le P. Alex. est trop russe dans ses méthodes, distribue trop largement des secours, n'est pas assez ordonné dans les comptes et écritures paroissiales, et le P. Alex. souffre de sentir que Mgr v[an] C[aloën] se tient maintenant un peu sur la réserve (avec moi, Mgr v. C. est d'une entière confiance, je vais chaque semaine chez lui, et il voudrait me charger de la paroisse russe, ce que je n'accepterai pas); enfin, dans certains milieux assomptionnistes de Constantinople, on a commencé une odieuse campagne de calomnies contre le P. Alex. en lui attribuant un article qu'il n'a pas écrit et en faisant courir le bruit que Rome l'a menacé de suspense – ce qui est faux, bien entendu! (Je ne serais pas étonné que le P. Alex[andre] ait commis à Constantinople certaines imprudences de paroles, mais, depuis qu'il est à Nice, il n'a rien dit ou fait qui puisse le compromettre.) Bref, le pauvre P. Alex. est assez déprimé; souvent il pleure, et je dois le remonter comme on remonte chaque jour une montre. Entre nous, je ne regrette pas trop ces petits incidents, car ils servent merveilleusement à former le P. Alex. qui jusqu'ici a eu une vie toute livresque et ignore totalement le monde et la vie pratique. Je l'ai envoyé passer 3 jours à la campagne, chez des Russes, et, la semaine prochaine, sur mon conseil, il ira faire une retraite (en même temps repos pour ses nerfs) au monastère de l'île de Lérins. Sa vocation monastique tient toujours très ferme. Mais il demande toujours: quand aurai-je la vie monastique? Et vous voyez qu'ici il ne peut guère l'avoir. Quant à Anatole Pavlovitch [Apouchkine, il est maintenant officiellement catholique], il s'occupe des enfants, les promène, les instruit. Sa vie matérielle, ainsi que celle des enfants, est assurée par Mgr v. Caloën.

---

418. Ce « Foyer » est un centre établi à Nice par les catholiques romains pour venir en aide aux émigrés russes.

Il partage ici la chambre des enfants et mange avec eux. Le P. Alex. et moi avons pour lui une estime croissante : c'est une nature droite, forte, pleine de compréhension et de délicatesse, cherchant Dieu, – avec une simplicité de soldat (le centurion de l'Evangile, – d'ailleurs il est lieutenant russe). Il a ce que n'a pas le P. Alex. : une grande continuité, beaucoup de calme, le don de commander et de diriger. Ce serait un excellent supérieur monastique. Puisque le P. Higoumène a eu la bonté de m'offrir de m'envoyer le texte de la vêture des послушники, je le prierais de vouloir bien me le faire parvenir le plus tôt possible, et, si vous le permettiez, mes deux compagnons deviendraient officiellement послушникъ. Ils devraient vous écrire, ainsi qu'au P. Higoumène, mais je vois de plus en plus que les Russes seraient capables de subir la torture plutôt que d'avoir le courage de commencer et surtout de finir une lettre. Nos enfants : Nicolas, Edouard, Alexandre, et un autre Alexandre, marchent bien à tout point de vue, Apouchkine faisant régner parmi eux la discipline la plus exacte. Ces enfants sont cause de nos difficultés avec la directrice, car, afin d'empêcher les dames de la maison de s'immiscer à tout propos dans la vie de nos garçons, nous avons fait promulguer par Mgr v. C. un règlement draconien interdisant aux dames même de leur faire aucune communication à moins que ce ne soit par le canal du P. Alex... *inde irae*. D'ailleurs, je vois bien que cette école est aussi pour nous un obstacle dont il faudra nous débarrasser si nous voulons vraiment vivre en moines : s'occuper sérieusement d'une école, si petite soit-elle, demande qu'on ne fasse que cela.

Ordintsef[419], voyant que nous ne pouvons ni lui garantir ici un travail, même lui offrir un logement, a fait profession à Amay, sans enthousiasme, et il m'écrit que c'est avec nous qu'il est de cœur. Tavascherna pensait à venir ici, mais, pour les mêmes raisons qu'Ordintsef, il est allé se fixer également à Amay. Nous n'attirerons guère que lorsque nous aurons une position stable. En somme, nous sommes 8 dont la décision est (on semble) sûre : le père A., A.P., et moi. Il faut y ajouter Boris Trouchévitch, un jeune orthodoxe, qui chante dans notre église et donne des leçons de chant aux enfants ;

---

419. Né en Russie en 1900, Dom Arsène (Léonide *alias* Jean) Ordyncev-Kostrickij se convertit au catholicisme et fut séminariste à Olmütz (aujourd'hui Olomouc, en République tchèque) de 1924 à 1926. Présenté à Lambert Beauduin par David Balfour, il prononça ses vœux à Amay en juillet 1927 avant de se convertir à l'orthodoxie en 1928.

quoiqu'orthodoxe, ancien élève d'une Духовная Академія[420] (et très proche de l'Union, à cause de quoi on ne l'admet pas au Сергіевскоіе Подворіе [sic]), il vivrait volontiers avec nous une vie de travail et de prière. Enfin peut-être Messing. Peut-être aussi Kavrof[421] et Kamensky, mais ceux-là ne veulent pas être moines proprement dits, et d'ailleurs comment savoir avec ces Russes qui tournent à tous les vents?

Nous vous sommes si profondément reconnaissants de ce que vous nous laissez entrevoir la possibilité d'un toit et d'un champ, qui, grâce à votre générosité, serait nôtres. Mais où et comment? Abrikos[of] et Grum ont dû [sic] vous donner leurs raisons pour Paris: indépendance à l'égard des latins, milieu russe, 50 candidats possibles pour 10 que donnerait Nice, facilité de la culture des légumes, etc. Pour moi, personnellement, je préférerais une skite dans la région de Nice; nous ne sommes pas mûrs pour Paris, il nous faut mûrir spirituellement dans le silence et l'obscurité. Maintenant je sais bien les raisons qui valent contre Nice: difficulté de trouver du terrain, – le mètre carré se vend à prix d'or – terrain improductif, oliviers, orangers, palmiers, mais presque pas de légumes, souvent pas d'eau, – alors faire plutôt l'élevage: poules, lapins, cochons, etc.? (Apouchkine connaît bien toutes ces questions) – ou compter résolument pour vivre sur la spéculation en terrains, ce qui se pratique beaucoup ici: on achète, et on revend, toujours avec bénéfices, car de plus en plus le littoral devient une immense ville de luxe, ou encore on se décide à acheter pour une grosse somme, on loue très cher à d'autres, et le bénéfice permet de vivre et d'entretenir d'autres entreprises – c'est ainsi que s'enrichissent les gens de Nice, sans rien faire. En tout cas, il serait dangereux de compter, pour vivre, sur des dons; certes à Nice on peut recevoir beaucoup, mais il me semble normal que des moines s'entretiennent eux-mêmes par leur travail. Acheter la maison de Pessicart, comme le pauvre Mgr v. C. l'espère toujours, serait du gaspillage: cette maison n'a pas de terrain cultivable avoisinant, donc ne peut s'entretenir elle-même, et elle nous riverait à un tas d'œuvres russes de Nice dont précisément il faut nous débarrasser. Je suis attentivement les annonces de vente ou de locations (fermes, terrains, etc.), mais c'est peu utile, car en général si l'on ne saute pas sur l'occasion dans les 24 heures un autre en profite, et d'ailleurs je ne sais pas ce

---

420. « Académie de théologie ».
421. Tavascherna, Trouchévitch et Kavrof ont apparemment disparu de la scène ecclésiastique sans laisser quelque trace.

que Votre Excellence pourrait donner en notre faveur. Enfin, la question est entre vos mains. Si vous venez, ayez la bonté de nous prévenir d'avance. Ou envoyez-nous le P. Higoumène. Comme nous voudrions Vous voir! Je n'ai presque rien lu sur Velehrad. Pour rester en contact avec Vous et l'éparchie, pourrais-je prier Votre Excellence de me faire parvenir régulièrement Новая [*sic*] Зоря[422] (un numéro déjà lu par d'autres)? Je confie à Votre Excellence les deux lettres ci-jointes, je vous prie de les lire. Je pourrais et voudrais vous écrire encore des pages et des pages, mais il faut cependant que tout ait une fin. Bénissez-nous, Père et Seigneur, et croyez-nous vos enfants humblement obéissants et dévoués dans le Christ.

бр. Левъ[423]

N° 55

fol. 178 r

Nice, 20 avenue de Pessicart
29 août 1927

Excellence,

Le P. Alexandre Vous expliquera ce qui s'est passé. Je dois lui rendre ce témoignage que, dans toute cette pénible affaire, sa conduite a été exactement ce qu'elle devait être. Il n'était pas possible moralement d'agir d'une autre manière. Le P. Alexandre, A.P. Apouchkine et moi formons un bloc compact qui pensons de même et continuons tous trois à désirer la vie monastique en commun.

Il est donc possible – probable même – qu'après le 10 septembre le maintien de l'odieuse femme qui entrave notre œuvre oblige le

---

422. Cette publication, dont le nom signifie « Nouvelle Étoile », était consacrée aux affaires socio-religieuses et parut sur une base hebdomadaire en 1926-1927, puis sur une base bihebdomadaire à partir de 1938-1939, d'abord à Lviv, puis à Stanislaviv (Ivano-Frankivsk). Elle fut l'organe de l'Organisation chrétienne ukrainienne, puis du Parti catholique du peuple ukrainien. Sous la direction éditoriale de T. Halouchtchynsky et de O. Nazaruk, la revue appuyait les partisans de la latinisation au sein de l'Église gréco-catholique ukrainienne. Elle n'eut jamais un grand tirage.
423. Frère Lev.

P. Alexandre à démissionner. J'ai confiance que Vous l'approuverez. Il n'a pas le droit de sacrifier son ministère sacerdotal et le bien des âmes à des intrigues féminines. Ce qu'il y a de constant, c'est que les Russes sont pour le P. Alexandre; ses seules difficultés viennent de cette femme, une Française, et du laïc français qui possède la maison et qui, pour des raisons d'argent, ne veut pas se séparer de la Directrice.

Si donc le 10 septembre, le P. Alexandre et A. Apouchkine se retirent de l'œuvre russe, il faut de suite que nous nous organisions une vie commune. J'espère trouver un toit qui nous abrite provisoirement. Mais ce provisoire ne pourra durer et sera même difficile à réaliser. Il nous faudrait : 1) que Votre Excellence ou le P. Higoumène vienne le plus tôt possible; 2) que vous nous accordiez une subvention jusqu'à ce que notre vie ait une assiette régulière – c'est-à-dire jusqu'à ce que nous ayons la possibilité de gagner notre vie par la culture d'un terrain ou de l'élevage, ce qui suppose déjà un peu d'argent. Le P. Alexandre et M. Apouchkine, en se retirant, perdront ce qu'ils recevaient de l'Œuvre de Nice et seront tout à fait sans ressource. Un homme, aujourd'hui, ne peut guère vivre à moins de 12 F par jour (nourriture et logement) à quoi il faut ajouter l'argent pour les vêtements, chaussures et autres dépenses indispensables. Nous ne demandons qu'à gagner notre vie à la sueur de notre front. Mais c'est ce travail même qui est singulièrement difficile à trouver et organiser (à moins de nous séparer et de nous tirer individuellement d'affaire, ce qui serait la ruine de notre entreprise).

En somme, si le P. Alexandre devrait se retirer de Nice, j'y verrais une grande bénédiction de Dieu qui supprimerait tous les obstacles qui nous empêchaient jusqu'ici d'être moines et qui nous permettrait de suite de vivre en moines, affranchis de toute dépendance extérieure.

Notre œuvre commence par des épreuves, tant mieux! Priez pour nous. Je vous supplie de nous écrire ou faire écrire par le P. Higoumène et surtout d'envoyer quelques lignes personnelles à Anatole Pavlovitch (Apouchkine), dont la vocation sera vraiment forte si elle survit à de tels débuts. Réconfortez-le et encouragez-le. J'écrirai bientôt.

Votre fils humblement dévoué

бр. Левъ[424]

---

424. Frère Lev.

N° 56

fol. 180 r

Nice 20 avenue de Pessicart
15 septembre 1927

Excellence,

J'ai reçu hier votre lettre. Je n'avais pas idée de la gravité de la catastrophe survenue dans les Carpathes[425]. Évidemment, il faut avant tout aider ces malheureux. Cette œuvre prime toutes les autres. Je crains seulement pour Votre Excellence ce surcroît de fatigue (l'expédition de secours).

Oui, étant donné la situation, il ne faut pas que nous achetions en France. J'y vois deux raisons nouvelles: 1) il faut payer au Gouvernement français, pour tout achat d'immeuble, une taxe égale au quart du prix d'achat, ce qui [est] jeter de l'argent par les fenêtres; 2) au cas où nous deviendrions un petit groupe capable de nous établir quelque part, il vaudrait mieux nous établir hors de France et en territoire *russe*, sinon soviétique. Je reviens plus loin sur ce dernier point.

Le P. Alexandre, sur les vives instances des deux évêques, n'a pas démissionné et a accepté un compromis. On lui a fait des excuses avec larmes. Il les accepte. Il continuera à desservir l'église jusqu'en juin 1928. Mais il logera en ville, non plus dans cette maison. (Vous savez que moi-même je n'y loge pas, j'y garde seulement mon adresse officielle). L'évêché de Nice lui assurera logement et nourriture et tous autres frais. Je suis sceptique sur cette trêve, car je suis persuadé que la même personne créera encore des difficultés au P. Alexandre, même logeant à distance, et que, du point de vue spirituel, il vaut mieux que le P. Alexandre se rende libre. Mais je ne veux pas mettre de bâtons dans les roues. Cela d'autant moins que le P. Alexandre continue à bien réussir auprès des Russes. Donc, financièrement, il n'y a pas à s'occuper du P. Alexandre.

Mais voici un nouveau problème qui se pose, problème de personnes et d'argent. Je vous ai dit que Messing, Kamensky, Kavrof, jusqu'ici chez le prince Ghika, désiraient se joindre à nous.

---

425. Il s'agit d'un déluge.

Ils demandent maintenant à le faire *de suite*, d'autant plus que l'œuvre russe Ghika prend fin (M. Paris m'avait fait prévoir cet échec il y a peu de temps en l'attribuant à la totale ignorance pratique du prince). Donc, ces trois veulent venir. Vous connaissez Messing. Le P. Alexandre, Apouchkine et moi connaissons Kassof. Le P. Alexandre connaît Kamensky. Il se peut qu'à l'expérience ils se montrent impossibles. Mais ils ne sont pas tels qu'*à priori* on doive les écarter et l'on peut même concevoir des espérances à leur égard. La question me semble donc être essentiellement une question financière. Si ces candidats viennent, il me semble qu'il ne faudrait pas se presser de louer un terrain, car seul le séjour à Nice leur permettrait au début d'avoir une église de leur rit, une vie liturgique, de se lier avec le P. Alexandre. Il me semblerait bon que pendant deux mois environ ils vivent ensemble à Nice où je prendrais deux ou trois chambres pour eux et Apouchkine et où l'on essaierait enfin une vie commune monastique embryonnaire (ce qui est plus facile à 4 ou 5 qu'à 2 ou 3). Il ne faut pas se dissimuler, d'autre part, que, n'étant pas ouvriers spécialisés et que la crise du travail sévissant à Nice pour les ouvriers non-spécialisés, ils ne pourront pas gagner leur vie pendant ce temps de début. C'est donc, je le répète, une question financière. Pourriez-vous assurer leur existence pendant quelques mois (mettons jusqu'à Noël, je vous dirai tout à l'heure ce que j'entrevois pour la suite)? J'avais écrit qu'un homme pourrait vivre avec 12 F par jour, mais je crois bien que ce chiffre est impossible à Nice, surtout au début de la saison. Il faut compter en moyenne par jour pour un individu 5 F de chambre, 8 F de nourriture, 1 F de dépenses diverses (toilette, vêtements, chaussures, etc). Ce serait donc pour un individu 420 F par mois, et vous voyez que je comprime ses nécessités à l'extrême limite! Pour Apouchkine et les 3 autres candidats, il faudrait donc 1 680 francs par mois, – mettons 1 800,00 F pour tenir compte de l'imprévu (et d'ailleurs il reste chauffage (?) éclairage en tout cas, peut-être linge de corps si l'un n'en a pas. Ces 1 800,00 F me semblent donc un minimum. La question est: pourriez-vous assurer pour ces quatre 1 800,00 F pendant deux ou trois mois? Et j'ajoute que je ne me suis pas compté parmi eux. Je vous parlerai de mon propre cas tout à l'heure. À la demande de ces candidats, j'ai fait une réponse affirmative conditionnelle. C'est-à-dire que j'ai répondu: oui, venez à la fin de septembre (leur voyage serait – pas par nous – payé), mais sous réserve de l'approbation du Métropolite dont le *veto* peut tout arrêter. Par la lettre du P. Higoumène reçue hier, je vois que le P. Higoumène préfère que nous ne recevions pas actuellement de candidats. Mais j'avais déjà répondu à Auberive. La décision est entre vos mains, elle dépend de vos possibilités matérielles et de votre jugement. Mais, étant donné que la fin du mois approche, je vous prie humblement de m'envoyer une réponse immédiate. C'est-à-dire : *si votre réponse est non, ayez la bonté de me le **télégraphier**, pour que je les prévienne avant la fin du mois.* Si votre réponse est oui, je me vois obligé, à mon grand déplaisir, de vous demander de l'argent pour eux pour le mois d'octobre, avant le 1er du mois... Je voudrais qu'ils soient informés avant le 25 septembre.

Pour mon cas personnel, je suis obligé de prier le P. Higoumène de subvenir encore provisoirement à mes besoins. Mais, à partir du 1er janvier, j'ai l'espérance assez fondée de me suffire à peu près complètement grâce à des honoraires de messes canadiens. M. Paris, qui agit pour un évêque canadien, m'en a donné l'assurance. Les *stipendia*[426] français sont très maigres. Je n'ai guère pu économiser avec eux, parce que j'ai – littéralement – donné du pain à plusieurs qui n'en avaient pas et méritaient, puis parce que j'ai avancé 400 F au P. Alexandre pour son voyage de juillet (qui n'a pas été inutile, car, si les Russes Ghika venaient à nous, ce serait le fruit de ce voyage), et enfin j'ai mis un peu d'argent de côté pour le cas où un candidat se serait présenté sans ressources et où il aurait fallu faire face à quelques premières dépenses pour lui.

Si vous acceptiez les Russes Ghika, mon plan serait le suivant : – Au début, Nice. Vie monastique dans la mesure du possible (liturgie, Écritures Saintes, conférences, voir ce que valent ces candidats, etc.). Si Vous aviez la possibilité de venir, nous vous attendrions pour voir avec Votre Excellence les possibilités de location de terrain (certes, le terrain est mauvais, mais, à ce que dit Apouchkine qui a travaillé sur toute la Riviera et avait de grandes propriétés en Ukraine, on peut réussir en renonçant à la culture et en se consacrant à l'élevage des poules et lapins). Si, à Noël, vous n'étiez pas

---

426. Dans la pratique de l'Église catholique, les fidèles remettent volontairement une offrande au prêtre en échange de certains offices, principalement des messes à l'intention du donateur. Le montant de ces offrandes est fixé par le droit canon, mais varie selon la messe célébrée. Il s'agit d'un « don » des fidèles à l'Église plutôt que d'une « rétribution » au prêtre pour ses services.

venu, nous ne pourrions vivre plus longtemps en parasites et nous devrions alors, coûte que coûte, et même en nous éloignant un peu les uns les autres, trouver du travail, – si vous ne pouvez pas nous aider à louer. Finir l'année (jusqu'à juin) en gagnant notre vie, – c'est possible s'ils ont le courage, et, moi si je savais que vous m'autorisez à ne pas tenir compte des préjugés ambiants, dès demain, je me mettrais en bourgeron (en évitant tout scandale) et je trouverais du travail, car il y a des Russes qui m'aiment assez pour m'associer éventuellement à leur bonne et à leur mauvaise fortune. En juin, le P. Alexandre devient libre. Et alors mon idée serait : aller en Estonie. Tous les Russes nous le conseillant. Il y a là des territoires entièrement russes, le Gouvernement traite les Russes favorablement, l'évêque de Riga cherche des religieux[427]. L'argent est très bas par rapport à l'argent français. Si Votre Excellence pouvait négocier notre établissement là-bas, ce serait parfait. Apouchkine répète toujours : c'est seulement dans un milieu russe naturel, populaire, et non artificiel comme en France, que nous pouvons nous développer.

Je possède un skite ! J'ai découvert, à 22 kilomètres de Nice, dans de belles montagnes, une petite maison isolée, à flanc de montagne, dans la verdure et les fleurs (mais sans terrain cultivable autour. Il y a 3 pièces, un grenier, une écurie. Pas un meuble. De la paille dans les pièces (donc on peut très bien coucher). Une cheminée (donc on peut faire cuire quelque chose). Pas d'électricité. Tout près, une source. J'ai obtenu que le propriétaire de la maison – où personne n'habite – la mette *gratuitement* à ma disposition. À proximité se trouve une jolie vieille petite statue de Notre Dame des Prés. C'est pourquoi j'ai nommé cette maison : скитъ лужской Богородицы[428]. C'est près du village de Levens où l'on peut acheter du pain et qui est relié à Nice (1 heure) par des services automobiles. J'ai passé quelque temps là-bas et j'y retourne (dans le skite) à la fin de la semaine. C'est idéal, mais seulement pour quelqu'un qui se contente de quatre murs nus et veut se cloîtrer dans la prière et la Bible. Je ne pourrais pas y mettre des candidats, parce que ce n'est pas meublé et

---

427. Cet évêque serait l'Ordinaire catholique romain qui, vraisemblablement, voulaient inviter en Latvie des monastères russophones pour aider au ministère auprès des populations russes.

428. La Luga (Luzhskaia), l'icône de la Mère de Dieu, provient du sud de l'éparchie de Saint-Pétersbourg, près de la ville de Luga. Selon la tradition, on trouva l'icône au XVIᵉ ou au XVIIᵉ siècle, et même avant, dans une caverne d'une forêt environnante d'où elle tient son deuxième nom « Petcherska ».

qu'il n'y aurait pas de possibilité de pratiquer le rit. Mais, si Messing persiste dans son désir de vie anachorétique et si vous l'admettez, je l'y installe tout de suite. Messing aurait le type du starets, me semble-t-il. Et je considérerais comme une bénédiction d'avoir de suite un ermite. Messing, d'âge mûr, veuf, ayant une formation cléricale, est un homme de toute confiance. Vous le connaissez.

Apouchkine vous remercie de votre lettre (de grâce, que Votre Excellence lui écrive en russe ou en ukrainien, il ne manie pas très bien le français) ; il vous enverra son *curriculum vitae*.

Ce que je sais de lui : 34 ans, formation universitaire de juriste, grand помѣщикъ[429] des environs de Kiev, штабъ-ротмеистеръ[430] pendant la guerre, a été en Galicie, parle russe et ukrainien, sait l'allemand, народникъ[431] de sympathies, comprend et aime l'Ukraine, mais est patriote russe, foi catholique très sérieuse. C'est un Russe exceptionnel : pas trace d'hystérie ou de mobilité. Caractère intransigeant, volonté de fer, grande suite dans les idées, ordre, entente des questions pratiques. Bonne culture générale. Il y aurait en lui l'étoffe d'un excellent higoumène.

Cette lettre est bien entendu pour le Père Higoumène aussi. Je le remercie beaucoup pour les dollars que j'ai reçus hier et pour sa bonne lettre. Je lui écrirai. Je me permets de rappeler deux choses : 1) Si Votre Excellence ne vient pas bientôt, ne pourrait-on pas m'envoyer d'Univ une copie du texte de la cérémonie d'admission des candidats pour y procéder (Apouchkine, Deubner) sans tarder ; 2) ne pourrait-on pas, après lecture, m'envoyer la Зоря[432] pour que je sache un peu ce qui se passe dans l'éparchie ?

Peut-être Dieu a-t-il décidé que notre œuvre ne doit pas vivre, faute de ressources matérielles. Il faut sans doute un milieu ouvrier à la base. Que sa volonté soit faite ! Mais, malgré tout, j'ai confiance. Et si vous le permettez, dussé-je rester seul et sans ressources, je n'abandonnerai pas le terrain. Peut-être faut-il débuter par la ruine apparente et une grande souffrance. Je voudrais devenir digne de souffrir pour d'autres ou pour un dessein divin. Notre réconfort est votre bénédiction paternelle et celle du Père Higoumène.

---

429. « Un riche propriétaire terrien ».
430. « Un officier supérieur de cavalerie. »
431. *Narodnik,* un populiste éprouvant une sincère préoccupation pour le peuple, le « narod ».
432. La publication « Nouvelle Étoile ». Voir *supra.*

Priez pour nous et daignez agréer l'hommage de notre filial dévouement. J'ose rappeler, pour conclure que nous attendons avec hâte la décision concernant Messing, Kamensky, Karof.

смиренный іеромонахъ Левъ[433]

N° 57

fol. 186 v

Nice 20 avenue de Pessicart 17 septembre 1927

Excellence,

Je dois revenir sur ma lettre d'avant-hier au sujet de la question d'argent. Je vous disais qu'à mon avis il fallait 1 800,00 F par mois pour entretenir Apouchkine et les 3 candidats d'Auberive. Mais Apouchkine me dit (il a vécu plusieurs années à Nice) que c'est un leurre que moi peut-être je peux vivre à moins de 510 F par mois mais que ces jeunes gens ne pourront pas se plier à mon ascèse à moins d'avoir faim tout le jour, qu'il faut calculer 600 F par mois pour chaque individu, donc 2 400 pour ces quatre. Et de fait le P. Alexandre pense comme lui... Je dois donc modifier la question à laquelle je demandais une réponse le plus tôt possible. Je prévois une réponse négative. En ce cas, je dirai aussitôt aux jeunes gens d'Auberive de ne pas venir. Mais il resterait à assurer la vie d'Apouchkine – le pourrait-on ? Je voie qu'il a un grand désir d'étudier pour le sacerdoce ; le mieux ne serait-il pas qu'il se fasse admettre dans quelque centre d'études et s'y examine encore sur sa vocation monastique ? Le prince Ghika nous écrit pour recommander à Votre Excellence les candidats d'Auberive ; il propose de promouvoir Messing au sacerdoce, Karof au diaconat, Kamensky au sous-diaconat. Je ne puis que vous rapporter tout ceci et tout remettre entre vos mains. Que Dieu nous éclaire et nous aide !

Votre fils humblement dévoué dans le Christ
Moine Lev

---

433. « L'humble hiéromoine Lev. »

[En note en haut à gauche :] J'ai déjà prié le P. Higoumène de vous remercier pour l'envoi fait par banque. Merci encore de tout cœur au nom de tous.

L'évêché me demande de voir ce que je peux faire pour reprendre en mains les Russes catholiques et empêcher un scandale : je ne sais ce que je pourrai faire. Les Russes sont *furieux* contre les latins et nous témoignent une sympathie si vive qu'elle devient compromettante. Tout ceci est une grande épreuve ; je la reçois avec humilité et action de grâce, mais c'est pénible… Je vous prie de remercier le P. Higoumène de son dernier envoi. Je vous enverrai dans qq. jours des détails et les dernières nouvelles. Prions pour A. D[eubner]. On fait beaucoup pour m'attirer au православие[434], mais, Dieu merci, je continue à vouloir maintenir intacts en même temps et mon amour pour les Russes et mon "польное православие[435]". À Paris, grandes difficultés entre les latins et Abrikosof-Evréinof, ce dernier étant devenu très oriental.

Votre fils, бр. Левъ[436]

N° 58

fol. 187 v

[carte postale]

Nice, 8 novembre 1927
adresse : Chez Mr. Krilof, Villa Arlette, 18 avenue Saint-Sylvestre.
(écrire à A.D. à travers moi)

Excellence, j'ai des nouvelles graves à vous donner.
Tout d'abord, une petite question personnelle sans gravité. Mgr van Caloën a dû vous écrire. Or l'évêché de Nice me déclare qu'il est très ennuyé que Mgr v. C. vous ait écrit, parce qu'on craint

---

434. L'orthodoxie.
435. « Pleine orthodoxie » (ou « orthodoxie complète »). Gillet emploie une notion développée au sein de cercles de Soloviev, à savoir que le catholicisme n'est simplement que l'orthodoxie complétée ultérieurement (c'est-à-dire au deuxième millénaire) par l'enseignement des conciles catholiques.
436. Frère Lev.

qu'avec sa maladresse habituelle il ne vous ait donné l'impression qu'on désirait mon départ. L'évêché me déclare formellement qu'on ne me considère pas du tout comme indésirable et ils m'en ont donné une attestation écrite que je vous communiquerai ; mais il est d'usage qu'au début de l'hiver on demande ou redemande aux prêtres étrangers en résidence à Nice une justification canonique de leur présence ; à l'évêché on m'a dit : Restez tant [que] vous le voudrez pour votre mission.

Seulement les nouvelles suivantes me font penser à abréger mon séjour. D'une part, l'œuvre diocésaine russe a fait financièrement faillite ; il ne reste plus que 450 F en caisse ! On ne peut plus assurer ni le traitement d'un prêtre, ni les chantres, ni l'entretien de la chapelle. On ferme donc celle-ci. D'autre part, le père A[lexandre] D[eubner] et tous les Russes ont eu de telles difficultés avec les latins et surtout avec la femme qui jusqu'ici a été cause de tous les incidents que l'évêque de Nice croit impossible de travailler avec le père A.D. J'ai été le témoin très attristé de toutes ces difficultés sans pouvoir intervenir. Je dois déclarer devant Dieu que le P. A.D. a été entouré d'un réseau de calomnies (dont aucune n'atteint sa foi ou ses mœurs) et que les Russes ont été blessés, froissés, maltraités de toute manière. Ils sont indignés et il existe maintenant un scandale pareil au scandale Quénet à Paris en 1926[437]. Mais voilà le plus grave. Le père A.D., qui manque certainement de maturité, a été si atteint par ses épreuves qu'il a sérieusement pensé à adhérer au православие[438] ; il a même été assez loin dans des négociations avec l'archevêque orthodoxe de Nice, négociations malheureusement connues ou soupçonnées par plusieurs personnes ; et enfin je crois que le scandale aurait été consommé si, ce matin, je n'étais parvenu à remporter une victoire morale sur le P. A.D[eubner]. Je l'ai réconcilié *in foro interno*[439] et l'ai expédié pour qq. jours au monastère de

---

437. À Paris en 1926, un prêtre russe orthodoxe critique ouvertement les activités de prosélytisme de Quénet. Ce dernier répond de façon blessante dans une lettre ouverte au métropolite Euloge et déclare que l'Union française d'aide aux Russes (dirigée par Chaptal) ne viendrait plus en aide aux émigrés afin d'éviter de telles critiques. Une polémique publique s'ensuit avec la participation d'éminents catholiques et d'orthodoxes. Même si l'UFAR. a repris son travail humanitaire, cet épisode a terni les relations entre orthodoxes et catholiques en France pendant plus de vingt ans.

438. Adhérer à l'orthodoxie.

439. C'est-à-dire sans action publique.

Lérins. Mais je le sens encore flottant. Il n'y a qu'un salut pour lui : partir pour Rome et obtenir par voie diplomatique un passeport pour la Galicie. Il n'a jamais cessé de vous aimer et voit en vous son dernier recours. Hors d'un monastère, il se perdra. Écrivez-lui sans faire allusion aux faits précis, dites seulement que vous savez ses épreuves et espérez qu'il restera ferme dans sa foi. Il est bon, mais si faible et névrosé. Le pire, c'est que tout un groupe (peut-être Apouchkine et les Russes d'Auberive) sont prêts à le suivre s'il passe au православіе[440].

N° 59

fol. 188 v

Nice, chez Mr Nicolas Kryloff,
18 avenue Saint-Sylvestre,
14 nov. 27

Excellence,

Voici où nous en sommes. J'avais donc envoyé A. D[eubner] au monastère de Lérins ; j'avais pris son billet et l'avais accompagné jusqu'au train. Mais, dès que j'ai été parti, A.D. a quitté le train et est revenu dans la ville à mon insu. Il a tenu dans la ville des propos très regrettables contre l'Église catholique et a tout arrangé pour partir le 12 novembre pour le Serguiévskoïé Padvorié [*sic*], aux frais de l'archevêque Vladimir. Dieu a permis que je puisse revoir A.D. dans la ville et que, de nouveau, il se repente. Il a accepté d'aller à Lérins et d'y attendre que son passeport pour Rome soit prêt : une fois à Rome, il s'agirait d'obtenir, par le Vatican, l'autorisation pour lui de venir vous rejoindre et de se mettre entre vos mains. Je le dis une fois de plus : il n'est pas mauvais, il a de grandes qualités, et, s'il se tient sous la dépendance absolue de quelqu'un, dans un monastère, il peut être un bon moine (ici ses fonctions le rendaient tout à fait indépendant de moi). Il a donc remis sa conscience en règle. L'évêque de Nice m'a prié de le conduire moi-même à l'île de

---

440. L'orthodoxie.

Lérins, ce que j'ai fait hier. Il est très repentant. Il a écrit aux catholiques russes de Nice une lettre très humble et très belle pour demander pardon du scandale causé et les exhorter à demeurer fermement orthodoxes *catholiques*. Sa conduite trouve, je ne dis pas une excuse, mais une explication, dans la situation intenable que la méchanceté des uns et la faiblesse des autres (de ceux même qui avaient la charge de le défendre) lui avaient faite. Malheureusement cette histoire est un coup très grave, probablement fatal, pour toute notre œuvre. Je vous écrirai une lettre quand la situation sera un peu plus claire. Les trois Russes d'Auberive gagnent provisoirement leur vie, mais dispersés loin les uns des autres. Messing voudra venir en Galicie et le pourra peut-être car il est protégé polonais. Mais je crains que l'affaire A.D. n'ait une influence spirituelle très mauvaise sur Apouchkine et l'un des Russes d'Auberive. L'archevêque orthodoxe, avec qui je suis en contact quotidien pour des questions d'aide matérielle aux Russes, a été parfait : il n'a pas cherché à attirer A.D., il l'a seulement séduit par un accueil paternel qui contrastait avec la sécheresse juridique de l'autre côté ; il lui a conseillé de prier longtemps avant de prendre une décision ; on ne peut rien lui reprocher. Priez Dieu pour nous et bénissez-nous, Père vénéré et très aimé,
L.G.

N° 60

fol. 189 r

Nice, chez M. Kryloff,
18 avenue Saint-Sylvestre,
22 nov. 1927

[en note ajoutée en travers de la page] : C'est bien 1 000,00 F et non 1 800 que j'ai reçus à la banque de Nice. Celle-ci fait une enquête à Paris d'où est venu l'ordre de paiement de 1 000,00 F On me transmettra le résultat.

J'ai bien reçu votre lettre du 12. Je suis en train de préparer pour Vous une sorte de rapport, de caractère officiel, sur les choses dont j'ai été témoin. Je vous enverrai ce rapport dans deux ou trois jours. Si je ne craignais des indiscrétions possibles, je le ferais dactylographier en plusieurs exemplaires, ce qui peut être éventuellement utile. J'y joindrai une lettre privée où je vous répondrai au sujet de l'idée d'achat de la maison.

Je vous envoie une carte du secrétaire de l'évêque de Nice établissant bien que l'autorité diocésaine ne me considère pas comme indésirable. Je vois que cette carte est antérieure de 3 jours à la lettre de v. C. ; cela s'explique par le fait que Mgr v. C. était supposé vous avoir déjà écrit bien avant : le secrétaire m'a dit : Je regrette qu'il ait déjà écrit ; on ne savait pas qu'il n'avait pas encore écrit. Depuis, le secrétaire (chanoine May) m'a prié de ne pas quitter le diocèse avant d'avoir reçu de l'évêché la certitude que définitivement le culte est supprimé pour les Russes, car on a envisagé la possibilité de me demander d'assurer le service au moins encore quelques temps (peut-être jusqu'à Noël) ; il m'a assuré d'autre part que, si vous jugiez ma présence encore utile, l'évêché n'a pas d'objections. L'évêque est actuellement hors du diocèse. Peut-être ira-t-il à Rome. Je crains qu'il ne noircisse le P. Alexandre. Mon opinion d'ensemble reste très ferme : le P.A., malgré ses torts, est surtout la victime d'une situation créé [sic] en majeure partie par les calomnies et les intrigues d'une femme *démoniaque*[441] et en mineure partie par l'inintelligence de la hiérarchie catholique. Plusieurs Russes vont vous écrire. Ci-joint une lettre de Messing. Il hésite entre l'art et la vie monastique, il voudrait vous voir. Il ferait un excellent *riassophore*[442] sans vœux. Son étrange apostolat porte de très bons fruits. J'envoie aussi une lettre du P.A. à moi. Je lui ai transmis votre lettre ; il ne l'avait pas encore reçue. Qui sait si son idée – des Russes à l'île de Lérins – n'est pas la bonne solution ? C'est la solitude monastique. C'est aussi l'influence possible sur Nice, Cannes, Toulon, Marseille, grands centres russes. Et ce n'est plus le diocèse de Nice. Mais comment vivre là ? Peut-être en travaillant pour l'abbaye qui manque de main-d'œuvre (culture des oliviers) ?

---

441. Il s'agit de Mlle Vadot. Voir *infra*.

442. Un « riassophore » est un moine qui, de l'avis de son supérieur, a suffisamment progressé dans son « noviciat » pour mériter de porter le *riassa* (ou *rason*), le manteau qui recouvre la *podrasnik* ou *podriasnik* (soutane). Bien qu'aucun vœu ne soit prononcé, cette deuxième étape (entre le noviciat et le statut de « stavrophore ») lie l'homme à la vie monastique, qu'il ne peut dès lors plus quitter à moins d'en avoir l'autorisation expresse de son évêque.

Le P. Omez[443] qui vient d'être nommé supérieur du séminaire de Lille réorganisé une fois de plus m'écrit pour vous prier instamment d'ordonner prêtre Spassky (il a ses lettres dimissoriales), si Votre Excellence vient prochainement en France. Je saisis cette occasion pour vous dire : de grâce, venez ! Tous les Russes le désirent. Venez d'abord dans le Nord. Messing y sera vers cette date (c'est-à-dire il faudrait être là bientôt, ordonner Spassky à Noël latine). Vous iriez à Anay. Je vous rejoindrais dans le Nord. À Paris, vous parleriez de toute la situation avec nos amis. Grum vient de m'écrire (il a 2 candidats monastiques) pour rappeler qu'il offre toujours 50 000,00 F à une entreprise sérieuse et pour demander que vous veniez, Votre présence peut dénouer les crises. Vous verriez s'il y a lieu ou non d'aller à Nice. Que répondre au P. Omez ? Je vous en prie, faites tout le possible pour venir. De grâce, un mot me fixant en principe sur votre venue et la date éventuelle. Je demande prières. J'aurais un volume à vous écrire.

Votre fils humblement et devoué – ainsi que du P. Higoumène.

бр. Левъ[444]

N° 61

fol. 191 r

Nice, chez N. Krilof,
18 avenue Saint-Sylvestre,
28 nov. 27

Excellence,

J'ai terminé aujourd'hui même un rapport de 20 pages grand format sur nos affaires (Deubner). Ce rapport vous est destiné et dédicacé. Mais c'est à Paris, à Grum que je l'ai envoyé. En effet, comme Vous le montrera la carte ci-jointe de Grum, il y a urgence à renseigner Grum et, à travers Grum, Rome. La personne qui part

---

443. Jean Omez était un prêtre dominicain qui devint supérieur du séminaire catholique russe Saint-Basile de Lille en 1927 malgré les efforts apparemment déployés par d'Herbigny pour démolir celui qu'il considérait comme un arriviste pouvant lui porter ombrage.

444. Frère Lev.

pour Rome prendra donc connaissance de ces pages. D'autre part, je voulais faire dactylographier ce rapport, mais pas à Nice, de crainte d'indiscrétions. J'ai prié Grum de faire taper quelques exemplaires et d'en envoyer le plus tôt possible *trois* à Votre Excellence, – éventuellement pour que Vous le communiquiez à la Cong. Orientale et à Mgr Chaptal, si vous jugez à propos. Car on parle déjà beaucoup. Mgr Ricard[445] a été à Paris. Son secrétaire sera bientôt à Rome. Il faut empêcher qu'on travestisse les faits. Comme il fallait envoyer ces notes à Paris sans tarder et que je n'avais plus le temps de les recopier, pardonnez-moi et ayez la bonté d'attendre l'envoi de Grum.

Réduits à leur schéma le plus simple, les faits sont ceux-ci :

1) Mlle Vadot[446], une *sadique* et une *démoniaque,* (ce ne sont pas des métaphores, je la crois possédée de l'Esprit du Mal), furieuse de ne pouvoir pas diriger la paroisse russe et persécuter à son gré les pauvres femmes russes du Foyer[447] décide de se débarrasser du P. Deubner, qu'elle accable de mensonges et de calomnies, sans pouvoir montrer rien de grave contre lui, – notamment rien quant aux mœurs ;

2) Elle met de son côté M. Loras[448], industriel propriétaire du Foyer, un sinistre exploiteur, très faux ;

3) Loras, qui domine financièrement Mgr van Caloën, lequel est perdu de dettes, acculé à la faillite, avec des procès sur les bras, obtient de lui carte blanche contre le P. Deubner ;

4) L'évêque de Nice, excédé des Russes et, quant à la mentalité, très semblable à Mgr Homychine, est trop heureux de cette occasion pour liquider l'œuvre russe. Là dessus, malheureusement, vient se greffer l'affaire du passage presque réalisé de D[eubner] à l'orthodoxie. J'ai beaucoup édulcoré la chose dans mon rapport. Mais pensez que D. a dit que depuis déjà 13 ans il n'était plus catholique de cœur ! (il l'a dit aux

---

445. Né en 1852, Joseph-François-Ernest Ricard fut sacré évêque d'Angoulême en 1901 et nommé archevêque d'Auch (-Condom-Lectoure-Lombez) en 1907. Il mourut à Auch en 1934.

446. Il s'agit de la directrice de la maison de l'œuvre catholique pour les Russes. Elle est mentionnée à plusieurs reprises dans les lettres précédentes, sans être nommée.

447. Le « Foyer » fait allusion à l'institution charitable mise sur pied pour venir en aide aux réfugiés russe à Nice.

448. Nous n'avons trouvé aucun renseignement au sujet de cette personne.

orthodoxes). Et c'est un fait que depuis un certain temps déjà il ne mentionnait plus le pape à la liturgie : il me disait que, puisqu'il vous nommait, c'était la même chose… Je dois dire que D. a menti en plusieurs circonstances. Ayant écrit une lettre assez insolente à Mgr v. C[aloën], il lui a dit ensuite que je lui avais dicté cette lettre. J'ai su la chose, et lui ai fait signer une rétractation de ce propos. Il a alors dit à Mgr v. C. que, lorsqu'il m'avait rendu responsable, il avait eu un *lapsus linguae* ! De même, quand il me parlait, il disait qu'il voulait toujours devenir moine, mais, quand il parlait à Mgr v. C. ou à l'évêque de Nice, il disait que, s'il trouvait un poste intéressant, il préférait y rester. Et cependant il n'est pas faux. C'est un névropathe, capable de rendre de grands services, au besoin. Il attend toujours son passeport à Lérins. Je vous envoie une copie de sa lettre aux catholiques de Nice. Il exagère un peu et se fait plus coupable qu'il n'a été.

Nos amis ont dû [*sic*] se disperser pour gagner leur vie. Apouchkine est jardinier près de Nice. Kamensky professeur dans un gymnase. Messing et Kavrof vivent ensemble. S'il y avait des fonds et un milieu latin sympathique, une œuvre monastique pourrait très bien se créer. Mais Nice est-il *maintenant* le milieu propice ? Les Russes voudraient beaucoup que vous vous occupiez d'eux ici. Ils ne peuvent pas souffrir Mgr v. C. – j'ai eu sous les yeux une lettre ancienne de Grum à Mgr v. C. lui disant de ne pas compter sur son appui dans ses méthodes de conversion des Russes, car, disait-il, avant d'être prêtre catholique je suis un gentleman. Je ne saurai que dans qq. jours si Loras céderait la maison de Pessicart (je fais faire un sondage officieux, rien de direct et d'officiel), et alors il faudrait l'opinion de Mgr Ricard, dont je n'ai pas de nouvelles. Mais cette maison vaudrait-elle un sacrifice de 100 000,00 F ? Peut-être faut-il renoncer à l'Occident, ne plus nous intéresser qu'à la ligne où s'engage Mlle Corbiau ? Je me demandais si je ne vous serais pas plus utile à Lwow, en reprenant notre embryon de *hiérodidascalion*[449].

---

449. Un *hiérodidascalion* est une institution d'éducation – habituellement pour les moines eux-mêmes – et rattachée à un monastère.

N° 62

fol. 193 v

Nice, chez Mr Kriloff, (A.M.)
18 avenue Saint-Sylvestre
1 déc. 27

Excellence !
Le secrétaire de l'évêque de Nice m'informe que l'évêque, de retour de Paris, a trouvé une lettre de A.D. Celui-ci écrit à l'évêque qu'après avoir mûrement réfléchi et prié il s'est décidé à donner suite à son projet primitif – c'est-à-dire à passer à l'Église orthodoxe russe – et qu'en conséquence il quitte Lérins. Il n'a pas laissé d'adresse. L'évêque a prévenu Rome. A.D. (que je voulais aller voir ces jours-ci) ne m'a rien écrit. On ne sait où il est. J'écris à Grum-Abrikosof de voir s'il ne serait pas au Cepr. Подворie [*sic*] et de faire leur possible à son égard… Lettre suit dans quelques jours,
Votre fils humblement dévoué dans le Christ
бр. Левъ[450]

N° 63

fol. 194 v

[Carte postale]

Nice chez Krilof,
18 avenue Saint-Sylvestre
3 déc. 27

Excellence, merci bien pour lettre du 28. J'y répondrai en détail. Un mot seulement aujourd'hui pour vous dire que A.D. est à Paris, au Сергиевскоie Подворie [*sic*]. C'est déjà assez triste. Ce qui est plus triste encore, c'est qu'il a écrit à Apouchkine, Kamensky, Karrof, pour les presser de se faire orthodoxes. Il leur dit que l'orthodoxie est

---

450. Frère Lev.

au catholicisme ce que le ciel est à la terre et il leur propose même une aide financière du Métropolite Euloge. Ils résistent à cet appel à l'apostasie. Auront-ils la force de résister toujours? Vous pouvez penser quelle amertume tout ceci est pour moi!

L.G.

N° 64

fol. 196 r

Valence, 12 déc 27
Adresse: 6 rue de l'Equerre, Valence, Drôme

Excellence!

J'ai bien reçu votre lettre du 28 novembre et la lettre du Père Higoumène du 30 novembre. Je réponds à ces deux lettres en même temps.

Tout d'abord, permettez-moi, Excellence, de vous offrir mes meilleurs vœux de fête. Je demande à Dieu, de tout cœur, qu'Il vous garde le plus longtemps possible à notre affection, qu'Il vous aide dans les difficultés de votre tâche, qu'Il rétablisse votre santé, qu'Il vous donne de voir les événements que nous désirons tous. Croyez à mes prières très vives pour Vous.

À l'heure qu'il est, vous devez être en possession de mon petit mémoire sur les événements de Nice. Car Grum m'a écrit le 4 décembre qu'il vous en envoyait trois exemplaires dactylographiés. Grum ajoutait (les mots soulignés le sont par lui): *J'insiste pour que Mgr A. vienne le plus tôt possible à Paris.* **Nulle part**[451] *il ne pourra obtenir des renseignements plus exacts sur les dessous de l'affaire de Nice. Vous ne connaissez que les chapitres III et IV de cette affaire, mais moi j'en connais les chapitres I et II et à fond! Je lui parlerai aussi de mes 50 000,00 F Ici les affaires ne vont pas bien non plus.*

Je suis sans nouvelles de Deubner. Il est toujours, je pense au *Padvorié.* J'ai prié Abrikosof de faire ce qu'il pourrait pour lui, mais Abrikosof ne m'écrit pas. Le Père Higoumène semble considérer

---

451. Ces mots en caractères script gras sont doublement soulignés sur la copie originale de Gillet.

l'acte de D. comme un simple geste de mauvaise humeur. Je crois qu'il y a autre chose : c'est la goutte qui a fait déborder un vase déjà plein. Si ce que m'a dit D. est vrai, les assomptionnistes[452] l'ont tant fait souffrir que déjà il n'y avait plus dans son cœur que dégoût et amertume à l'égard de l'Église romaine. Je le crois parfaitement sincère dans son apostasie. Votre venue à Paris pourrait être sa dernière chance de salut.

Définitivement, je crois qu'il n'y a rien à faire pour nous à Nice. Je ne vois pas que l'achat de Pessicart présente un avantage quelconque ; sous prétexte de réparations récemment faites on vous demanderait au moins 200 000,00 F plus des impôts formidables ; ce serait une mauvaise affaire à tout point de vue. D'autre part, dans le milieu épiscopal de Nice, on ne m'a évidemment pas dit qu'on verrait votre intervention avec déplaisir, mais j'ai compris sans peine qu'on ne la désire pas ; l'évêque de Nice est si excédé des Russes et des affaires russes que, au moins pour un temps, il est décidé à tout laisser dormir.

Voyant tout cela, il m'a semblé que je n'avais plus rien à faire à Nice. Le secrétaire de l'Évêque m'a assuré que je pouvais y demeurer tant que vous le jugeriez bon, mais j'ai craint que ma présence ne prît une apparence de protestation tacite et ne semblât être le point de ralliement de tous les mécontentements russes. J'ai donc avisé le secrétaire de l'évêque que je me retirais. Il m'a aussitôt proposé de me délivrer un document attestant que l'évêque, dans touts ces affaires, n'avait jamais eu lieu d'être mécontent de ma personne. J'ai remercié, mais j'ai dit que je ne croyais pas ce document nécessaire. En effet, il m'a semblé qu'il y aurait une sorte de bassesse à chercher une sorte de *satisfecit* personnel émanant de ceux même qui, pour moi, sont les vrais et principaux responsables de tout le mal. Si cependant vous le jugez bon, je puis toujours demander à Nice ce certificat.

---

452. De l'ordre religieux catholique romain fondé à Nîmes en 1850 par le prêtre Emmanuel d'Alzon. Les Augustins de l'Assomption, ou Assomptionnistes, reçurent l'approbation papale en 1864. Les principaux buts de la Congrégation étaient de lutter contre la sécularisation et de poursuivre une activité missionnaire en Orient. En 1900, le gouvernement français supprima la Congrégation sur le territoire français sous prétexte qu'elle finançait un mouvement royaliste cherchant à renverser la République. Un certain nombre d'assomptionnistes eurent une activité missionnaire parmi les orthodoxes, surtout en Russie où, depuis 1903, ils furent présents d'abord à Saint-Pétersbourg, puis à la tête de la paroisse française de Saint-Louis à Moscou.

J'ai donc quitté Nice. Je l'ai quitté avec un déchirement intérieur en pensant à mes espérances premières et en voyant quelles sympathies j'y laissais. Les Russes, orthodoxes ou même incroyants, m'ont entouré, à mon départ, de l'affection la plus touchante. J'ai reçu d'eux des cadeaux et des lettres. J'ai vraiment constaté que ceux avec lesquels j'ai été en rapports m'ont compris et aimé.

Deux jours avant mon départ, j'ai été appelé à la police et longuement interrogé ; j'avais été dénoncé comme agent secret du Gouvernement des Soviets, en liaison personnelle avec Trotskyi[453] et Zinovief[454] ! À certains indices, j'ai cru reconnaître que la dénonciation émanait de la femme qui a été cause de tous nos troubles et des malheurs du P. Alexandre. Je n'ai eu aucune peine à montrer que tout cela ne reposait sur rien et finalement la police s'est excusée de m'avoir dérangé.

De Nice, je suis allé à Marseille. Je désirais prendre contact avec la colonie russe, très nombreuse, et à laquelle les Russes de Nice m'avaient vivement recommandé. Je désirais aussi voir l'évêque, qui est un ami de ma famille. L'Évêque a été très aimable envers moi ; il aimerait faire votre connaissance et m'a suggéré l'idée d'organiser une œuvre russe à Marseille. Les Russes de Marseille, dont la plupart vivent ensemble dans son camp, m'ont fait l'accueil le plus cordial. Après une semaine à Marseille, je suis parti pour Valence, auprès de ma mère, où je me réfugie dans le silence. Le Père Higoumène semblait craindre que je ne veuille faire crouler les murs et que je ne me laisse entraîner à des pas inconsidérés. J'espère que Dieu m'en préservera. J'ai justement quitté Nice pour ne pas envenimer la situation

---

453. Lev Davidovitch Bronstein, dit Léon Trotski (1879-1940), était organisateur et commandant de l'armée rouge et commissaire du peuple à la Guerre. Membre fondateur du *Politburo* soviétique et adjoint de Lénine, il fut mêlé, à la mort de ce dernier en 1924, à une lutte intestine contre Staline. Perdant dans cette lutte, Trotski fut expulsé du Parti communiste et déporté d'Union soviétique, mais tous les pays d'Europe lui refusèrent l'asile, et il aboutit à Mexico, où il continua à écrire et à exercer son influence, au grand dam de Staline. Il mourut assassiné par un agent stalinien, Ramón Mercader, qui lui enfonça un pic à glace dans le crâne.

454. Grigori Ievseïevitch Apfelbaum, dit Zinoviev (Zinovief) (1883-1936) fut membre du *Politburo* soviétique à partir de 1919, ainsi que chef du *Komintern*. Après la mort de Lénine en 1924, Zinoviev, avec Lev Kamenev et Staline, fit partie du triumvirat au pouvoir et joua un rôle clé dans la mise au ban de Trotski avant d'être lui-même écarté par Staline. Victime des purges staliniennes, Zinoviev fut arrêté en 1935 et condamné à dix ans de prison. En 1936, accusé d'avoir créé un groupe terroriste pour assassiner Staline et d'autres dirigeants, il fut exécuté.

et laisser le champ libre. Je ne désire ni m'imposer nulle part ni élever la voix pour protester, – quoiqu'il me semble que de grandes maladresses et de grandes injustices aient été commises...

J'irai certainement à Lyon voir les Russes, les jésuites, du Chayla, et où on me dit que Kousmin Karavaïef[455] organise une paroisse ; je ne sais si c'est vrai.

Et maintenant se pose pour nous la question : que faire ? Une remarque préalable s'impose. L'expérience de Nice ne prouve rien contre la possibilité de ce que nous souhaitions. Ni les studites, ni moi-même, ni notre effort d'ordre monastique n'avons été en cause. La difficulté est venue de la paroisse. Cela montre que Grum et Abrikosof avaient raison : il ne faut accepter aucune responsabilité officielle, il faut demeurer entièrement libre à l'égard des latins. À cette autre question : Y a-t-il quelque chose à faire avec les réfugiés russes ? – je n'hésite pas à répondre : oui. Je sais tout le mal qu'on peut dire et qu'on a le droit de dire des réfugiés russes, mais je sais aussi qu'il y a chez beaucoup d'entre eux des trésors d'humilité, de charité, d'abnégation, de dévouement. Et je sais que *d'instinct* ils comprennent notre œuvre studite *mieux* que n'importe quel latin, même d'Amay. Quand ils pensent à la vie religieuse, ils la conçoivent instinctivement sur notre type. Dans l'archevêque russe de Nice, j'ai rencontré vraiment ce type de старець[456] que nous concevons comme l'idéal. Je crois donc qu'il ne faut pas désespérer des Russes. D'autre part, je reçois de Mlle Corbiau des lettres si enthousiastes que je crois que, de ce côté aussi, en Occident, quelque chose peut s'organiser. Le Père Higoumène craint que ma russophilie ne devienne un engouement. Aussi je ne veux pas émettre un avis sur la question : renoncer radicalement – ou continuer quelque part ailleurs. Je crois seulement qu'il serait très bon que Son Excellence vînt à Paris et parlât avec Abrikosof, Groum, etc. Ceci lui permettrait de se former un jugement objectif. Quant à la question de mon sort personnel, je la distingue de la question générale de notre activité. Je ne suis indispensable nulle part et je suis prêt à faire tout ce

---

455. Fils d'un ministre du gouvernement tsariste et premier mari d'Élizaveta Pilenko, la future mère Marie Skobtsova (aujourd'hui canonisée par l'Église orthodoxe), Dimitri Kuzmin-Karavaev se convertit au catholicisme de rite oriental, après la Révolution, dans la chapelle privée du Père Abrikosov à Moscou. Il étudie la théologie à Rome et est ordonné prêtre. En 1927, il prend la relève de la pastorale auprès des russes catholiques à Berlin, en remplacement de Ludwig Berg. En 1934, on l'envoie à Namur enseigner au pensionnat Saint-Georges.

456. *Starets.* Voir plus haut.

que vous voudrez. Le Père Higoumène demande si je ne pense pas que le temps de rentrer est venu. Je crains de répondre moi-même à cette question ; il me semble que la volonté de Dieu ne serait plus clairement manifestée si elle l'était sous forme d'un ordre extérieur. Vous voyez à peu près la situation. *Je vous prie donc de m'envoyer des instructions me disant si je dois : a) ou rentrer de suite en Galicie ; b) ou attendre en France votre venue et les ordres que vous pourriez me donner après examen de la situation.* Quel que soit votre désir et celui du Père Higoumène, je vous assure que j'y verrai la volonté de Dieu et que je suis prêt à obéir non seulement extérieurement, mais de cœur.

Je crois devoir ajouter ici quelques mots sur la répercussion de la vie extérieure que j'ai menée pendant ces six mois sur ma vie intérieure. Je ne puis que remercier Dieu. Ces six mois ont été extérieurement bien pénibles pour moi. Mais plus les circonstances extérieures devenaient difficiles, plus il me semblait que Notre Seigneur posait sa main sur moi et m'appelait à vivre avec lui, à converser intérieurement avec lui. J'avais une grande paix intérieure, et, de plus, je sentais qu'à certains moments j'étais pour d'autres un canal de grâces. Je n'ai converti personne, mais des orthodoxes, des incroyants, des pécheurs venaient à moi, et Dieu a voulu que chaque fois un rapport vrai de confiance s'établît entre eux et moi et que souvent un résultat concret, positif, se produisît. Mais j'ai appris aussi que ces résultats, ces grâces, sont donnés en compensation de quelque chose ; je vois très bien que, si j'ai pu obtenir telle ou telle grâce pour des Russes, c'est parce que ma vie était alors telle qu'elle devait être toujours : j'avais presque toujours faim, je n'avais pas de lit, je donnais tout ce que je pouvais donner. Son Excellence m'a écrit un jour que c'était là tirer un feu d'artifice sans conséquence. Et cependant, en me plaçant au point de vue de mon âme, il me semble que cela était bon pour moi. Je vivais dans un état d'enthousiasme spirituel à proportion même du don que je faisais de moi aux autres. Je me sentais capable de jeûner des journées entières et de passer des journées en prière. Je sais bien que cela n'aboutissait pas à une fondation, – que rien de valable n'en sortait – et pourtant je crois pouvoir dire, en toute humilité : Notre Seigneur était alors avec moi… Même si je ne dois rien réaliser, rien créer, il me semble que me donner à mes frères russes, les servir, c'était un appel de Dieu. [Je dis les servir, car j'ai essayé de les servir, par toutes sortes de démarches et même de fatigues physiques]. Et, de fait, depuis que je ne mène plus cette vie incohérente et donnée – je puis dire : follement donnée – il me semble que je ne reçois plus les mêmes grâces, que tout est devenu terne, difficile. Mlle Corbiau m'écrit que, depuis son retour de Russie, elle ne peut plus vivre autrement que dans le souvenir de la Russie et qu'elle garde de son aventure comme une grande courbature morale, comme la sensation d'avoir roulé tout au long d'un escalier. De même, depuis que je ne suis plus avec les Russes, j'éprouve comme une sorte de désespoir intérieur, je me sens brisé, – il me semble que le Christ, que j'essayais de servir et d'aimer en eux, s'éloigne de moi, – et, pour retrouver ce Christ que j'étreignais à Nice, je suis prêt à devenir le serviteur, l'esclave, des Russes les plus souffrants, sous quelque forme que ce soit... Illusion diabolique? ou indication divine? Je ne vous écris pas cela pour vous persuader qu'il faut me laisser avec les Russes. Au contraire, je le répète: j'accueillerai votre décision, quelle qu'elle soit, comme l'Expression de la volonté de Dieu.

Je remercie bien le P. Higoumène du document joint à sa lettre.

M. Paris m'a envoyé pour les studites, de la part de Mgr Lagier, 3 800,00 F de stipendia: 300 messes à 10 F et 100 messes à 8 F, soit 400 messes *ad intentionem dantis*[457]. Dois-je vous envoyer cet argent tout de suite ou le garder provisoirement? J'ai moi-même des stipendia de M. Paris; cela m'a été fort utile, car le P. Deubner ne m'a pas rendu et vraisemblablement ne me rendra jamais 400 F que je lui avais avancé par petites sommes successives, et d'autre part, Messing, dont une série de concerts a été momentanément retardée et qui assume le soin de son ami Kavrof, malade, m'a emprunté une somme assez forte. Je ne pouvais vraiment pas lui refuser. Il n'avait plus de quoi manger. – M. Paris désire, en échange, des reliques de saint Josaphat pour des églises russes. Je crois que Votre Excellence pourrait en parler avec lui à Paris.

J'attends donc des ordres. Ici (à Nice, je veux dire) on ignorait le concile slave de Lwow[458]. Que donnera-t-il?

---

457. Phrase canonique signifiant « à l'intention du donateur », employée d'habitude pour décrire l'obligation pour un prêtre de dire une messe pour une intention spéciale, selon les souhaits de la personne ayant fait une offrande à cette fin.

458. Tenu en 1891, le concile de Lviv réunissait les hiérarques de l'Église catholique ukrainienne sous la présidence d'un légat du pape en vue de promulguer certaines réformes ecclésiastiques dans l'Église depuis le dernier concile semblable, tenu à Zamość en 1720. Le concile de 1891 rendit des décisions sur les jours fastes et maigres et sur d'autres questions liturgiques, mais surtout, il rejeta la proposition du légat visant à rendre obligatoire le célibat du clergé. Ici, Gillet fait allusion d'une façon particulière aux ordonnances du Concile pour une liturgie latinisante.

Bénissez-moi, Excellence, et priez, vous et le Père Higoumène, pour votre fils humblement dévoué,

бр. Левъ[459]

N° 65

fol. 198 v

Valence 6 rue de l'Équerre
(Drôme) 14/12/27

Excellence, – Voilà un comble! J'avais envoyé à Grum un rapport destiné à Vous sur les affaires de Nice pour que Grum le fasse dactylographier. Il m'avait écrit qu'il vous en envoyait 3 exemplaires. Or, je reçois une nouvelle lettre de Grum me disant qu'il ne fait pas dactylographier le rapport, mais vous l'envoie tel quel. Il ne me donne aucune raison. C'est ennuyeux, car, d'une part, je n'ai plus, moi-même, aucun texte de ce rapport, et d'autre part, il m'aurait paru bon d'en avoir plusieurs textes afin – si vous le jugez bon – de pouvoir faire entendre à certaines personnes (Mgr Chaptal, Mgr d'Herb[igny], par exemple) un son de cloche qu'ils ignoraient. Je regrette surtout de vous avoir fait attendre ce rapport en vain, trop confiant dans les paroles de Grum. J'espère que vous finirez par recevoir ce rapport! Grum insiste de nouveau pour que vous veniez à Paris. En cela, je crois qu'il a raison. Il me dit que A. D[eubner] est *séquestré* (c'est lui qui souligne) au S. Padvorié et qu'on ne peut avoir aucun contact avec lui. Serait-il bon que vous lui écriviez? Dois-je moi-même lui écrire, – ou le laisser le temps de se reprendre? Grum croit que son passage au православie est une "boutade" et qu'il reviendra comme Kolpinsky[460].

---

459. Frère Lev.
460. Natif de Russie, Diodor Kolpinsky (1892-1932) se convertit au catholicisme en 1911, poursuit des études en théologie à Rome et est ordonné prêtre en 1916. En juin 1917, il fait partie du clergé réuni sous la présidence de Cheptytsky et convoqué pour un Concile de l'exarchat russe gréco-catholique. Par la suite, il revient à l'orthodoxie pour quelque temps, ce qui explique pourquoi Gillet le mentionne. En 1926, après un retour au catholicisme, il critique d'Herbigny, franchement et indirectement, à une conférence catholique à Vienne. Léon Tretjakewitsch résume cette critique ainsi: « Kolpinsky a exhorté les partisans

Je pense que vous avez reçu le texte de la lettre de A. D[eubner] aux catholiques russes de Nice ; je vous l'ai envoyée. Comment le signataire de ces pages a-t-il pu changer en quelques jours ? Mais il ne faut pas permettre qu'on l'accable. Il a beaucoup souffert. Je vous ai écrit hier une grande lettre, vous demandant des ordres. En somme, nous avons réussi avec les Russes, échoué avec les latins. Je me tiens toujours à votre totale disposition. Votre fils humblement dévoué en N.S.

    бр. Левъ[461]

---

catholiques de la réunion (orthodoxe-catholique) à ne pas insister tout le temps sur la doctrine et sur les autres différences entre l'Orient et l'Occident. Ils ne devraient pas non plus revenir sans cesse sur la beauté du rite oriental ou sur la garantie de sa préservation en cas d'union, parce que les orthodoxes n'ont pas toujours considéré de tels discours comme honnêtes. Ils devraient plutôt chercher à acquérir « de sincères et bons (Einfühlung) envers l'âme russe ». Cette critique indirecte de l'approche d'Herbigny aux travaux de la réunion devint plus explicite lorsque Kolpinsky les mit en garde contre des essais, comme les voyages d'un jésuite [d'Herbigny] dont la partialité non dissimulée envers les rénovationistes russes, dit-il, crée de l'animosité parmi les émigrés. Il considérait injuste que des catholiques mettent leurs espoirs dans la désintégration de l'Église de Russie en voulant ériger l'universalité catholique sur les ruines de l'orthodoxie » (Tretjakewitsch, p. 188-89).

Rédacteur da la Revue russe catholique de Varsovie pendant plusieurs années, Kitej [Kitezh], Kolpinsky part, en 1929, œuvrer auprès de la communauté russe catholique à Harbin, Chine. Tretjakewitsch décrit son destin en ces termes : « Dans des conditions très difficiles, [Kolpinsky] ouvre une école à Harbin pour enseigner aux garçons russes, dans un esprit religieux et russe, mais sans prosélytisme catholique. Cependant, Kolpinsky s'attire le mécontentement des Polonais qui s'ingèrent constamment dans les affaires russes catholiques et se querelle également avec Abrantovitch [le supérieur de la mission russe catholique d'Harbin]. De plus en plus fréquemment, il exprime le désir de retourner à l'orthodoxie pour la seconde et dernière fois, mais meurt plutôt soudainement en juillet 1932 avant de prendre les dispositions nécessaires. Une discussion enflammée éclate au sujet du corps de Kokpinsky, chaque partie réclamant le droit de diriger les funérailles. Enfin, les catholiques réussissent à l'ensevelir, tandis que les orthodoxes lui chantent un *panikhida* dans leur propre église » (*Ibid.*, 254-55).

461. Frère Lev.

N° 66

fol. 199 r

PAX
ABBAYE de SAINT-BENOIT
Maredsous, 31/12/27

Excellence !

J'ai enfin trouvé ici – à Maredsous – le temps et la liberté d'esprit nécessaires pour vous écrire. Mon voyage depuis Léopol a été bon, sans rien de remarquable, – sauf, à Cracovie, la rencontre d'un Ukrainien de Bukovine[462] roumaine qui allait à Léopol voir votre Excellence, jeune homme sympathique, mais assez naïf, comme vous vous en serez aperçu en l'entendant parler. À Rotterdam, chez les Perridon, excellent accueil. Je n'ai rien à ajouter à ce que je vous ai écrit concernant Nimègue. Mais je tiens à souligner le sérieux, la Gründlichkeit[463] et le dévouement des sympathies hollandaises.

Le P. David Balfour est parti pour Londres afin de s'informer sur la Palestine. Il sera de retour le 6 janvier. Après avoir parlé avec lui, j'écrirai à Votre Excellence au sujet de ces informations. Puis aussitôt j'irai à Paris.

De Rotterdam je suis allé directement à Amay. Toute la communauté d'Amay salue Votre Excellence et le Père Higoumène et l'on m'a chargé de vous envoyer (ci-joint) une photographie et le règlement de la communauté. Mon impression de cette communauté a été bonne. Leur vie est plus ascétique que je ne me l'imaginais à distance. (Un détail : le P. Lambert lui-même nettoie les cabinets, pour donner l'exemple). L'atmosphère est à moitié celle d'une abbaye bénédictine, à moitié celle du collège grec. Beaucoup d'esthétisme et de purisme concernant la liturgie : tout est strictement по московскому[464]. Mais il y a ce curieux bi-ritualisme (matines, laudes, vêpres selon le rit romain).

---

462. La Bucovine ou Bukovine (en roumain et ukrainien *Bucovina*) est une région située au nord-est de la Roumanie et au sud-ouest de l'Ukraine, au pied des Carpates. Le nom existe officiellement depuis 1775, date où la région fut annexée à l'Empire des Habsbourg et en devint une province.
463. Solidité, profondeur, exactitude, minutie.
464. À la moscovite.

Concélébration[465] byzantine chaque jour. Pas de messe privée, sauf le P. Lambert et un prêtre qui ont gardé le rit romain. Ils ont une grande influence sur les milieux orthodoxes de Belgique et en Angleterre ils ont introduit un peu d'air frais dans une atmosphère empoisonnée par les controverses. Mais j'ai aussi l'impression qu'ils ne savent pas exactement où ils vont et ce qu'ils veulent; ils tâtonnent et se cherchent encore. Puis ils sont tous plongés dans les mythes slavophiles jusqu'au cou. Leur état d'esprit serait assez bien résumé par une phrase caractéristique de Strotmann à Perridon : Une fondation orientale en Occident doit être conçue en dehors de toute étroitesse nationaliste. Mais, bien entendu, il faut que tout soit strictement grand-russien (!!) Je n'ai pas eu le temps de traiter avec le P. Lambert la question Slovita, parce que, le jour où je me proposais de lui en parler, il a été appelé auprès de sa mère mourante et je ne l'ai pas revu. Mais quand je reviendrai à Amay voir le P. Balfour à son retour de Londres je pense aborder cette question. En tout cas, le P. Lambert m'a parlé de vous, du P. Higoumène, des studites, dans les meilleurs termes, et il insiste dans ses conférences aux novices sur la communauté d'œuvre entre les studites et lui. Ce qui me fait croire qu'il est vraiment bien intentionné c'est qu'il m'a fait spontanément l'œuvre suivante. Une dame très riche a perdu son fils. À la suite de cela, elle a offert au P. Lambert un château qu'elle possède au Luxembourg, en don. Le P. Lambert ayant maintenant Amay ne tient pas à se charger de ce château et il m'a dit qu'il l'offrirait aux studites si ceux-ci voulaient s'établir en Europe occidentale. Mais je crois que cette offre n'a pas d'intérêt pratique pour nous. Il n'y a aucune raison pour s'établir (les studites) au Luxembourg et l'entretien du château serait une charge. Mais enfin je pense que, s'il y avait chez le père L. une malveillance foncière, il n'aurait pas eu cette idée. Pour en revenir à Slovita, j'ai toujours l'espoir d'arriver à une situation claire et pacifique. Il est bien, d'ailleurs, qu'avant de parler au P. Lambert j'aie l'occasion de voir la famille Van Diest et le P. André Stoelen, ce que je ferai ces jours-ci.

J'en reviens à Amay. La communauté est très unie, avec beaucoup d'esprit de famille. Mais je prévois que des difficultés éclateront bientôt de la part de quelques-uns qui désirent une vie monastique de type purement russe et voudraient au moins vivre avec des Slaves.

---

465. Le mot est souligné dans le texte : on se souvient qu'avant Vatican II, la messe latine n'était pas concélébrée.

C'est notamment le fait du P. Balfour qui ne peut s'accommoder
d'une vie mi-latine, mi-byzantine, et qui, plutôt qu'un type de monachisme bénédictin, désirerait (m'a-t-il dit) le type de monachisme
studite, en faisant une plus large part qu'à Uniov à l'élément de vie
intellectuel et esthétique. David Balfour a le sentiment confus que
c'est seulement Votre Excellence qui pourra l'aider à trouver ce qu'il
cherche. Il désire passionnément aller en Russie. Il m'a dit de vous
dire qu'il regrette de n'avoir jamais ouvert complètement son âme à
Votre Excellence, mais qu'une sorte de timidité invincible l'a toujours
empêché de le faire, et que cependant il désirerait beaucoup vous
parler à cœur ouvert. Je garde une grande réserve, car, s'il vient à
s'orienter vers nous, quelles difficultés ce sera! Le même état d'âme,
je l'ai trouvé chez l'ami intime du P. Balfour, le fr. Léonide Ordintsef.
Ce Russe me semble un sujet excellent, intelligent, charitable, pieux,
– et extrêmement humble. Lui aussi regarde vers Vous sans savoir
exactement ce qu'il en attend. D'autres Russes encore, des catholiques, ont un sentiment mal défini que seul vous pouvez les aider. J'ai
entendu plusieurs fois cette phrase (je la répète telle quelle): Ah! si
Szepticky faisait quelque chose pour nous! Il y a certainement des
possibilités de bonnes vocations religieuses dans l'émigration.
L'écroulement des œuvres russes catholiques, sur lequel je reviendrai
tout à l'heure, a donné à plusieurs l'idée que vous seul, parce que
Slave, pourrez faire quelque chose pour les Russes. En tout cas, il y
en a à Amay qui m'ont déjà dit que leur rêve serait de voir s'établir
en Occident une communauté studite à laquelle ils voudraient
s'agréger – au besoin comme délégués des moines de l'Union.

D'Amay je suis allé au monastère de Wépion où il y avait des
journées pour l'Union des Églises. J'y ai fait deux conférences et m'y
suis rencontré avec Mme Lapo-Danilevska[466], catholique russe amie

___

466. D'origine russe et convertie au catholicisme, Nadeshda Lappo-
Danilevsky est l'auteure d'un roman apparemment autobiographique, *K s'tchast'iu*,
dont la seconde partie se situe à Rome et est écrite après sa conversion dans cette
même ville. L'héroïne de ce livre, une russe nommée Sandra, abjure devant le Père
Vladimir (Abrikosov?), prêtre catholique de rite oriental. On y trouve plusieurs
passages d'arguments en faveur de la primauté papale et déplorant l'hostilité des
émigrés russes envers l'Église catholique. Le roman est publié à Paris par Spes, en
1925. Cette dame publie un autre roman intitulé *Porugannyi* (L'Offusqué). Il
semble traiter d'un sujet semblable et mentionne aussi un Père Vladimir
(Abrikosov?) qu'on rapporte être transféré en Belgique. Ce roman est aussi publié
à Paris, mais en 1926.

du P. Abrikosof, et Mgr Sipiaguine. Celui-ci m'a demandé de venir à Namur. Il est plutôt déprimé et a l'intention de quitter Saint-Georges pour se retirer à Amay comme hôte permanent. Il y aurait place pour Sacha Deubner à Namur, mais il faut attendre pour cela que le provincial des jésuites revienne des Indes (en février) et d'autre part Mgr Sipiaguine croit qu'il serait meilleur pour Deubner d'aller à Paris (où se trouve actuellement le P. Abrikosof). Je parlerai du cas Deubner à Mgr Evréinof et au P. Vladimir.

Je serai le 1er janvier à Louvain, le 3 janvier à Schootenhof, le 4 janvier à Bruxelles, le 5 à Liège, le 6 à Amay. De toutes parts les étudiants russes demandent à me voir.

L'œuvre des Derselles[467] à Louvain est virtuellement finie. De 100 étudiants qu'ils avaient, ils n'en ont plus que 15, faute d'argent. Tout le monde est monté contre eux.

Au séminaire de Lille, il n'y a que 3 étudiants. Le P. Nikolof[468] est en termes très mauvais avec les Dominicains. Le P. Fallon s'est retiré. Le nouveau recteur ne s'entend ni avec Nikolof, ni avec ce gamin d'Omez (expression Sipiaguine) qui persécute Nikolof. Mgr Sipiaguine assure que les dominicains font croire à Rome qu'ils ont 30 élèves russes ! Ce serait tout de même un peu fort !

Mgr d'Herbigny semble universellement détesté. Tous ceux qui ont été à Rome récemment parlent de l'irritation des cardinaux contre la jésuitophilie du Pape et l'ascendant de Mgr d'H. Le cardinal Sincero notamment... On prévoit une réaction terrible contre les jésuites dès que l'occasion s'en présentera. Les Russes ne peuvent plus entendre parler de Mgr d'H[erbigny]. Celui-ci a été sacré avant Pâques à Berlin, par le Nonce[469]. Les nouveaux évêques russes ont le pouvoir d'ordonner des évêques et des prêtres orientaux. Enfin Mgr d'H. a récemment introduit en Russie (Odessa) sous de faux passe-ports deux jésuites français[470]. Ce qui exaspère tout le monde, c'est

---

467. Les Derselles, sont deux frères, prêtres catholiques, nommés par le cardinal Mercier en 1921 pour aider les émigrés russes, spécialement les étudiants.

468. Natif de Bulgarie et prêtre catholique de rite oriental, Ivan Nikolof officie les célébrations liturgiques de rite oriental et assure la formation de ce rite au Séminaire Saint-Basile de Lille à partir de 1924. Il peut avoir travaillé brièvement avec Van Caloen à Nice avant de venir à Lille.

469. Il s'agit du Nonce Eugenio Pacelli, future pape Pie XII.

470. Voir la note plus haut au sujet de cet événement. Cependant, veuillez noter que seul Ledit est de culture française (quoique citoyen des États-Unis) et que l'autre jésuite, Schweigl, est Autrichien.

que maintenant Mgr d'H. donnerait à étendre à tous que la Russie est réservée aux jésuites et que personne d'autre ne doit s'en mêler.

On a annoncé le retour à l'orthodoxie de Mgr Dabitch, actuellement à Florence. D'après Mgr Sipiaguine, Mgr Dabitch aurait demandé à Euloge de le réintégrer dans l'Église orthodoxe. Euloge aurait répondu qu'il ne comprenait pas qu'on changeât chaque jour de religion et qu'il conseillait simplement à Mgr D. de faire pénitence. Sur quoi Mgr D. aurait eu du remords et aurait envoyé au pape une lettre repentante.

La querelle Euloge-Antoine est toujours vive. Il y a eu cette semaine une réunion à Paris pour essayer d'arriver à une conciliation. Les deux partis ont demandé l'arbitrage du P. Isvolsky en sa qualité d'ancien procureur du Saint-Synode.

Tout le monde dit que c'est bien le P. Vladimir qui aurait écrit la conférence du baron Wrangel.

Le général Wrangel est à Bruxelles.

D'une manière générale, j'ai l'impression que toute la situation est encore plus trouble que l'année dernière. En somme, tout ce qui s'est fait du côté catholique pour les Russes depuis 4 ou 5 ans a à peu près échoué, et c'est, disent les Russes, *parce qu'on ne nous a jamais compris.* Un bel exemple de naïveté: Mgr Chaptal, rencontrant Isvolsky à Paris, lui dit:

– *Ah! vous arrivez bien! Vous allez nous aider à mettre au pied une messe russe solennelle.*

– *Mais pour qui?*

– *Pour les Russes de Paris.*

– *Jamais! Si les Russes de Paris veulent une liturgie russe, ils l'ont déjà à la rue Daru!*

Le *Serguievskoïé Padvorié* de Paris réussit très bien. Il y a 60 étudiants. Ils mènent une vie extrêmement pauvre, mais il paraît que l'évêque Benjamin anime et enthousiasme tous ces jeunes gens par son rayonnement ascétique et apostolique. Il leur propose sans cesse Séraphim de Sarov pour idéal. (Mgr Sipiaguine a mis l'image de Séraphim dans son église).

Mgr Sip[iaguine] est toujours le même. C'est comique de le voir arriver en criant: *Mon Père, encore un scandale!*

Le P. Olivier [Rousseau] entre en ce moment dans ma cellule et me charge de présenter à Votre Excellence ses souhaits de bonne année. Pour le faire moi-même, j'attends la fin de l'année byzantine.

Tout ce que je vois me confirme dans l'impression que les Occidentaux, quelles que soient leurs bonnes intentions, ne réussiront jamais parfaitement avec les Russes, mais que les studites ont des *possibilités magnifiques* parmi les Russes (il y aurait certes des difficultés initiales, mais bien surmontables, je crois). Et ce serait tellement plus naturel que la Hollande ! Enfin je vous écrirai encore à ce sujet. Quant à moi, rien ne m'affermit plus dans l'attachement aux studites que de séjourner dans un milieu bénédictin. Je ne voudrais pas prendre l'attitude du Pharisien, mais, en vérité, je crois que notre part est la meilleure. C'est notre idéal du Christus humilis (selon l'expression de saint Augustin) qui peut attirer à nous – surtout les Russes.

J'ai remis 81 gulden au P. van Keulen pour Mansi[471] (payement du livre déjà reçu, – il vaut mieux ne pas payer maintenant les 2 volumes qui sont encore à l'impression ; s'ils venaient à être retardés ou à ne pas sortir ?) Le P. van K. ne m'a pas proposé de payer lui-même. J'ai remis à Perridon, qui dit avoir eu des frais considérables pour le compte de Votre Excellence, 135 gulden ; je n'ai pas voulu entrer dans le détail des dépenses, mais je lui ai dit : Je vous remets ces 135 gulden ; à vous de rendre vos comptes au Métropolite ; vous lui expliquerez ce qui, sur ces gulden, vous revient pour vos frais, et vous lui rendrez le reste. Votre Excellence a donc un compte ouvert avec Perridon.

En Hollande, c'est moi qui ai payé tous les frais de déplacement pour Perridon et moi (à Nimègue). Il me reste d'ailleurs de l'argent hollandais : 50 gulden (sans parler des autres billets étrangers).

J'espère que votre bras va mieux, et je prie chaque jour pour vous et le P. Higoumène.

Je vous prie, Excellence, de me croire toujours votre fils humblement et affectueusement dévoué

недостойний монах Лев[472]

adresse : Prieuré d'Amay-sur-Meuse, Belgique

---

471. Il s'agit de la *Sacrorum Conciliorum Nova et Amplissima Collectio* de Giovanni Domenico Mansi (1692-1769), qui renfermait tous les documents des conciles et synodes de l'Église catholique jusqu'à Florence ; on y ajouta plus tard les documents des conciles jusqu'à Vatican I, inclusivement.
472. « L'indigne moine Lev ».

Vraiment V. Exc. ne se rend pas compte de sa popularité *immense* en Hollande. Votre maladie a encore accru les sympathies. Si vous paraissiez en Hollande, vous obtiendriez tout ce que vous voudriez.

N° 67

fol. 203 v

19 janvier 1928

Je prie humblement Votre Excellence, le Père Higoumène, et tous mes frères d'agréer, en ce jour de Jordan[473], tous mes vœux pour la nouvelle année. J'ai bien reçu la lettre du Père Higoumène. Je compte écrire très longuement à Votre Excellence et au Père Higoumène d'ici à trois jours. Je suis pour quelques jours à Lyon. Mon adresse, d'où les lettres suivent, demeure : 6 rue de l'Équerre, *Valence*, Drôme. Votre bien filialement dévoué en notre Seigneur,

бр. Левъ[474]

N° 68

fol. 204 r

Lyon, 28 janvier 1928

Vénéré Vladyko !
Très Révérend Père Higoumène ![475]

J'ai beaucoup de choses à vous dire. Vous m'excuserez de jeter sur papier quelques notes confuses et trop brèves.

---

473. Référence à la célébration de la fête de la Théophanie ou le baptême du Christ par Jean le Précurseur dans le Jourdain – le 19 janvier du calendrier civil étant le 6 janvier du calendrier julien.
474. Frère Lev.
475. Cette lettre est évidemment adressée à la fois à Andrei et Clément Cheptytsky.

Tout d'abord, Son Excellence aura été sans doute étonnée de recevoir de Nice une lettre d'Apouchkine portant un post-scriptum de moi. Je suis en effet retourné à Nice pour les fêtes de Noël russe. Voici en quelles circonstances. J'avais reçu plusieurs lettres de Nice. Les quelques catholiques russes étaient dans un désarroi complet. Ils me reprochaient de les avoir abandonnés, de les avoir sacrifiés à mon propre repos, au moment même où ils se trouvaient placés dans des circonstances difficiles. Je n'avais aucune responsabilité officielle à leur égard. Cependant j'avoue que ces reproches m'ont ému. Je suis donc revenu à Nice pour quelques jours. Je me suis abstenu de toute célébration liturgique, de façon à ne pas donner à l'Ordinariat (avec lequel je n'ai eu aucun contact) même l'ombre d'une raison de mécontentement. J'ai seulement vu des Russes à titre privé. La situation des catholiques russes à Nice est maintenant déplorable. Ils n'ont plus ni culte ni *Seelsorge*. Étant donné leur crainte de tout ce qui est latin, ils fuient le clergé latin et ne mettent pas les pieds dans les églises latines. Ils vont à la cathédrale orthodoxe. Quant aux sacrements, ils s'abstiennent. Voilà le fruit de la politique des deux évêques ! J'ai trouvé Apouchkine sans travail et sans ressources, Kavrof malade dans une clinique, à la suite d'une opération, également sans ressources. C'est assez méritoire de leur part de n'avoir pas renoncé au catholicisme, car ils n'avaient qu'à dire un mot et aussitôt les organisations orthodoxes leur donnaient de l'argent et leur permettaient d'étudier au Сергиевскоие Подвоpие [*sic*]. J'ai pu les aider un peu, et enfin, les choses sont maintenant arrangées de telle façon qu'ils vont être admis au Séminaire de Lille. Pour Apouchkine, ce n'est pas l'idéal, et je déplore de le voir actuellement perdu pour notre essai monastique. Mais puisqu'une possibilité matérielle et spirituelle lui est offerte à Lille, on comprend qu'il ne la rejette pas, surtout après la période d'agonie morale qu'il vient de traverser. Je voudrais tant que Son Excellence fasse sa connaissance ! Il est si droit, si énergique ! Si Apouchkine pouvait devenir prêtre, je crois que ce seul résultat ferait que mon séjour en France n'a pas été perdu.

Mais l'important de mon dernier passage à Nice a été ma rencontre avec Deubner. Lui-même arrivait de Paris à Nice, partant pour la Corse. Il ignorait que je venais à Nice. Et moi, de mon côté, j'ignorais qu'il y fût. Je vois une action providentielle dans le fait que je sois venu à Nice à ce moment, et dans le fait que Deubner et moi nous soyons rencontrés – toujours par hasard – chez une personne amie. J'ai beaucoup parlé avec lui. Le Métropolite Euloge l'envoyait en Corse pour desservir des communautés russes, mais finalement ce plan a été changé et Deubner est maintenant rentré à Paris. Il m'a dit avoir trouvé dans l'Église orthodoxe un accueil plein de charité. Grum, dans une lettre, s'étonne que Deubner ait pu entrer dans une église de tchinovniks[476] et de popes grossiers. Mais Grum oublie que l'Église russe de l'émigration n'est plus l'Église tsarienne. Il y a, dans l'Église russe en France, surtout parmi les jeunes, une foi si sincère, une flamme si vive, – tant de souffrances courageusement supportées – la pensée des martyrs en Russie, – puis l'atmosphère spirituelle créée à Paris par Boulgakof, Berdiaïeff[477], etc. – que de tout cela se dégage une certaine séduction. La position actuelle de Deubner est la suivante : *Je crois tout ce que croit l'Église catholique. Seulement, l'enseignement du concile du Vatican sur la papauté me semble une opinion théologique (certaine, si l'on veut) et non un dogme obligatoire, parce que, pour moi, les conciles tenus depuis la séparation des Églises ne sont pas œcuméniques[478]. Je vois les évêques d'Orient et les évêques d'Occident, également successeurs des apôtres, divisés entre eux. Je ne vois pas de raison intellectuelle absolument décisive pour prendre parti en faveur de telle ou telle thèse. Mais, dans ce doute, je me détermine d'après des raisons pratiques. Je vois plus d'humilité, plus de charité, dans l'orthodoxie orientale. Et puis tout mon sang russe crie. Je ne veux pas être séparé*

---

476. Dans le contexte, ce mot russe signifie un fonctionnaire bureaucratique servile.

477. Né à Kiev dans une famille militaire de l'aristocratie, Nikolaï (Nicolas) Alexandrovitch Berdiaev (Berdiaeff) (1874-1948) devint marxiste en 1898 et s'installa à Saint-Pétersbourg pour y enseigner en 1904. Il se fit connaître en 1913 par un article très critique sur l'Église russe, un crime dont le châtiment était l'exil en Sibérie. Berdiaev n'y échappa qu'avec l'éclatement de la Première Guerre mondiale. Son rejet éventuel du socialisme mena à sa déportation de Russie en 1922. Il s'établit d'abord en Allemagne, puis à Clamart, près de Paris, en 1923, où il consacra le restant de sa vie à la publication de la revue trimestrielle *Pout* (« La Voie ») et à l'écriture de plus de vingt livres. Il refusa toujours d'être catégorisé exclusivement comme un philosophe ou un théologien, et beaucoup de ses opinions étaient mal reçus dans certains milieux orthodoxes. Par-dessus tout, il prisait la liberté et l'autonomie. Sa pensée s'inscrit dans le courant de la philosophie religieuse russe, ayant été influencé par des figures comme celles de Khomiakov et de Soloviev.

478. Pour les orthodoxes, aucun concile tenu après le VIIe concile en 787 n'est « œcuménique ». C'est là une opinion d'un nombre croissant de catholiques orientaux aujourd'hui.

de mes frères russes. J'aime mieux être anathème pour eux et avec eux que me sauver sans eux. Je veux continuer à travailler pour l'Union. Mais je sais maintenant qu'il n'est pas possible d'y travailler au sein du catholicisme.

Je n'ai pas essayé de reprendre les raisons que je lui avais données auparavant en faveur de l'orthodoxie catholique, parce que je me suis rendu compte que, chez lui, il y a en ce moment une sensibilité blessée qui crie, et non pas une conviction intellectuelle profonde. La cause de son attitude, c'est au fond le manque de compréhension et de sympathie des latins à son égard. Au cours de son dernier passage à Nice, les prêtres latins ont donné de nouvelles preuves de leur peu de tact. Certains, qui l'ont rencontré dans la rue, lui ont ostensiblement tourné le dos. Et, dans les milieux latins de Nice, on répand le bruit que, déjà cet été, Deubner – *et moi !* – recevions de l'argent orthodoxe pour attirer traîtreusement les Russes au schisme ! Je crois que Deubner, au fond, reviendrait sans peine à l'Union. Il a prononcé cette phrase que je trouve très significative : *Même si je dois revenir au catholicisme, vous comprenez que je ne puis pas le faire maintenant, à si peu de distance de mon passage à l'orthodoxie. Il y a là une impossibilité morale.* Mais cette phrase n'est pas de quelqu'un qui serait radicalement décidé à ne pas revenir à l'Union. Pour moi, il est d'une suprême importance que Son Excellence voie Deubner – et je crois que cet entretien ramènera le père Alexandre. Je lui ai fait admettre en principe qu'il verrait Son Excellence à Paris, et je considère ce consentement comme un premier bon résultat. Il s'agit maintenant de savoir si Euloge ne s'arrangera pas pour empêcher l'entrevue.

Avant de quitter Deubner, je lui ai demandé de dire avec moi le Оче [*sic*] нашъ[479]. Nous l'avons récité ensemble, et soudain Deubner s'est interrompu et s'est mis à pleurer. Avant de nous séparer, nous nous sommes embrassés. Il me semble que notre entrevue n'a pas été inutile, parce que, après cette entrevue, Deubner ne pourra pas dire qu'il n'a rencontré du côté catholique que de la dureté et des anathèmes. Je lui ai ouvert mon cœur le plus possible.

Du côté orthodoxe, pendant ce petit séjour que j'ai fait à Nice, en janvier, on m'a témoigné une sympathie très touchante. Ce sont toujours des orthodoxes qui m'ont hospitalisé, invité, etc. Il est vrai

---

479. « Notre Père » en slavon.

que je leur ai rendu des services assez considérables. C'est grâce à mon intermédiaire et par suite de mes relations avec l'église anglicane de Nice (très High Church) que des Anglais et des Américains ont formé un Comité central d'aide matérielle aux Russes de Nice, sans y glisser aucun prosélytisme religieux. Aussi l'Archevêque Vladimir de Nice (autrefois archevêque de Bialystok[480], expulsé de Pologne pour n'avoir pas reconnu l'autocéphalie du métropolite Denys)[481], que j'ai eu l'occasion de revoir, m'a-t-il embrassé, béni, et remercié au nom des Russes de Nice de ce que j'avais fait pour eux. Plusieurs des Russes orthodoxes de Nice se sont adressés et s'adressent encore à moi pour des questions d'ordre spirituel, plutôt qu'à leurs propres prêtres. Ce terrain, à Nice, était singulièrement favorable. Et c'est peut-être à cause de cela que l'Esprit du Mal voulait et devait ruiner notre œuvre. J'ai quitté mes Russes de Nice, cette deuxième fois comme la première fois, avec un véritable déchirement.

Je me trouve encore ces jours-ci à Lyon. Les jésuites continuent à s'y occuper beaucoup des Russes, mais leur travail donne peu de fruits. D'une part, le P. Tyszkiewicz fait quelques conversions, mais ses méthodes sont si agressives ; il se montre si dénué de sympathie pour les Russes en général qu'il écarte du catholicisme plus de gens qu'il n'en y conduit. De jeunes jésuites, pleins de bonne volonté, font des conférences religieuses aux Russes, mais, dans ces conférences, ils leur servent des tranches de l'apologétique abstraite des séminaires (*de vera religione, de Revelatione,* etc.), alors que les Russes voudraient qu'on leur parlât de la Russie religieuse, de saint Serge, de saint Séraphim, de la prière. Enfin, ce qui gâte tout, quelques dames catholiques associent le prosélytisme et leurs secours matériels. On n'a pas réussi à créer une atmosphère de *sympathie* et de confiance, sans laquelle rien n'est possible. Cette atmosphère, je ne l'ai, encore, vue réalisée qu'une seule fois et dans un seul lieu : à Nice, par Deubner. Ce pauvre P. Alexandre, avant sa défection, avait su créer exactement le milieu qu'il fallait pour plaire aux Russes et jeter des ponts entre le

---

480. La plus grande ville du Nord-Est de la Pologne, près de la frontière avec la Biélorussie. Bialystok a appartenu tour à tour à la Pologne, à la Prusse, à la Russie et à la Lituanie, puis de nouveau à la Pologne.

481. L'Église orthodoxe de la Pologne, à qui Constantinople avait accordé l'autocéphalie en 1923, était dirigée par le métropolite, Denys (Dionisii/Dionisij) Valedinsky (Waledinskij), de Varsovie.

catholicisme et l'orthodoxie. Les jésuites comptent faire venir à Lyon
Bratko[482] (de Rome, Collège grec) et ouvrir une paroisse russe. Cette
tentative est, pour moi, vouée à un échec. Ou Bratko acceptera toutes
les directives des jésuites, et alors on ne fera pas un seul pas. Ou
Bratko agira par lui-même, et alors la Société l'annihilera. Les jésuites
se sont montrés extrêmement aimables pour moi. Ils désirent beaucoup que Son Excellence passe à Lyon et voie leur œuvre ; ce serait
aussi l'occasion de prendre contact avec un groupe ukrainien qui, à
Lyon, mène une vie séparée des Russes et dont certains prêtres s'occupent. Les Russes de Lyon, tant orthodoxes que catholiques, ont été
charmants pour moi, et j'ai eu l'impression qu'entre eux et moi la
sympathie était née rapidement ; ils m'ont fait servir des liturgies et
des pannykhides, m'invitant chez eux, me racontant toute leur vie,
me montrant leurs photographies. Du Chayla serait également
heureux de voir Son Excellence à Lyon.

Le Père Higoumène me conseille de m'établir à Marseille. J'y ai
fait deux séjours et j'y serai encore à la fin de la semaine ; j'y atten-
drai la venue de Son Excellence en France. Voici quelle est la situation à Marseille. Il y a beaucoup moins de Russes qu'à Nice, moins
d'intelligentsia, moins de vie religieuse. Tous mènent une vie matériellement très pénible. Ils logent pour la plupart dans deux camps.
Ils ont un prêtre orthodoxe et une petite église dans une baraque en
bois du camp. On ne va guère dans cette église. Il ne faut guère
compter sur des vocations monastiques ni sur des adhésions au
catholicisme dans ce milieu qui *souffre* trop matériellement pour
penser beaucoup aux questions religieuses[483]. Y ouvrir un culte
catholique de rite oriental serait prématuré et dangereux : un tel
essai, qui se comprend lorsqu'un noyau déjà formé de catholiques le
demande, paraîtrait ici une attaque contre la foi des Russes et les
blesserait, les éloignerait. Est-ce à dire que la présence d'un prêtre
catholique serait inutile ? Certes non. Mais il me semble que la seule
manière d'agir pour lui devrait être la suivante :

---

482. Il s'agit de « Mykola » ou Nikolai Bratko (1896-1952), natif d'Odessa.
Bratko est un vétéran de la guerre civile de Russie et l'un des étudiants que
Tyszkiewicz a ramené de Constantinople à Lyon où il est devenu catholique. Il entre
au Collège grec en 1923 et étudie à l'Institut oriental, ainsi qu'à l'Université
Urbaniana de Rome de 1925 à 1928. Ordonné prêtre en 1927, il devient adjoint à
d'Herbigny au secrétariat de la Commission pour la Russie à Rome.
483. Le prosélytisme contre faveurs matérielles semble ici écarté d'office.

- vivre dans le camp russe ou du moins y passer un certain temps chaque jour,
- ne pas parler d'Union,
- entrer en intimité et en sympathie avec beaucoup de Russes,
- faire tout ce qui est possible pour les aider à trouver des relations, du travail,
- donner gratuitement des leçons de français,
- se charger de diverses commissions matérielles pour ceux qui n'ont pas le temps ou la possibilité de les faire (combien j'en ai fait à Nice, de ces commissions de toute espèce!),
- amener délicatement les Russes à confier leurs difficultés morales quand elles peuvent être aidées, mais cela par des entretiens en tête à tête,
- plus tard, lorsque la sympathie existe, essayer de petits entretiens en commun sur ce que l'Évangile offre à leur misère...

Tout cela est long et difficile. J'en reviens toujours à ce point : on échoue presque toujours avec les Russes, lorsqu'on veut créer des institutions avant d'avoir créé de la sympathie. Or, pour créer de la sympathie, il faut des mois, peut-être des années, et l'on donne aux spectateurs (à tort) l'impression que l'on perd son temps. Il faut que les Russes puissent dire d'un prêtre : *il ne cherche pas à m'attirer à lui, mais à se donner à moi.* Et alors, de ce don de soi, je crois que Dieu lui-même tirera des fruits spirituels. Il est si difficile de vaincre les soupçons! Je vous ai dit qu'à Nice j'étais arrivé à gagner des sympathies, mais par quelles épreuves quelquefois! Je voyais des Russes orthodoxes que je logeais avec moi, que j'aidais de toute façon, devenir soudain méfiants et presque cesser de me parler parce que, à certains moments, ils ne comprenaient pas que je puisse ainsi agir sans une arrière-pensée et croyaient que tôt ou tard j'essaierais d'acheter leur âme. J'ai vu une jeune femme à qui j'avais rendu de grands services, ainsi qu'à son mari, me devenir soudain violemment hostile parce qu'elle s'imaginait qu'à son insu je devais avancer de l'argent à son mari et même le pousser à jouer afin de devenir son créancier, de le réduire complètement à ma merci, et un jour lui poser le dilemme : ou bien le catholicisme, ou bien le scandale et la dénonciation à la police!... J'ai supporté cela avec patience, et, peu à peu, ils ont vu que je n'avais pas d'arrière-pensée, et alors ceux qui m'avaient injustement soupçonné ont tout fait pour me montrer qu'ils le regrettaient et qu'ils avaient confiance en moi.

Mais jamais les jésuites n'aboutiront ! Le plus intelligent des jésuites russophiles de Lyon, le P. de Castillon[484], m'a dit crûment : *Si ce n'est pas pour les acheminer à l'Union, les Russes ne m'intéressent pas*. Leur misère, leur héroïsme (car [il y en a] beaucoup, qui se tuent de travail pour leur femme et leurs enfants), leur lassitude intérieure, leur nostalgie, cela ne les intéresse pas ! Comment les Russes les aimeraient-ils ?

Vous voyez comment je concevrais ma situation à Marseille, si je devais m'y fixer. Créer de la sympathie, en s'efforçant de la faire aller vers le Christ. Cela impliquerait un temps très long, en apparence perdu. Temps de prière et de sacrifice. Au point de vue fondation monastique, en sortirait-il quelque chose ? Je ne sais. Je suis déjà un peu connu des Russes de Marseille, et favorablement connu, parce que, de Nice, on leur a parlé de moi. Mais il me semble qu'aucune décision ne peut être utilement prise quant à mon futur tant que Son Excellence ne sera pas venue en France, n'aura pas vu et parlé.

Car il y a beaucoup de possibilités. Outre les projets de Grum, plusieurs catholiques russes voudraient que Son Excellence favorisât la création d'une sorte de подворie [*sic*][485] où pourraient se préparer et mûrir des vocations soit ecclésiastiques, soit monastiques russes ; l'idée est assez juste en ce sens que ces convertis de fraîche date ont souvent besoin de se recueillir et de *mûrir* leur pensée en s'instruisant. Des orthodoxes souhaiteraient que le Métropolite aidât d'une façon purement désintéressée l'émigration russe en aidant à fonder quelque part un Foyer russe ou une colonie agricole, dont la gestion pourrait être d'ailleurs entre les mains des moines, sans prosélytisme. Il y a partout des possibilités. Partout en France des colonies russes et des villages russes s'organisent, surtout près des moines (ainsi parmi les 10 000 Polonais nominaux de Courrières, combien d'Ukrainiens doit-il y avoir ?). Les Cosaques demandent des concessions de terres dans le sud-ouest.

L'expérience m'a montré, à Nice, la grande difficulté, presque l'impossibilité, de vivre une vie monastique lorsque ceux qui désirent la vivre travaillent au dehors. Car, en admettant qu'ils trouvent des travaux, ces travaux, étant divers et dans des endroits éloignés, ne permettent pas d'avoir une vie commune. Si l'on veut

---

484. Nous n'avons trouvé aucun renseignement au sujet de cette personne.
485. Ici, le mot russe fait allusion à un genre de centre comprenant logement et pension, une chapelle, une bibliothèque, etc.

grouper des gens d'une manière constante, soit pour une petite colonie agricole, soit pour vie plus intellectuelle ou avant tout liturgique, une première mise de fonds, malheureusement considérable, s'impose.

Bref, j'ai l'impression de marcher dans la nuit quant à ce que nous devons faire. Une seule chose m'est parfaitement évidente : les Russes *souffrent* beaucoup plus qu'on ne se l'imagine, il faut leur rendre une foi et une espérance religieuse que la dureté de leur condition actuelle *leur font perdre*, il faut se donner à eux totalement. Comment se résigner à mener une vie en somme confortable, intellectuelle, paisible, comme ils le font à Amay, lorsqu'on sait que des pères et des mères russes, en France, fous de douleur, voient leurs petits enfants sans pain et sans lait ? Cela, je l'ai vu, je le vois encore. Je vois de jeunes Russes sans vêtements, sans domicile, sans nourriture. Il faudrait des saint Pierre Claver, des saint Vincent de Paul. À Amay, ils ne comprennent pas ces choses. Ils vivent dans une chimère (les jésuites de Lyon croient que prochainement ils auront de graves difficultés). Ils croient que Boulgakov ou Gloubokovsky[486], c'est la Russie, et ils sont sans contact avec le peuple russe souffrant et travaillant, – celui qui ne pense pas à l'Union, mais qui a besoin qu'on lui montre le Consolateur : Приходите ко мнѣ[487]... Depuis Nice, ces pensées m'obsèdent. Je ne peux pas penser aux Russes que j'ai vus, à leur malheur, sans que les larmes me viennent aux yeux. Loin des Russes, même auprès des miens, tout me paraît sans vie. Dès que je me sens près d'eux, il me semble qu'une force suprahumaine s'empare de moi, et Dieu me fait généralement cette grâce : dans mes contacts avec les Russes, nos cœurs s'ouvrent très vite les uns aux autres, *cor ad cor loquitur*. Le Père Higoumène me souhaitait pour 1928 *une année de sacrifice et de grâce*. C'est exactement ce que je demande. Sous quelle forme précise ? J'attends impatiemment la venue de Son Excellence. C'est de là que la lumière sortira. Je prierais Son Excellence de vouloir bien m'annoncer à l'avance son arrivée et de me fixer un rendez-vous. Le plus pratique serait de m'écrire à *Valence* (Drôme), 6 rue de l'Équerre, d'où les lettres suivront à Marseille où je n'ai pas encore de domicile stable.

---

486. Le professeur N. N. Gloubokovsky (1863-1937) a enseigné à l'Académie de Théologie de Saint-Pétersbourg et ensuite à l'Université de Sofia, en Bulgarie. Il a écrit de nombreuses œuvres dont une Histoire de la théologie orthodoxe russe.

487. « Venez à moi, vous tous », cf. Mat 11, 28.

L'idée du P. Higoumène : subsister avec l'argent [de] Paris et ne rien recevoir de Pologne avant août, est certainement la plus pratique. C'est donc entendu.

Cette lettre est déjà bien longue, mais je voudrais encore toucher une question, cette fois d'ordre ascétique. Vous aurez lu dans les *Orientalia Christiana* le travail[488] sur l'oraison hésychaste et sinaïtique. Or j'ai trouvé là, clairement formulée, une doctrine qui est à la fois le résultat et le postulat impérieux de ma propre expérience. Je considère la prière ininterrompue comme le terme normal de la vie chrétienne et c'est bien sous cette forme de "prière de Jésus" ou "mémoire de Jésus" (le Г. И. Христе, помилуй насъ[489] des monastères slaves) qu'il me semble que cette prière se cristallise le plus purement. Voici longtemps que je sens en moi un appel à essayer de réaliser cette invocation ininterrompue. Tant que je ne *m'installe pas* dans le souvenir du nom de Jésus, substituant cette pensée aux autres, j'ai l'impression que je perds spirituellement mon temps, que je ne réalise pas ce que je pourrais et devrais réaliser. J'ai essayé quelquefois de pratiquer cette invocation ininterrompue ; j'y ai trouvé une grande douceur et force ; mais je n'ai pas su y persévérer longuement. Croyez-vous que cette forme si traditionnelle de la piété orientale puisse encore être un idéal pour nous ? Qu'on puisse raisonnablement viser à *vivre* de cette prière en la rendant peu à peu continue ? Qu'on puisse vraiment devenir un μοναχός, un "séparé", en se cloîtrant ainsi dans la μνήμη Ἰησοῦ[490]. Bénissez-vous un effort d'ascèse tendant à faire de cette prière une respiration de toutes les minutes ? Tout ceci a une importance suprême pour moi. Car il me semble que cette forme d'oraison, appelée à absorber la vie entière – forme la plus ancienne et la plus simple de toutes – est peut-être aussi la plus pratique pour nous. Substituer le μονολογισμός Ἰησοῦ[91] à ce polylogisme mental d'où viennent nos maux…

Je désire tellement voir Son Excellence bientôt ! J'ai une telle crainte de devenir étranger à la Galicie ! Tant de choses que je

---

488. La tradition hésychaste est restée très longtemps inconnue en Occident. En 1927, dans la revue romaine *Orientalia christiana*, Irénée Hausherr, jésuite français spécialiste de la spiritualité orientale, a publié une traduction avec introduction de *La méthode d'oraison hésychaste*. *La méthode* est un texte anonyme concernant une approche psychosomatique de la Prière de Jésus.
489. « Seigneur Jésus-Christ, Fils de Dieu, ayez pitié de nous. »
490. Le rappel de Jésus à la mémoire, par exemple par la prière du cœur.
491. La simple répétition du mot « Jésus ».

voudrais savoir sur les studites – ce que devient le monastère de Lwow, etc. J'ai tant de choses à dire !

Il faut que le Vladyko se rende bien compte de son nom, – le nom de Шептицькый [*sic*] – est actuellement celui qui exerce le plus de prestige sur les Russes. Ils attendent du Métropolite quelque chose, sans savoir exactement quoi. Ce qui est certain, c'est que la politique de Mgr d'Herbigny, des jésuites, a échoué, ne représente plus rien pour les Russes... Chose curieuse, loin de mépriser la Galicie comme une terre d'uniates, beaucoup de Russes la considèrent comme le foyer de l'essence russe et des traditions russes, même des traditions religieuses.

À bientôt donc, je l'espère, Excellence. Ne tardez plus à venir. Priez pour moi, Vladyko[492], et vous aussi, très Révérend et cher Père Higoumène, et daignez me croire toujours votre fils très humblement dévoué dans le Seigneur Jésus.

Fr. Lev

N° 69

fol. 195 r [*sic*]

[Carte postale]

Marseille, 9 fevrier 1928

Seulement un mot pour remercier Votre Excellence de sa longue et si bonne lettre. Je n'écris plus à Léopol, mais, dès votre arrivée à Paris, V. E. trouvera une ou plusieurs lettres de moi chez Grum. Je n'ai pas reçu la lettre où était question de codification du droit canonique. La lettre d'Apouchkine n'a peut-être pas été envoyée ; il doit être à Lille. Je regrette que V.E. ne puisse passer par Amay et Lille. Je n'en dis pas plus d'ici. Mon adresse : L. Gillet, villa Cleret, 1 rue des Roses, près escalier du Prophète, Corniche, Marseille. Hommages filiaux et dévoués.

L.G.

---

492. « Maître », moins formel que « Son Excellence ».

N° 70

fol. 209 v

[Carte postale]

Marseille, 27/2/28

Excellence, tout le monde vous attend donc pour la semaine de Pâques, moi surtout avec impatience. J'aurais tout un volume à vous écrire sur la vie ici, – je ne le fais pas maintenant, parce que j'ai trop d'idées que je voudrais mûrir par la prière et la réflexion.

En gros, il y a ici, parmi les Russes, une effrayante misère matérielle et morale. Le milieu, très différent de celui de Nice, est à peu près entièrement composé de publicains et de pécheurs au sens de l'Évangile. Presque aucune croyance, pas de morale. Or, dans ce milieu je trouve – envers moi, de la part des Russes – une confiance, une affection, qui m'étonnent chaque jour et qui font que ce milieu devient pour moi une famille. De plus les Russes de Nice continuent à me lier à leur vie, plus même que quand j'étais à Nice (je parle des Russes orthodoxes). Je vous expliquerai tout en détail. Pour l'instant, je ne vois pas clair. D'une part, action proprement religieuse très difficile, presque nulle. D'autre part, sur le terrain naturel, – moral, humain – on s'ouvre à moi, on se décharge sur moi, on semble attendre de moi une aide, – laquelle au juste ? Ce qui est certain, c'est qu'un pauvre hiéromoine studite pécheur a trouvé là, chez des Russes pour la plupart incroyants et sans règle morale, *amour* et *confiance*. Dieu veuille que ce ne soit pas en vain ! Je vous enverrai prochainement une longue lettre.

Je prie V.E. de m'accorder l'autorisation de célébrer chaque jour la liturgie de saint Jean Chrys[ostome][493]. Je n'ai pas le texte de saint

---

493. Des quatre liturgies eucharistiques qui existent encore dans les Églises de rite byzantin, celle de saint Jean Chrysostome est de loin la plus communément célébrée, soit presque tous les dimanches et jours de fête de l'année. Chrysostome n'écrivit pas toute la liturgie, mais il en rédigea l'anaphore. Gillet demande ici à Cheptytsky l'autorisation d'adopter la pratique latinisée qui consiste à célébrer la liturgie de Chrysostome même les jours où le rite byzantin ne prévoit aucune liturgie ou ceux où l'on prescrit la Liturgie des dons présanctifiés.

Basile[494] et ce serait difficile à se le procurer. La liturgie des présanctifiés[495] est impossible à célébrer dans des églises latines (car je n'ai pas d'église russe catholique, – je suis ici sans aucune qualité officielle, et chaque jour je vois que c'est mieux ainsi). J'espère que, étant donné les circonstances, V.E. pourra me permettre cela. Priez pour moi, Excellence, et daignez croire, ainsi que le Père Higoumène, à mon filial et entier dévouement dans le Christ.

fr. Lev

N° 71

fol. 210 r

Marseille, 3 mars 1928

Excellence !
Votre lettre du 23 février, reçue avant-hier, m'a tellement surpris et troublé que j'ai été incapable d'y répondre tout de suite. *Je ne sais rien.* Je vis maintenant à l'écart de tout le mouvement unioniste (et je m'en félicite !), j'ignore totalement ce qui se passe à Paris ; je ne reçois même pas le bulletin de Nice et je ne savais pas qu'un article vous y eût été consacré. Mais ce qui est arrivé ne m'étonne pas. Il est évident depuis longtemps que Rome veut éliminer et *détruire* l'Exarcat. De plus, une nervosité particulière règne depuis quelque temps dans les milieux dirigeants de l'Unionisme. Le baron Constantin W[rangel] m'a écrit des choses curieuses à ce sujet. Le pape serait complètement désabusé de tout espoir de concernant la Russie. Mgr d'H[erbigny] serait non seulement déçu, mais très aigri. Sa récente orientation vers les autocéphalies helléniques et arabes

---

494. La Liturgie de saint Basile est célébrée les dimanches du Grand Carême, le Jeudi saint et le Samedi saint, aux vigiles de Noël et de la Théophanie, et à la fête de saint Basile en janvier. Il est établi avec certitude que saint Basile le Grand composa lui-même l'anaphore qui lui est attribuée.

495. La Liturgie des dons présanctifiés est célébrée les jours de semaine du Grand Carême par les chrétiens de rite byzantin, car leur tradition liturgique interdit la célébration de la Divine Liturgie en entier ces jours-là en raison de son caractère pascal. Il s'agit d'un office composite qui comprend essentiellement les vêpres, auxquelles se rattache la distribution de la sainte communion avec les Dons consacrés le dimanche précédent.

n'aurait pas d'autre cause, au dire des jésuites de Lyon qui le jugent
avec beaucoup d'indépendance. L'encyclique *Mortalium animos*[496]
marque un changement de direction décisif. Cette encyclique a
beaucoup froissé les Russes. Ce n'est pas que le fond les ait surpris,
car ils savent que l'Église catholique, étant donné toute sa position,
ne peut pas transiger sur un seul iota du dogme. Mais une même
chose peut être dite de telle ou de telle manière, et les termes de la
dernière encyclique n'étaient pas propres à mettre du baume sur les
plaies. D'autre part, la foudre est tombée sur les moines d'Amay. Ils
ont été placés sous le contrôle direct de la Commission pour les
affaires russes ; interdiction leur a été faite de s'occuper des questions anglicanes, protestantes, ou même orientales autres que celles
qui relèvent de la Commission. Enfin, dans le domaine assez étroit
qui leur est laissé, toute une série de directives et de limitations
précises leur a été imposée. Cela, je ne le sais pas par Amay dont je
n'ai aucune nouvelle directe depuis longtemps, mais la chose a été
rendue publique par un article du diacre orthodoxe de Bruxelles
Цебриковъ[497], ami intime d'Amay, dans Возрожденіе[498]. L'auteur
conclut que, quelles que fussent les bonnes intentions des moines
d'Amay, on doit bien reconnaître aujourd'hui que leur manière de
travailler à l'Union est impossible au sein de l'Église catholique et
que l'Union, une fois de plus, se montre une chimère. J'écris tout
ceci pour vous montrer que l'incident dont Vous êtes l'objet doit être
inséré dans un long contexte. Maintenant il a dû se passer à Paris

---

496. *Mortalium animos* est l'encyclique « sur l'unité de la véritable Église »
publiée par Pie XI le 6 janvier 1928. Elle critiquait le jeune mouvement œcuménique, qualifié de « panchrétien » favorisant « l'impiété », ainsi que l'« erreur perni-
cieuse » voulant que l'unité puisse se faire sans soumission au pape de Rome. On y
interdisait à tous les catholiques de prendre part à quelque action ou congrès
œcuménique que ce soit, car « il n'est pas permis (...) de procurer la réunion des
chrétiens autrement qu'en poussant au retour des dissidents à la seule véritable
Église du Christ, puisqu'ils ont eu jadis le malheur de s'en séparer ».

497. Tsebrikov. Gregori Tsebrikov fut plus tard ordonné prêtre orthodoxe et
se rendit à Rome en 1930 pour être reçu personnellement dans l'Église catholique
par d'Herbigny, qui lui procura ensuite un entretien privé avec le pape. Envoyé à
Paris, Tsebrikov exerça le ministère d'un prêtre catholique russe et se lia d'amitié
avec le « schismatique » Boulgakov et l'évêque Benjamin Fedtchenkov, ce qui alarma
d'Herbigny. Ce dernier fut encore plus consterné lorsque Tsebrikov, peu intéressé
à étudier la théologie latine à l'Institut catholique, décida plutôt de traduire les
œuvres de Dostoïevski en espagnol. Il est l'auteur de l'article, « L'esprit de l'orthodoxie » publié dans *Irénikon* en 1927.

498. *Vozrojdenie.*

bien des choses dont je n'ai pas idée. Beaucoup de monde vous attendait : Grum, Abrikosof, Wrangel, les Russes de Lyon, les Russes de Nice. Malgré vous, à votre insu, votre nom était devenu un signe de ralliement pour tous ceux qui pensaient selon la ligne orthodoxe-catholique et que ne satisfait pas la politique de Mgr d'H[erbigny]. Des gens comme Apouchkine et Kavrof, qui ont quitté Nice pour Lille avec des sentiments violents contre Rome (et qui sont plutôt mécontents à Lille), mettent leur espoir en vous. D'autre part, je dois dire que le père Alexandre [Deubner], qui parle quelquefois inconsidérément, a parfois insinué, devant des orthodoxes, que vous souffriez profondément d'être paralysé par l'autorité catholique et que vous finirez peut-être bien, si l'on vous poussait à bout, par vous joindre à l'Église orthodoxe ; le père Alexandre objectivait ainsi son propre état d'esprit (*Der Wünsch ist Vater des Gedankens !*)[499], – et je ne sais ce qu'il peut raconter maintenant à Paris ! Pour moi, je me suis toujours efforcé de ne pas vous compromettre, et quand je devais en parler, je présentais votre prochain voyage comme un voyage privé. Je vais communiquer votre lettre à Grum-Abrikosof, afin que :

1) ils cherchent les causes immédiates ;
2) ils fassent savoir sans tout faire savoir et sans vous compromettre, – ils ont assez de tact pour cela ;
3) ils puissent vous indiquer leur opinion sur l'avenir immédiat.
4) Je suis navré, indigné, désillusionné, autant qu'on l'est à Rome, mais dans un autre sens. Qu'on ait ainsi traité Votre Excellence après ce qu'elle a fait pendant les vingt-huit dernières années, c'est inconcevable. Vous avez raison : le travail pour l'Union a ce caractère tragique qu'il aboutit toujours à la ruine, au sacrifice : жертва вечерная[500], – mais quand y aura-t-il une aurore ?

Tout vient de Mgr d'H[erbigny], sans aucun doute ; et *tous* nous pouvons nous attendre à être frappés d'une manière ou d'une autre ; demain ce sera le tour d'Abrikosof ou ce sera mon tour.

Mais les récriminations ne servent à rien. C'est l'avenir qu'il faut envisager, et j'ose dire que les suites qui seront données à l'incident actuel intéressent le futur même de ce que je continue du fond du cœur à appeler : Святая Русь[501]. Dans l'intérêt même de cette

---

499. « Le souhait engendre l'idée. »
500. « L'offrande du soir », cf. Ps 140 (141).
501. « La sainte Rus' ».

grande cause, il ne faut pas se réfugier dans une renonciation passive, mais essayer de sauver tout ce qui peut encore être sauvé. Que Votre Excellence me pardonne si j'ai la hardiesse de lui exposer ce que, selon moi, il y aurait lieu de faire. À mon très humble avis, Votre Excellence devrait d'abord répondre à Rome, – brièvement et sans donner l'impression d'un acquiescement touchant le fond des choses – qu'elle n'a jamais eu l'idée de faire à Paris autre chose qu'un voyage privé, motivé et même nécessité par des intérêts privés ; – qu'Elle n'a actuellement pas l'intention de voyager ou de séjourner en France ; – que d'ailleurs Elle pense avoir bientôt l'occasion de donner oralement à Rome des éclaircissements à ce sujet. Cela fait, Votre Excellence devrait se préparer à partir en voyage *aussitôt après Pâques*, selon votre idée primitive. Le but officiel du voyage devrait être Rome. Mais, avant d'aller à Rome, Votre Excellence viendrait en Italie du Nord et Gênes, prendre quelques jours de repos au bord de la Méditerranée, à San Remo ou Bordighera, donc en territoire italien. De là Votre Excellence se rendrait par chemin de fer *à Monaco* qui est tout près et qui, comme vous le savez, n'est situé ni en territoire français ni dans un diocèse français. Dans la principauté, vous pourriez être facilement rejoint par Abrikosof, par Grum, par moi, par d'autres personnes, s'il y a lieu : aucun passeport ne nous serait nécessaire, à nous venant de France. Peut-être un échange d'idées serait-il alors utile et peut-être sera-t-il bon que cet échange d'idées ait lieu *avant* votre voyage à Rome. Une fois à Rome, Votre Excellence devrait d'une part revenir sur la question de l'Exarcat, d'autre part faire le nécessaire pour que soit rapportée la mesure concernant votre présence éventuelle à Paris, mesure qui constitue une insulte à votre personne et à votre dignité. Le moment me semble venu de parler avec clarté et fermeté. En tout cas, si l'on s'obstine à vous fermer la bouche, à vous paralyser les bras, tout le monde russe doit savoir qu'il a en vous un ami véritable et que vous n'êtes pas solidaire de la politique romaine. Cela peut-être connu sans que vous-même vous compromettiez... Quant à une action de Votre Excellence en faveur de l'émigration russe, je la crois *plus que jamais possible et nécessaire*. Comme il est certain que nous n'avons à attendre de Rome que des obstacles dans cette voie, il faut donc changer en conséquence nos projets primitifs et s'arrêter à un mode d'action :

1) où aucune intervention de Rome ne soit possible ;

2) qui réponde à un besoin des Russes tant orthodoxes que catholiques et, permettant aux uns et aux autres de collaborer, échappe à toute accusation de prosélytisme;

3) qui, non seulement apporte aux Russes une aide matérielle, mais leur apporte aussi une aide spirituelle, sans toutefois qu'un conflit confessionnel soit à craindre;

4) qui puisse en même temps bénéficier à notre monachisme studite et à la Galicie;

5) qui, dans l'ordre des possibilités financières, ne soit pas irréalisable.

Y a-t-il une action qui réponde à ces *desiderata*? Je crois que oui – et elle revêt même dans mon esprit une forme assez précise.

Voulant que cette lettre parte sans tarder davantage, je remets à demain l'exposé de ce plan. Je consacrerai aussi une autre lettre à vous parler de moi-même. Je compte donc vous écrire encore demain et après-demain et expédier ces deux lettres l'une après l'autre. Je vous prie, Excellence, de croire que je ne suis jamais autant avec vous que lorsqu'on vous charge d'une croix. Je prie Dieu pour vous, pour le Père Higoumène, pour nous tous.

Votre fils et serviteur humblement dévoué dans le Christ,
fr. Lev

L. Gillet Villa Cléret rue des roses
Escalier du Prophète, Corniche
Marseille, France

N° 72

fol. 213 r

Marseille, Villa Cléret rue des roses,
Escalier du Prophète, Corniche
5/3/28

Excellence,

Je continue la lettre en 3 parties dont je vous ai envoyé la première partie. Je vous exposerai aujourd'hui, comme je vous l'annonçais, les idées sur l'œuvre à faire dans l'émigration russe.

Auparavant, permettez-moi d'insister sur la *nécessité de votre prompte venue* dans un endroit où l'on puisse vous joindre et conférer avec vous.

Dans votre avant-dernière lettre, vous semblez considérer comme impossible l'établissement d'un monastère catholique russe. Je crois que c'est possible mais certainement très difficile. De plus, étant donné la situation actuelle, nous savons que nous n'avons à attendre de la hiérarchie catholique que des obstacles. J'en viens à l'opinion de Grum: *Il faut surtout se tenir loin des calotins* (sic). C'est le seul moyen de faire quelque chose en paix. D'autre part, dans le fait que l'œuvre à laquelle nous pensions se présente comme très lointaine et que d'autres occasions se présentent pour ainsi dire à la portée de la main, n'y a-t-il pas une indication divine? Ne faut-il pas aider d'abord là où les besoins se montrent?

Je crois une œuvre confessionnelle bien difficile... Le temps n'est pas venu. Nous ne ferions qu'irriter des plaies vives, provoquer des conflits. Au lieu d'agir de l'extérieur, je pense qu'il faut agir *de l'intérieur*, c'est-à-dire aider ce qui, du côté russe, existe déjà et peut être aidé par nous sans inconvénient. Et puis, en nous plaçant sur un terrain qui ne soit pas ecclésiastique, nous rendons impossible toute intervention romaine.

J'ouvre maintenant une parenthèse pour parler de l'émigration russe. Je croyais que cette émigration était une portion sacrifiée du peuple russe, destinée à perdre tôt ou tard ses caractéristiques nationales. Or je vois que je me suis trompé. Il y a naturellement des cas de dénationalisation. Mais dans l'ensemble, la jeunesse russe (au-dessous de 25 ans) émigrée est *plus russe* que ses aînés. Ceci grâces aux gymnases, écoles groupes scoutistes russes fondés partout.

Peut-être par réaction contre le milieu étranger, aussi par ce qu'ils idéalisent cette Russie qu'ils ont peu ou n'ont pas connue, ils vivent « pour la Russie ». Ils font comme les Japonais. De la culture européenne, ils prennent la technique (et, de ce point de vue, s'ils rentrent en Russie, ils constitueront un facteur d'une importance capitale, car ils connaissent mieux les techniques occidentales que les bolchévistes qui se vantent cependant d'avoir une civilisation technique et mécanique). Mais, quant aux idées, rejetant le vague libéralisme de leurs pères, la plupart reviennent aux positions slavophiles: orthodoxie, autocratie, nationalité. Voyez l'attrait qu'exerce sur les adolescents russes cette association secrète. Les frères de la vérité russe qui combat le bolchévisme par des attentats terroristes. La jeunesse émigrée est dans une certaine mesure porteur de l'ancienne culture russe. Et nous ne devons pas permettre que cette culture disparaisse.

Autre remarque : il y a actuellement un grand progrès religieux parmi les Russes émigrés, et Dieu semble permettre que ce progrès s'accomplisse, non par les catholiques, mais par les forces agissant au sein de l'orthodoxie. En somme, qui est venu au catholicisme ? En majorité des aventuriers, les moins bons éléments. Mais, dans l'orthodoxie émigrée, la vie est intense. Les rivalités entre métropolites n'atteignent pas le fond, – la piété des fidèles. Voyez : à Paris, neuf églises russes, une Académie de théologie à ce point influente que de jeunes missionnaires anglais pour les Indes viennent maintenant s'y former et qui semble devenir un canal par où la tradition ecclésiastique est révélée au protestantisme, – un monastère d'hommes et un monastère de femmes, – et surtout, dans presque toutes les grandes villes françaises, ces groupes de jeunesse russe chrétienne[502], inconnus jadis en Russie, où l'on prie et étudie. Au lieu d'essayer d'apporter aux Russes quelque chose d'autre, de nouveau, ne faudrait-il pas d'abord fortifier et aider ce qui, chez eux, se montre une force de vie ?

Ceci dit, que faire pour aider les Russes sur leur propre terrain ?

Évidemment, on peut d'abord penser à une aide matérielle. Un premier moyen de rendre service aux Russes, et très simple, serait de leur faciliter l'habitation. Des Russes me disent : *Ce que le Métropolite André pourrait faire de plus pratique en notre faveur, ce serait d'aider une petite colonie de travailleurs russes à s'établir quelque part. Partout on voit des groupes russes qui cherchent de la terre : ici les Russes, là les Cosaques, là les Ukrainiens, là les anciens soldats de Gallipoli, etc. Il faudrait nous aider – aider nos organisations – à acheter ou à louer un terrain et à construire un peu. On pourrait faire la chose à bon marché : soit que les Russes construisent eux-mêmes – peut-être en bois – soit qu'on s'adresse à ces sociétés d'habitation qui bâtissent des immeubles en ne faisant payer au début qu'un très faible pourcentage du prix total et en permettant de payer le reste par annuités pendant un délai étendu. Les locataires russes pourraient payer des locations – pas bien chères, évidemment – pour les quartiers*

---

502. Il s'agit de l'ACER – Action chrétienne des étudiants russes, au sein duquel le père Lev sera très actif dès l'automne de 1928.

mis à leur disposition. Un établissement de Russes ainsi organisé – soit ouvriers près d'une ville et travaillant dans la ville, soit agriculteurs à la campagne – serait un grand service rendu aux Russes. Si un tel établissement s'agrandissait dans la suite, on pourrait arriver à former une espèce de petit village-modèle. Mais une seule maison, où il y aurait des chambres et une столовка[503] payante pour les Russes, serait déjà très appréciable. Ce serait aussi la preuve qu'on veut faire quelque chose pour nous-mêmes et non pour acheter nos âmes.

Cette idée doit être creusée. Elle contient beaucoup d'éléments excellents et semble plus facilement réalisable que l'établissement d'un monastère.

Cependant, le genre de secours dont je viens de parler est-il l'idéal? C'est surtout une action de secours naturel, temporel; le côté âmes ne semble-t-il pas plus ou moins sacrifié? Ensuite un tel secours est par sa nature même temporaire, concernant l'avenir immédiat; or ne faudrait-il pas quelque chose qui porte des fruits durables, pour l'avenir lointain de la Russie? Enfin, aucun lien ne rattacherait cette action à la Galicie et à notre monachisme.

Ce que nous cherchons, peut-être pourrions-nous le trouver sur un autre terrain: sur le terrain de l'*art religieux russe*, d'une manière plus précise: sur le terrain de l'*iconographie*. C'est rejoindre là une idée qui est la vôtre depuis longtemps – l'art comme facteur de vie religieuse et nationale, comme éducateur des âmes – et une idée que vous n'avez pas seulement entretenue en vous-même, mais à laquelle vous avez donné d'importantes réalisations. S'agirait-il ici de créer de toutes pièces quelque chose de nouveau, de se lancer encore une fois dans une entreprise dont le résultat serait imprévisible? Non. Nous aurions ici le grand avantage de trouver déjà, dans l'émigration russe, quelque chose d'existant et qui correspond exactement à vos propres pensées.

Il y a, parmi les réfugiés russes, des hommes dont l'idéal rejoint tout à fait le vôtre sur ce terrain. Ils ont formé, il y a un an, la société *Ikona*, à Paris. J'ai suivi avec attention et avec une sympathie de plus en plus vive l'action de cette société, que dirige le peintre Bylibine. Leur programme est le suivant: au moyen de l'icône, maintenir et développer les trésors les plus précieux de l'âme russe, – la sainte Russie. Ils veulent que les jeunes artistes russes – et par suite la

---

503. *Stolovka*.

jeunesse russe – se plongent dans l'esprit d'André Roubliof. – Or ne pourriez-vous pas leur apporter une aide ? Cette aide consisterait en une collaboration matérielle et spirituelle.

Quelle collaboration matérielle ? Il faudrait les aider à se constituer un foyer, un centre, – en d'autres termes à acquérir un immeuble (à Paris ? Ailleurs ?). Cet immeuble devrait comprendre des ateliers, une petite bibliothèque, et une общежитие[504], c'est-à-dire quelques chambres et une столовка[505] destinées à des étudiants qui se spécialiseraient dans cet art. La Société pourrait elle-même faire une part des frais ; il s'agirait seulement de l'*aider*. D'autre part, les pensionnaires devraient payer quelque chose. Une aide pareille reviendrait moins cher qu'une fondation faite de toutes pièces.

Et quelle aide spirituelle ? Établir un lien entre ce mouvement et ce qui se fait à Lwow et à Kief. Russes et Ukrainiens devraient se rencontrer là fraternellement. Connexion avec l'œuvre de Boïtchouk[506] (avec lequel la camarade Corbiau, spécialiste en questions slaves, comme écrivent les journaux soviétiques, organise une exposition en Belgique, au printemps). Connexion avec l'école d'iconographie qui se forme à Lwow avec le Musée national ukrainien[507]. Ceci pourrait profiter à la Galicie. Et enfin ceci pourrait et

---

504. Un dortoir.

505. *Stolovka*. Voir plus haut.

506. Né dans la région de Ternopil en Ukraine occidentale en 1882, Mykhailo Boïtchouk (Myxajlo Bojćuk) était un graphiste, un professeur et un peintre moderniste de renom à qui Cheptytsky avait donné une bourse pour étudier la peinture à l'étranger. Boïtchouk put ainsi se rendre à Vienne, à Cracovie, à Munich et à Paris, où il fonda son propre studio-école par où passèrent de nombreux élèves, dont sa future épouse. De retour à Lviv, Boïtchouk travailla comme restaurateur au Musée national, où il préserva beaucoup d'icônes des XVe et XVIe siècles. Après la Révolution, il vécut à Kiev, où il fut l'un des professeurs fondateurs – et plus tard, brièvement, recteur – de l'Académie des beaux-arts de l'Ukraine (plus tard l'Institut des beaux-arts de Kiev). En 1925, il fut l'un des fondateurs de l'Association pour l'art révolutionnaire de l'Ukraine (ARMU). Arrêté en novembre 1936 par le NKVD et accusé d'être un agent du Vatican, il fut interrogé, torturé et fusillé.

507. Le Musée national de Lviv, en Ukraine occidentale, fut établi en 1905 à partir des œuvres de la collection de Cheptytsky dans les bureaux de l'épiscopat. En 1913, comme son fonds ne cessait de croître, le musée fut relogé dans son propre immeuble, projet auquel Cheptytsky consacra une grande partie de sa fortune. Cheptytsky lui-même était un peintre amateur au sens esthétique et culturel aiguisé et collectionnait peintures, icônes, œuvres d'art populaire, manuscrits et autres articles d'une valeur inestimable. Non seulement fit-il construire le musée, mais il y annexa un centre de recherches et des archives, tout cela pour favoriser et soutenir le sens encore fragile de leur culture et de leur histoire chez les Ukrainiens.

devrait profiter aux studites. Dieu a semblé vouloir que jusqu'à présent l'action des studites s'annonce originale et féconde en deux directions : le retour aux assises anciennes (skites, etc.) et l'œuvre d'art religieux. Plus tard, des studites ne pourraient-ils pas faire un stage auprès de cette fondation ? Et cette fondation ne pourrait-elle pas envoyer des travailleurs en Galicie ? Peut-être une telle œuvre, conçue dans un esprit à la fois religieux et artistique, pourrait-elle rendre de grands services aux studites ?

Autre chose : ce centre d'art, par la force des choses, deviendrait un centre religieux. Ce serait un terrain très favorable pour l'éclosion d'une sorte de vie religieuse difficile à définir – mais il est certain que des artistes mettant toute leur âme dans un travail religieux commun tendraient comme naturellement à constituer une sorte de communauté très souple, mais ayant un esprit commun et un minimum de vie commune.

Une telle action serait une œuvre de longue haleine, qui ne porterait pas des fruits pour le jour présent seulement, mais qui fructifierait pour l'avenir de la Russie. Elle aurait pour elle la durée, et même l'éternité, dans la mesure où l'art est éternel et où l'artiste travaille pour les âmes de demain.

En aidant à une œuvre pareille, Votre Excellence ferait probablement l'action la plus utile qui ait jamais été entreprise parmi les réfugiés russes. Et ce serait la seule œuvre où une collaboration parfaitement cordiale pourrait s'établir avec des orthodoxes. En iconographie, il n'y aurait pas de conflit confessionnel à craindre. Rome ne pourrait intervenir à aucun titre. Pour s'assurer une parfaite liberté de ce côté, on pourrait d'ailleurs procéder de telle manière que tout se fasse sous le couvert de l'École d'iconographie et du Musée national de Lwow. Mais le monde russe saurait bien quel est votre rôle, et vous auriez ainsi travaillé au rapprochement religieux plus efficacement que la plupart des autres. Les autorités orthodoxes à l'étranger, Euloge tout le premier, seraient certainement très favorables à une telle collaboration. Votre Excellence devrait s'assurer dans l'entreprise une représentation permanente, de telle sorte que la liaison avec la Galicie ne soit pas un vain mot. Mais il ne faudrait pas perdre de temps. D'autres (Américains ?) pourraient nous devancer. Si vous donniez à une telle idée une adhésion de principe, il faudrait aussitôt sonder le terrain à Paris et voir ce qui est possible.

Au moment de conclure, un doute me vient. Parfois on cherche très loin ce que l'on pourrait trouver tout près. Ainsi, à Marseille même, le camp russe (propriété du ministère de la guerre) va être dissous et tous ces Russes seront bientôt jetés sur le pavé. Si Votre Excellence ne croyait pas devoir s'arrêter à la suggestion que j'ai faite plus haut, n'y aurait-il pas, à Marseille même, une œuvre utile et urgente à accomplir?

J'abandonne tout ceci au jugement de Votre Excellence.

Comme je vous l'ai annoncé, je dois vous envoyer encore une troisième lettre, cette dernière relative à moi-même. Je le ferai avant deux jours. Je prie Votre Excellence de ne pas me répondre avant d'avoir reçu cette troisième lettre.

Благослови, Владыко[508]!

бр. Левъ[509]

N° 73

fol. 217 r

Marseille, Villa Cléret, rue des roses,
Escalier du Prophète, chemin de la Corniche
9/3/28

Преосвященный Владыко и Оче [sic][510]!

Je vous ai envoyé récemment deux lettres, l'une relative à votre voyage, l'autre à des possibilités d'action dans l'émigration russe. Aujourd'hui, je me permettrai de Vous parler de moi-même. La lettre est aussi, bien entendu, pour le Père Higoumène. Je vous dirai d'abord quelques mots de ce que je fais, puis je vous exposerai un cas de conscience, si je puis ainsi dire, et je Vous prierai de me donner Votre pensée.

Je suis à Marseille sans aucun emploi ecclésiastique officiel. L'évêque, qui me connaissait, vient de mourir. Le vicaire capitulaire m'ignore. Je n'ai aucune relation avec le clergé, si ce n'est avec le bon vieux curé dans l'église duquel je célèbre la liturgie. Je souhaite que

---

508. « Maître, (accorde-moi) ta bénédiction. »
509. fr. Lev.
510. « Maître et Père très saint »

cet heureux incognito se prolonge. Je me suis logé à la campagne, au bord de la mer, à 1/2 heure de tramway de Marseille. Le matin, je célèbre la liturgie et réserve mon temps pour Dieu et pour moi-même. L'après-midi, je vais à Marseille et passe mon temps à faire pour les Russes des démarches qu'eux-mêmes ne peuvent faire, soit parce qu'ils sont occupés à leur travail, soit parce que ma qualité de Français facilite les choses. Ainsi, je cherche pour eux des logements, des chambres, des terrains ; je négocie avec des garages d'automobiles ; je règle avec les fonctionnaires des finances des questions d'impôts. C'est assez absorbant. Le soir je vais au Camp russe. C'est le seul moment où je puis voir les Russes, après le travail, et "parler" avec eux, – vous devinez ce que dont ces conversations à la russe, avec d'étranges confidences, et, presque toujours, un certain élément dramatique. Je ne me couche jamais avant minuit. C'est une vie bizarre, mais je dois m'adapter aux conditions du milieu. Si l'on me demandait : *Que faites-vous au juste à Marseille ?*, je serais embarrassé pour donner une réponse précise, et c'est assez vexant de voir que même ma famille semble convaincue que je passe agréablement l'hiver dans le Sud sans rien faire. Cependant je ne crois pas que ce temps soit perdu. Car je vis dans une atmosphère de *sympathie*, et, *créer de la sympathie*, c'est là mon but.

Quelques Russes orthodoxes de Nice se tiennent en contact suivi avec moi. L'un d'eux (un jeune homme de 23 ans) voudrait que je prenne la direction entière de sa vie et me supplie de le sauver et de sauver une femme mariée dont il est l'amant et qu'il voudrait retirer du péché, ainsi que lui-même. Deux boy-scouts russes de Nice m'ont rejoint à Marseille. L'histoire de l'un d'eux est tragique. Il travaillait dans un port pour faire vivre sa mère, et les ouvriers du port l'obligeaient à s'enivrer avec de l'alcool, en le menaçant de le renvoyer s'il ne buvait pas, et maintenant, à 18 ans, il est brûlé d'alcoolisme, plongé dans la débauche, et il a récemment acheté un revolver pour se suicider. Il me dit alternativement des choses confiantes et amicales et des choses insultantes. Je voudrais le tirer de là. Le pourrai-je ?

Ici, à Marseille, il n'y a guère que des ouvriers russes faisant un dur travail. Les préoccupations religieuses n'existent pas (au contraire de Nice). La barraque-église du camp est très peu fréquentée. Le prêtre n'a qu'un rôle rituel. Moralement, ils vivent "au-delà du bien et du mal." Je prends souvent mes repas, comme столовникъ[511], dans une famille dont la situation est la suivante : la mère (44 ans) a abandonné son mari, que je connais, et vit avec un autre homme (34 ans) ; le fils (22 ans) est poursuivi par une femme mariée à laquelle, d'ailleurs, il résiste ; une des filles (20 ans) a vécu pendant un an avec un jeune homme qu'elle a fini par épouser ; la plus jeune (17 ans) est malheureusement amoureuse de son beau-frère (29 ans), qui l'aime aussi, mais sans qu'ils aient jusqu'ici vécu ensemble. Ce qu'il y a de curieux, c'est que les membres de cette famille me font individuellement leurs confidences et semblent attendre de moi quelque chose.

Les circonstances extérieures, plus que leur propre désir, font des Russes ce qu'ils sont. Ainsi je connais deux jeunes gens, absolument sans ressources. L'un d'eux cherche à être embauché par un cinématographe privé (exhibitions obscènes). L'autre vit de chantage, séduisant des femmes mariées et obtenant d'elles des lettres qu'il se fait racheter, sous menace de les envoyer au mari. Eh bien, je puis affirmer que ces jeunes gens *ne sont pas mauvais* dans le fond de leur âme et que, dans d'autres circonstances, ils seraient *très bons*. L'un d'eux me disait : *Vous ne savez pas ce que c'est que la faim…* Il y a quelques jours, j'ai parlé pendant une heure avec un jeune homme qui se livre quotidiennement à la prostitution masculine. Il me disait : *Croyez-le bien, si j'avais de l'argent, je cesserais dès ce soir de faire ce que je fais.*

Je dois, parlant objectivement, reconnaître que Dieu m'a fait une grâce : celle d'obtenir des sympathies russes. Je constate que les cœurs russes s'ouvrent à moi très facilement. Que puis-je faire pour eux ? Leur parler de l'Église, des dogmes ? Ce n'est pas possible, pas plus que le père de Foucauld ne pouvait en parler aux Touaregs. Mon humble rôle, c'est de suggérer que certaines choses sont bonnes, meilleures que d'autres, et de faire entrevoir que, pour toute souffrance, il y a un consolateur qui est Благъ и человѣколюбець[512]. J'avoue que toutes les questions d'Union des Églises me semblent maintenant très lointaines. Elles sont si loin de la vie, – de la réalité pathétique avec laquelle je suis en contact chaque jour.

Mais, ce dont je voudrais vous parler, c'est des appels, des désirs que je sens en moi. Je me sens appelé, d'une part à une vie de

---

511. *Stolovnik*, c'est-à-dire quelqu'un qui mange à un *stolovka*.
512. « Bon et ami des hommes », de la liturgie byzantine.

dialogue continu avec Jésus (je vous ai déjà parlé de cela), d'autre part à une sorte d'immolation totale pour d'autres. Plus je m'examine, plus je vois qu'une vie constructrice, organisatrice, qui produit des résultats positifs et *réussit*, n'est pas ma vocation. – quoique, par obéissance, je puisse travailler dans cette direction et même obtenir certains résultats. Ce qui m'attire, c'est une *vocation de perte*. Une vie qui se donnerait gratuitement sans résultat positif apparent, le résultat étant connu de Dieu seul, – bref, *se perdre* pour se trouver. La Russie soviétique pourrait me fournir ces occasions. Mais la vie quotidienne aussi peut me les fournir, et, quand Dieu en met sur mon chemin, dois-je passer outre, sans saisir l'occasion et sans l'utiliser *jusqu'au bout*?

Or voici maintenant que ces désirs de don de moi-même et de sacrifice se canalisent de plus en plus dans une direction unique et vers *un* même homme. Se peut-il que Dieu assigne à une âme, comme vocation au moins temporaire, de révéler Sa charité à une autre âme et de tout quitter pour aider cette autre âme? Le cas n'est pas ordinaire, mais je crois qu'il se rencontre dans la vie spirituelle (cf. le roman de R.H. Benson: *L'étrange vocation de Frank Guiseley*). Je voudrais connaître votre pensée à ce sujet.

Je vous ai déjà écrit qu'à Nice, dans les deux petites pièces où je logeais à la campagne, j'hébergeais quelques malheureux Russes (l'autorité latine, qui ne connaissait que ma résidence officielle avenue de Pessicart, ignorait mon domicile effectif, et la population locale ne s'étonnait de rien, parce qu'elle me croyait pope schismatique). Ils ont été chez moi jusqu'à 7! On campait et l'on mangeait comme l'on pouvait: c'était un peu évangélique, extérieurement un peu fou, et très russe... Le moment est venu de vous parler de l'un d'entre eux qui, de juin à décembre, a, ainsi que sa femme, vécu avec moi et qui a fini par prendre dans ma vie une importance si grande que tous mes problèmes se posent en fonction de lui. Il s'appelle Nicolas Nicolaïevitch Kriloff. Pour simplifier, je dirai simplement Kolia[513].

Kolia a 29 ans. Il est originaire de Petrograd. Dès le gymnase, il a perdu toute foi et toute morale, comme presque toute la génération de la guerre. Il était, vers la fin de la guerre, lieutenant dans la Garde. Il a pris part aux guerres civiles, a été blessé, et – des Russes

---

513. Diminutif russe de Nicolas.

me l'ont dit – il s'est conduit en héros, soutenant une fois au combat avec 14 cavaliers contre 1 000 soldats rouges. Puis l'évacuation, Constantinople, Nice. Ensuite la France. Il a exercé tous les métiers. Il travaille actuellement comme plombier (ou plutôt il souffre du chômage). Il a une merveilleuse facilité d'assimilation qui lui permettrait de réussir dans toutes les branches.

Moralement, je ne sais comment le définir. Il ignore le bien et le mal. Il est capable des plus grands excès, et il y a eu dans sa vie des choses terribles. Avec cela, on peut attendre de lui les sacrifices et les dévouements les plus extraordinaires. Je l'ai vu se dépouiller de tout, même pour des inconnus. Il ne craint rien. C'est une âme généreuse et vibrante, pas du tout hystérique.

Je vous citerai deux traits qui vous éclaireront un peu sur sa psychologie. Il avait 16 ans quand son père est mort. Se trouvant seul dans la chambre, il est allé fouiller les vêtements de son père, a retiré des poches 10 000 francs, et est allé aussitôt les jouer. Sa mère l'a su ; sans lui faire de reproches ni d'allusion plus précise au fait accompli, elle lui a dit doucement : *Kolia, tu n'as donc pas la crainte de Dieu ?* Il n'a rien répondu, et n'a jamais reparlé de cela.

Âgé d'une vingtaine d'années, officier, il avait pour maîtresse une femme mariée dont le mari était grièvement blessé. Le mari, connaissant la situation et voulant avant tout le bonheur de sa femme, dit à Kolia qu'il divorcerait et que Kolia devait épouser sa femme, mais que lui-même aimait tellement celle-ci qu'il priait Kolia de le prendre comme concierge afin qu'il pût apercevoir chaque jour son ancienne femme. En entendant cela, Kolia se mit à pleurer, et il quitta cette femme.

Religieusement, Kolia ne croit à rien (orthodoxe d'origine). Voilà dix ans qu'il n'a pas assisté à une seule liturgie et qu'il vit en état de péché mortel. Il s'écarte de tout ce qui est religieux avec une sorte de crainte et d'impatience. Il profère des négations brutales. Mais, *dans son cœur*, il y a des souvenirs religieux et une vive inquiétude religieuse ; lui-même m'a dit : *Je pourrais être un croyant très fervent.*

Pour moi, Kolia est en quelque sorte l'incarnation de la tragédie de la jeunesse russe, je veux dire de ceux qui, en Russie, ont eu 20 ans pendant la guerre, et dont la révolution et les guerres ont bouleversé l'âme comme des feuilles dans la tempête.

Au reste, pour que vous ayez une idée de Kolia et du genre de nos relations, je vous envoie deux lettres de lui. Ayez la patience de lire ces documents assez curieux (les feuilles écrites au crayon, que j'ai numérotées à l'encre, et la lettre écrite à l'encre.) – Si vous venez en France (et vous devez venir), vous le connaîtrez.

Kolia est marié à une jeune femme de 23 ans, dont il a 3 petits enfants. Fille d'un colonel de cosaques du Don. Intelligente et cultivée. Très bonne, très courageuse, très droite. À peu près incroyante, tout en observant quelques rites extérieurs. Nous vivions dans des conditions matérielles qui nous imposaient une sorte d'intimité physique permanente. Mais je puis dire (et ceci est important pour apprécier tout ce qui va suivre) que jamais cette jeune femme, d'ailleurs très chaste, n'a été pour mai une cause de trouble intérieur. Elle peut m'écrire en terminant ses lettres : "Цѣлую Васъ нашъ другъ[514]" (et, de fait, elle et son mari m'embrassent, et ils ne comprendraient pas que je refuse) sans que ces paroles s'accompagnent, ni chez elle, ni chez moi, d'aucun sentiment que nous ne puissions avouer devant Dieu et devant tous. J'ai pu l'aider moralement en certaines circonstances, mais ce n'est pas d'elle qu'il s'agit ici, c'est de Kolia.

Notre vie en commun à Nice a été quelque chose de très étrange. Matériellement, je puis dire que, eux étant chargés d'enfants et victimes du chômage, c'est moi qui, pendant l'été et l'automne, leur ai permis de vivre – au prix de quelles difficultés, personne ne le sait ! Nous sommes devenus très intimes. Ils auraient même voulu que je fusse parrain au baptême orthodoxe de leur petite fille Tatiana, qui, sans mes instances, n'aurait pas été baptisée. Lui s'est souvent ouvert à moi plus qu'il ne s'ouvrait à sa femme. Maintenant comme alors, il n'hésite pas à me confier, par exemple, ce qui concerne sa vie sexuelle. Il me confie aussi ses troubles intérieurs, ses aspirations à une vérité qu'il ne connaît pas. Et, avec cela, parfois des accès de cynisme, de blasphème, et, à mon égard, des moments de cruauté morale, si je puis ainsi dire, – et, au dehors, des actes qu'un moraliste trouverait monstrueux – mais, pour lui, y a-t-il un bien et un mal ? Je me hâte d'ailleurs de répéter que c'est d'ailleurs une nature très riche, très sympathique, et foncièrement *bonne*, mais avec des instants d'égarement.

Il y a parfois dans ce foyer une atmosphère tragique, à la Dostoïevskyi. Or, plusieurs fois, il m'est arrivé de dissiper cette

---

514. « Je vous embrasse, notre ami. »

atmosphère (dont je sais les causes profondes) et de faire pénétrer un rayon de lumière tranquille (свѣтъ тихый...)[515]. Nous avons quelquefois parlé de religion, et l'on sentait que cette question était toujours là, tacitement présente. Je leur ai un peu parlé de Jésus-Christ : ils m'ont écouté avec sympathie, mais sans cacher qu'ils étaient très loin. Je les ai soutenus dans des moments moralement très difficiles. Tous deux se sont mis à m'aimer comme un frère, – et moi je les ai beaucoup aimés.

Or, depuis que nous nous sommes quittés, depuis que j'ai quitté Nice, Kolia dit que sa vie est moralement brisée ; qu'il se trouve maintenant comme une boussole à la dérive ; que je lui suis absolument nécessaire. Sa femme m'écrit à peu près la même chose. Je les ai revus à Nice, et nous avons retrouvé, dans cette présence ensemble, une sorte de lumière et de chaleur morale très douce. "Съ Вами легко жить[516]" me disait la femme de Kolia. J'ai arrangé et apaisé chez eux, encore récemment, de grandes difficultés. Enfin, il y a une quinzaine de jours, Kolia a eu de nouveau une de ces phases d'aberration morale qui fondent parfois sur lui comme un orage, – il a de nouveau accompli une de ces actions dont la pensée le rend ensuite misérable (il ne s'agit pas d'un délit légal), et, au cours de cette crise d'âme, il s'est réfugié auprès de moi, à Marseille. Je l'ai moi-même ramené auprès de sa femme et de ses enfants. J'ai alors, de sa part, subi un de ces actes psychologiquement cruels dont je parlais tout-à-l'heure, et, presque en même temps, il me demandait pardon (по твоей добротѣ, ты поймешь и не осудишь[517]... m'écrivait-il), il m'ouvrait son âme, et s'accrochait à moi comme un désespéré. Il dit quelquefois des paroles qui semblent surgies en lui on ne sait d'où (comme font les héros des romans russes). Il m'a dit cette fois : *Es-tu las de moi, maintenant ? Tu ne savais donc pas cela : il ne faut pas soulever un fardeau, lorsqu'on n'en a pas la force... Dis-moi : auras-tu assez de courage pour m'aimer et te dévouer до конца[518] ? Mais sais-tu tout ce que cela signifie ? Nos relations seront peut-être tragiques. C'est un chemin de croix que tu dois gravir. Porte-moi comme une croix...*

---

515. Cette phrase réfère aux Vêpres, et l'hymne *phôs hilaron*, qui en slave se traduit par « lumière tranquille », « gentil », ou « sereine ». En français, l'hymne est généralement appelée « Lumière joyeuse ».
516. « C'est facile de vivre avec vous. »
517. « De concert avec ta bonté, tu comprendras, et ne me condamneras pas. »
518. « Jusqu'à la fin ».

Ces paroles sont restées profondément gravées en moi. Il m'a semblé que Dieu me disait : oui, je dois lui être dévoué до конца et le porter comme une croix, quoiqu'il arrive... Другъ друга тяготи носите, и тако исполните законъ Христовъ[519]. – Je demeure en communication écrite constante avec Kolia. Lui a la pensée que, par moi, quelque chose de nouveau et de meilleur doit commencer dans sa vie. Et, de mon côté, voici deux semaines que je ne puis penser à autre chose qu'à lui. Presque à chaque minute, la pensée de sa grande misère matérielle et surtout de l'aide spirituelle qu'il attend de moi me poursuit, m'obsède. Il croit que, seul, je puis le sauver, le garder contre lui-même et contre certains écarts que seul je connais, – l'empêcher de commettre de vrais crimes et de ruiner non seulement sa vie, mais celle de sa femme et de ses enfants, – lui montrer la voie (car il y a en lui les plus magnifiques possibilités). Et moi je ne puis Vous donner une idée de l'émotion et de la compassion infinies que Kolia suscite en moi. Je donnerais bien volontiers tout mon sang pour lui. Je ne puis croire que Dieu ait permis sans dessein que cette idée me domine. Peu à peu, je suis arrivé à la même conviction que Kolia : je dois, de la manière la plus étroite, mettre ma vie au service de la sienne, me consacrer à lui ou plutôt au Christ dont il est membre, – essayer de réaliser pratiquement envers Kolia, dans une bien pauvre mesure, l'amour infini que le Christ lui-même a pour Kolia. Mais ceci suppose que, sur le plan matériel lui-même, nos vies ne soient pas séparées.

Je dois au moins indiquer un autre aspect de la question. J'ai en ce moment l'impression que Kolia pourrait être pour moi un instrument d'éducation spirituelle, – de ma propre éducation spirituelle. Car il s'est produit un phénomène étrange. Depuis quelque temps, je ne rencontre pour ainsi dire plus d'occasions de tentation dans le monde parce que toutes les tentations semblent s'être hypostasiées en Kolia. Il semble être devenu la tentation au sens le plus général du mot. Je ne sais comment me faire comprendre. Je veux dire que Kolia, par ses négations hardies, par sa révolte et son *non serviam*, par sa beauté physique, par toute sa conception de la vie, représente et concentre en lui la plupart des aspects du monde qui pourraient tenter un homme et tenir en échec, même dans une âme

---

519. « Portez les fardeaux les uns des autres ; accomplissez ainsi la loi du Christ », Ga 6, 2.

croyante, la conception chrétienne. Si je pouvais apporter le Christ à Kolia, j'aurais, en Kolia, un peu vaincu le monde et je me serais vaincu moi-même, et, ayant franchi une telle étape, je me sentirais plus fort. – Mais je crains de m'exprimer d'une manière obscure et presque incompréhensible. – Bref, la question de principe qui se pose pour moi est la suivante : est-ce que je puis, au moins pour un temps, consacrer tout mon effort à un homme ? et lier ma vie à la sienne en vue de cet effort ? est-ce que Kolia peut et doit être maintenant mon подвигъ[520] essentiel ?

En supposant que, pour le temps immédiat, Dieu veuille que Kolia soit le but de mes efforts – j'oserais dire : le but (évidemment subordonné) de ma vie – comment réaliser cette tâche dans la pratique ? Il s'agit de maintenir et, si possible, d'accroître entre Kolia et moi une communion d'âme pour laquelle il est nécessaire que nous continuions ou plutôt que nous nous remettions à vivre ensemble. Cela pourrait s'obtenir de deux manières. Au cas où l'aide que vous désirez donner aux Russes prendrait une des formes que j'ai suggérées dans ma dernière lettre, et au cas où moi-même me trouverais lié à une entreprise de ce genre (je ne préjuge pas de cette question, mon sort est entre vos mains). Kolia et sa femme pourraient s'y insérer très naturellement : car lui, avec ses capacités presque sans limites (il a travaillé comme maçon, menuisier, électricien, jardinier, plombier, il a construit de toutes pièces une maison et une église) pourrait rendre de grands services matériels et faire réaliser de sérieuses économies de main-d'œuvre, et sa femme pourrait être une ménagère parfaite (cuisine pour une столовка[521] payante, etc.). Au cas où vous ne vous arrêtiez pas aux idées que j'ai émises dans ma dernière lettre, il y aurait cependant pour moi un moyen de partager la vie de Kolia, moyen qui peut sembler un peu déconcertant : ce serait de me mettre au travail avec lui comme ouvrier quelque part, – vivant avec lui, – renonçant (afin de ne pas étonner) à tout l'extérieur du prêtre, ne gardant du sacerdoce que la célébration (à domicile et toute privée) de la liturgie, devenant en quelque sorte crypto-prêtre, – recevant par mon travail un salaire qui me permettrait de n'être pas à la charge des studites et que je mettrais en commun avec Kolia. Cette idée peut sembler insensée,

---

520. *Podvig.* Voir plus haut.
521. *Stolovka.* Voir plus haut.

mais, si j'avais le temps d'en développer les détails, peut-être admettriez-vous qu'elle est soutenable. Il y a longtemps que je me suis convaincu qu'un apostolat parmi les travailleurs russes doit finalement prendre cette forme : Le батюшка[522] est payé pour prêcher et célébrer et il ne mène pas la vie de ses fidèles, et voilà pourquoi son influence risque presque toujours d'être superficielle. Si l'on veut agir sur l'ouvrier russe, il faut vivre sa vie toutes les minutes, travailler manuellement avec lui, et, si l'on donne, donner non avec l'argent superflu, mais avec l'argent qu'on gagne à la sueur de son front et dont on a soi-même besoin pour vivre. – Kolia et sa femme accepteraient très volontiers cette vie pauvre, mais fraternelle, à trois, avec un travail commun. Combien de temps cela devrait-il durer ? Il me semble que Dieu lui-même indiquerait les limites de cette expérience. Serait-ce la façon moderne de racheter les captifs et de se faire galérien, comme saint Vincent de Paul, ou de partir pour la Sibérie avec le forçat qu'on veut relever, comme dans les romans russes ? Je n'ai fait qu'esquisser l'idée, sans entrer dans les détails.

Tout ceci est très étrange. Mais une voix intérieure me dit : *Je dois m'engager dans cette direction.* Perdre pour un seul homme des efforts qui pourraient être plus utiles ailleurs ? Mais une seule âme a une valeur infinie. – Voilà quelle réponse il me semble que Dieu me fait concernant Kolia, – après lui avoir demandé, par un jour de jeûne total et de prière, de me faire connaître Sa volonté. – Sur quelle voie suis-je : illusion – ou юродство ?[523] – Je vous soumets tout ceci, à vous et au Père Higoumène. Ayez la bonté de me faire connaître votre pensée, et bénissez votre fils humblement dévoué.

fr. Lev.

P.S. Je reçois de Mlle Corbiau une longue lettre où elle me développe sur l'apostolat de l'art religieux et la Russie les idées que vous exprimait ma dernière lettre. Elle aussi a eu la pensée d'une organisation à Paris. Mais, au lieu d'Ikona et des Russes, elle pense tout sur le plan ukrainien et voit une collaboration où vous, Boïtchouk, les organisations artistiques de la радянская [*sic*] Украйна [*sic*][524]

---

522. Diminutif russe du mot « père », il est utilisé pour désigner les prêtres. Dans certains contextes, comme celui-ci, il peut avoir une connotation péjorative.
523. Terme slavon pour « folie en Christ ».
524. « L'Ukraine soviétique ».

joueraient le premier rôle. Ce serait, croit-elle, vous ouvrir les portes de l'Ukraine. Tout ce qu'elle dit me semble très vrai. Mais l'idéal, pour moi, serait d'associer les efforts des Russes et des Ukrainiens. Est-ce possible?

N° 74

fol. 224 r

Marseille, 11/3/28

Cher Monsieur Paris[525],

J'ai reçu ce matin votre lettre du 10 mars, et je réponds par retour du courrier, selon votre indication.

Depuis dix mois, chaque jour m'apporte de très vives souffrances. Votre dernière lettre y ajoute. Je ne récrimine pas. Je vous remercie de me parler avec franchise. Je vous répondrai avec la même franchise.

Je ferai une remarque préalable. Vous semblez considérer comme bien établis certains torts qui me sont imputés. Vous avez évidemment entendu la voix de ceux qui me les imputent. Ce que moi-même j'ai à dire, vous ne l'avez pas su, vous ne le savez pas. Néanmoins, vous vous êtes formé une opinion – et qui m'est défavorable. Je vous poserai simplement une question: est-il juste de prendre parti dans un débat sans connaître les diverses faces de la question, est-il juste de condamner quelqu'un sans l'entendre?

Parlons d'abord d'une question toute personnelle. Au sujet des reliques, vous m'écrivez: J'ai été contrarié de voir que vous n'aviez pas jugé utile de transmettre et d'appuyer ma requête... Vous ne vous êtes même pas dérangé. Vous êtes mal informé. J'ai transmis et appuyé votre demande, il y a déjà plusieurs mois. Le Révérend Père Higoumène d'Univ m'a donné l'assurance qu'il serait fait selon votre désir. Si j'ai suggéré l'idée que vous parliez de ces reliques au Métropolite André, à Paris même, c'est afin que le Métropolite sût plus exactement ce que vous souhaitiez. Quand j'ai appris, il y a peu de jours, que le voyage du Métropolite était différé sine die, une de

---

525. Cette lettre à M. Paris est assurément une copie envoyée à Cheptytsky.

mes premières pensées a été de me demander comment régler d'une manière qui vous satisfasse le choix et l'envoi des reliques. Vous me taxez gratuitement de négligence et d'indifférence. Soit. Du moins Dieu sait à quoi s'en tenir sur les pensées des hommes.

Vous semblez me rendre plus ou moins responsable de l'adhésion du père Alexandre Deubner à l'Église orthodoxe russe. J'ai tenu compte de ce que vous m'aviez écrit à son sujet ; mais, ce que je vous disais dans ma réponse, relativement à certaines calomnies dont il était alors l'objet, je dois le maintenir encore aujourd'hui : maintenant plus encore qu'hier peut-être, nous devons être strictement justes à l'égard du père Alexandre. Cela d'autant plus que ce sont précisément des calomnies, des manques de justice et de charité, des intrigues, – toutes œuvres d'une femme hystérique et mauvaise – qui ont désespéré le père Alexandre et ont emporté sa décision. Je n'avais aucune juridiction sur le père Alexandre, ni monastiquement, ni ecclésiastiquement. Seul il avait qualité officielle pour diriger l'église catholique russe de Nice où je n'étais moi-même qu'un hôte. Non seulement je n'ai pas influé sur celles de ces décisions qui peuvent paraître regrettables, mais souvent je lui ai donné des conseils qui, suivis, eussent évité des malheurs – à commencer par le conseil de se démettre de sa charge. S'il ne m'a pas écouté, ce n'est pas ma faute. Il est inexact que je l'aie empêché de devenir moine à Amay. Dès février 1927, je lui présentais cette possibilité. Lui-même avait contre Amay de fortes objections ; et je suis d'ailleurs convaincu qu'il n'aurait pu y rester. Je crois que, le jour où vous saurez exactement tout ce qui s'est passé à Nice, vous vous rendrez compte que la version très simple, qui consiste à rejeter toutes les responsabilités sur un homme, n'exprime pas la vérité. Au sujet du père Alexandre, n'oublions jamais qu'il a fait beaucoup de bien à Nice, qu'il s'y est beaucoup dévoué, et demandons à Dieu ce que notre Église lui demande chaque jour de carême par la voix de saint Ephrem[526] : *Donne-moi, Seigneur, de ne pas juger mon frère...*

Vous me reprochez d'avoir voulu fonder un monastère qui ne pouvait pas exister. Je suis simplement allé, avec un mandat régulier

---

526. Né vers l'an 306, saint Éphrem le Syrien est renommé comme étant l'un des plus lyriques et des plus influents des premiers théologiens. Il composa de nombreux hymnes et poèmes. Il est surtout connu aujourd'hui pour l'une de ses prières (que cite ici Gillet) récitée pendant le Carême par les chrétiens de rite byzantin.

de mes supérieurs, voir ce qui pouvait ou ne pouvait pas se faire à Nice au point de vu monastique. Il s'est trouvé que des circonstances très spéciales, survenues alors à Nice, n'ont pas permis la constitution d'une communauté. Je me suis borné à prendre contact avec quelques Russes que ce projet intéressait. Qu'ai-je fait de mal en tout cela ? Je crois que là encore l'ignorance des détails ne vous permet de porter une appréciation équitable. Permettez-moi de protester contre une qualification un peu sommaire. Dmitri Messing est autre chose qu'un pauvre déséquilibré. La voie qu'il suit en ce moment peut sembler étrange : mais j'ai pu constater qu'il opère autour de lui beaucoup de bien, matériellement et spirituellement. Craignons de méconnaître à la légère les desseins de Dieu sur les individus.

Vous me reprochez d'avoir indisposé au plus haut point contre l'œuvre russe NN[527]. SS. Ricard[528] et van Caloën et de leur avoir donné matière à de grands griefs. Si c'est exact, ces prélats tiennent alors un double langage, car Mgr Ricard m'a fait offrir par son secrétaire l'assurance écrite qu'il n'avait contre moi aucun sujet de mécontentement et Mgr van Caloën, quand j'ai pris congé de lui, m'a dit qu'il me conservait toute sa bienveillance. S'ils ont des griefs contre moi, je serais très heureux que ces griefs soient formulés et que je puisse y répondre. Je puis me rendre devant Dieu ce témoignage que, placé à Nice dans une situation intenable, j'y ai constamment travaillé de toutes mes forces pour l'Union et pour les Russes. Si vous avez des accusations précises à formuler contre moi, je vous en prie, dites-les.

Vous insinuez qu'Amay paye pour des fautes commises par moi. Je regrette vivement les ennuis qu'Amay peut avoir et je connais la droiture des intentions qui y règnent ; mais établir une solidarité quelconque entre l'action d'Amay et ma personne serait, de la part des dirigeants ecclésiastiques, une bien étrange confusion d'idées.

Je transmets votre lettre au Métropolite André afin que, d'une part, il constate lui-même les sentiments dont vous êtes animé à son égard et que, d'autre part, il sache ce qu'on dit de moi ou contre moi. Il est mon juge naturel ; c'est auprès de lui qu'il faut m'accuser. Je l'ai tenu au courant de tout ce qui est survenu à Nice. Les milieux

---

527. Il s'agit vraisemblablement du « Foyer » à Nice.
528. Il s'agit probablement d'une allusion à l'Ordinaire de Nice, l'évêque Louis-Marie Ricard (1868-1929).

où je suis très pris à partie, comme vous dites, sont-ils également au courant de tout ?

Je demande à Dieu de développer en nous tous la sérénité d'esprit et la paix mutuelle, et je vous prie, cher Monsieur Paris, de me croire votre serviteur humblement dévoué dans le Christ.

N° 75

fol. 226 r

Marseille, 11/3/28

Excellence !

Je vous envoie ci-joint une lettre que m'adresse M. Paris et une copie de la réponse que j'ai faite à cette lettre.

Si vous pensez que je vous compromets, rappelez-moi auprès de vous. – Si vous me demandez mon opinion personnelle, c'est que j'ai encore quelque chose à faire parmi les Russes, – mais la lettre de M. Paris me confirme dans le cours d'idées que vous indiquaient mes dernières lettres : devenir étranger à tout ce mouvement unioniste qui n'est qu'un guêpier dangereux, – se tenir loin du clergé où je vois beaucoup plus de petitesse d'esprit et moins de charité que chez les laïcs, – aider les Russes sur le terrain russe. La solution éventuelle que ma dernière lettre esquissait pour moi m'attire de plus en plus : vivre avec des travailleurs russes, avec *mes chers*[529] travailleurs russes, travailler avec eux, et s'arranger avec vous pour une sorte de *reductio ad statum laicalem*[530], pas complète, mais suffisante pour échapper aux obstacles. Un peu comme Grum, mais sans l'*otium* de sa vie, et de telle manière que le monde latin perde ma trace. Religieusement, seulement une action psychologique, d'âme à âme. C'est bien de ce côté que je suis

---

529. "Mes" souligné une fois, "chers" souligné deux fois dans le texte.

530. Signifiant « réduction au statut de laïc », c'est une expression canonique désignant le processus par lequel les prêtres ou les moines, à leur propre demande ou en raison d'une sanction ecclésiastique, ne sont plus considérés comme des religieux, mais comme des laïcs, et n'ont donc plus le droit de célébrer les sacrements – sauf, selon la loi latine, le sacrement de l'absolution, qu'un ancien prêtre peut administrer à un mourant si aucun autre prêtre n'est disponible.

entraîné. Mon Dieu ! comme je voudrais pouvoir me donner *tout entier* pour ces Russes !

Je n'ai pas cessé de penser à Kolia…

Bénissez-moi et croyez-moi votre fils bien humblement dévoué en Notre Seigneur.

fr. Lev.

Si l'on ne vous laisse pas venir à Paris, Deubner restera dans sa position actuelle. Il n'y a pas un seul homme, sauf Votre Excellence, qui puisse agir sur lui. D'ailleurs, à moins qu'il ne doive vivre auprès de vous, son changement serait dangereux et nuisible : car jamais il ne s'adaptera à un milieu catholique autre que votre proximité immédiate, – *les catholiques ne le comprendront jamais*, – et il redeviendrait pravoslave avant 3 mois, – et le scandale serait plus grand.

N° 76

Sans date et numéro de folio[531]

Villa Cleret, rue des roses, escalier du Prophète,
Chemin de la Corniche,
Marseille.

Excellence ! Très Révérend et cher Père Higoumène !

J'ai bien reçu vos lettres et le document que le P. Higoumène y a joint. Je vous remercie de tout cœur.

Pardonnez-moi de retarder encore l'envoi de la lettre que je vous avais insinuée, mais c'est presque un volume que je voudrais vous envoyer. Je me borne en ce moment à vous dire combien je serais heureux si, effectivement, je revoyais bientôt Son Excellence dans cette région. Priez pour moi.

Votre Serviteur très humblement dévoué.

fr. Lev

---

531. Cette lettre n'est pas datée et par conséquent a été classée aux Archives près de la fin de la correspondance. Sa composition et son contexte portent à suggérer de l'insérer ici.

N° 77

fol. 227 r

Villa Cléret, rue des roses,
Escalier du Prophète, chemin de la Corniche,
Marseille (Bouches-du-Rhône)
2/4/28

Père vénéré et très aimé !

J'ai reçu ce matin votre lettre relative aux Kriloff. Je voudrais tout d'abord ajouter encore quelques mots sur cette question. J'ai parfaitement compris votre idée. Tout ce que vous m'écrivez, je me le suis dit souvent, et dès le premier jour. Ce que je suis prêt à faire pour Kolia, je suis prêt à le faire aussi pour d'autres. Maintenant, le fait que j'ai une incontestable et très vive sympathie humaine pour Kolia exclut-elle la possibilité d'une charité surnaturelle à son égard ? Dieu ne peut-il pas se servir pour ses propres fins d'un élément naturel ? Je vous envoie deux des dernières lettres que j'ai reçues de Kolia et de sa femme ; je vous les confie parce que je tiens à ce que vous vous rendiez compte de la nature de mes relations. Il y a aussi dans cette affaire quelque chose que je vous dévoilerai maintenant. Kolia, depuis son mariage, a été fidèle à sa femme ; mais il aime la sœur de celle-ci, une jeune fille que je connais assez bien et qui aime également Kolia. Ils n'ont pas commis jusqu'à présent de péché de fait ; mais ils attendent avec une sorte de fatalisme, et quand l'occasion se présentera, ils n'hésiteront pas. "Авось[532] !" — vous connaissez la manière russe... La femme de Kolia ne connaît pas exactement les sentiments de son mari, mais elle les devine et elle croit même (là elle se trompe) que Kolia veut l'empoisonner pour se délivrer d'elle. Kolia m'a tout confié. J'ai essayé de le détourner de la pente où il s'est engagé et de rétablir dans son foyer une atmosphère de paix et de confiance. Voilà pourquoi eux et moi nous avons cru que je ne leur étais pas inutile. Qu'il puisse me tuer un jour ? J'y ai déjà pensé, et souvent. Mais ce ne serait pas par jalousie. La tentation de tuer un homme, il l'a déjà eue, et il me l'a

---

532. On peut traduire cette expression russe par « Espérons ». Toutefois, la connotation est pessimiste dans le sens qu'on ne peut qu'espérer.

avouée. Je dois vous dire que j'ai envisagé cette possibilité d'être tué par lui sans aucune crainte, et que la pensée de l'opinion publique ne me préoccupait pas. Quoi qu'il en soit, je fais maintenant passer cette question des Kriloff à l'arrière-plan. Je dois vous parler d'une autre chose, et jamais lettre ne m'a été plus pénible à écrire que celle que je Vous écris en ce moment. Je sais que tout ce que je vais vous écrire vous causera une grande peine, et cependant je dois vous l'écrire. Mon Père, je fais appel à tout ce qu'il y a en Vous de bonté pour que Vous m'écoutiez, non seulement avec une compréhension objective, mais, j'ose dire plus, avec sympathie (au sens étymologique : sentir avec, sentir ce que je sens.) Je résumerai dès l'abord et en une formule brutale tout ce qui va suivre : les raisons pour lesquelles un Chrétien qui admet la doctrine des Apôtres, des Pères, et des Conciles de l'ancienne Église indivise, doit adhérer à l'Église catholique romaine (je range aussi sous ce vocable les Églises uniates) plutôt qu'à l'Église catholique d'Orient (dite orthodoxe), – ces raisons cessent de me paraître certaines. Vous allez me dire aussitôt : *Vous avez éprouvé dernièrement certaines déceptions qui vous ont rempli d'amertume contre l'Église romaine. Vous ne devez pas laisser ces impressions fausser votre jugement.* Non, je ne tire pas de quelques faits particuliers une conclusion de principe. Je sais très bien que, si des saints ont enduré humblement et patiemment de véritables souffrances de la part de l'autorité ecclésiastique, je n'ai, moi, aucun droit à exploiter contre l'Église elle-même les actions de certains serviteurs de l'Église. Il est exact que les événements de ces derniers temps m'ont montré, avec un relief que je ne voulais pas voir jusqu'ici, les difficultés cruelles de la position orthodoxe-catholique ; ils m'ont montré que l'Église romaine actuelle n'est pas hospitalière à ceux qui essaient loyalement de faire de ce terme autre chose qu'une étiquette ; ils m'ont montré les causes intimes de la tragédie de l'histoire de la Galicie et, je me permets d'ajouter, de la tragédie de votre propre vie. Mais, je le répète, je sais m'élever au-dessus du plan de ces événements contingents. Vous me direz encore : *Le processus qui se déroule en vous a une autre cause. La dernière lettre que vous m'avez écrite montre que vous vous êtes laissé en quelque sorte désaxer par une amitié humaine ; vous avez commencé par perdre ce désintéressement surnaturel qui est la première condition de toute œuvre religieuse, et, par une logique interne, ou peut-être par un châtiment divin, vous avez ensuite été tenté dans votre foi, et vous avez cédé à la tentation.*

Loin de moi la pensée de faire mon apologie ; mais je dois à la vérité de déclarer que j'ai toujours fait un effort sincère pour ne pas sacrifier le Christ à l'amitié dont il s'agit. En réalité, depuis longtemps, une sorte de poussée intérieure me conduisait vers la Russie orthodoxe (comme je Vous l'expliquerai plus loin, cette orientation russe ne me semble pas incompatible avec l'universalisme chrétien). Vous me direz : *Mais alors pourquoi n'avoir pas parlé plus tôt ? Pourquoi avoir caché ce sentiment ?* C'est que ce sentiment n'avait pas encore pris forme ; on ne peut pas dire que je l'ai dissimulé. Ne me reprochez pas une hypocrisie ou un manque de confiance. Je ne voulais pas m'avouer à moi-même ce que je pressentais ; je voulais obstinément fermer les yeux à ces pensées naissantes ; je voulais considérer tout doute comme inexistant ; je craignais, en me rendant attentif à ces idées encore vagues, de les faire cristalliser, de leur donner une existence et une forme. Deux fois j'ai eu l'occasion d'exposer à d'autres, avec autant de force et de persuasion que je le pouvais, les arguments traditionnels en faveur de l'ecclésiologie catholique romaine : la première fois, quand je parlais *de Ecclesia* devant nos jeunes théologiens du stoudion ; la deuxième fois, quand j'ai essayé de dissuader Deubner de prendre le parti qu'il a finalement pris[533]. Eh bien, les deux fois, j'ai senti que tout ce que je disais ne me satisfaisait pas pleinement ; je pensais : *Mais ces arguments ne sont pas irréfutables ! On pourrait répondre telle ou telle chose... Et d'ailleurs, si tout était si clair, si convaincant, comment tant d'hommes instruits et de bonne foi – par exemple tels théologiens anglicans ou orthodoxes – rejetteraient-ils ces thèses ? On ne peut cependant pas se débarrasser de toutes les objections des dissidents en les mettant sur le compte de la stupidité ou de l'orgueil.* Seulement, je refusais de m'arrêter et de regarder en face ces pensées. Je me disais : Il n'y a qu'à ne pas faire attention. Ce que je sais, rien ne pourra me détourner de l'être. Voilà pourquoi l'évolution de Deubner m'a causé à la fois une sorte d'horreur et une émotion intense : il me semblait voir tout à coup mes propres pensées prendre vie hors de moi-même et se hâter vers la réalisation à laquelle elles étaient, si je puis dire, préordonnées. Et cette histoire n'est pas seulement celle de Deubner ou la mienne ; c'est celle de

---

533. On voit ici que le Père Lev n'a jamais utilisé cette apologétique latine extra muros, pour convaincre des orthodoxes. Ainsi, il s'est fidèlement tenu à l'écart de tout prosélytisme.

plusieurs de ceux qui ont commencé, sans arrière-pensée et avec un profond loyalisme catholique, à s'intéresser à l'orthodoxie ; c'est celle de plusieurs jeunes moines d'Amay qu'une véritable logique interne achemine loin de leur point de départ. L'évolution de Deubner m'a donc forcé à ouvrir les yeux sur le problème, et, depuis quelques semaines, ce problème se pose avec acuité.

Le centre de la question est évidemment la "cathedra Petri." Permettez-moi de parler devant Vous avec hardiesse. Il m'a toujours semblé que, du côté catholique, on forçait les textes relatifs à la Papauté pour en tirer plus qu'ils ne contiennent. De la primauté assurée à Pierre par les textes évangéliques et du leadership doctrinal et disciplinaire reconnu aux Évêques de Rome par les écrits des Pères et l'histoire de l'Église ancienne, d'une part, jusqu'à la papauté dogmatisée du concile du Vatican, d'autre part, je ne pense pas échapper à l'impression qu'il y a une déviation hyperbolique (je me sers des termes de Gloubokovskyi), déviation dont les facteurs humains successifs apparaissent assez clairement dans l'histoire. On dira : *Mais les Conciles ont sanctionné la conception romaine actuelle de la papauté.* Un orthodoxe éclairé ne fera pas de difficultés à admettre tout ce que les conciles de l'Église indivise ont professé relativement à la Papauté ; mais il n'admettra pas que Trente et le Vatican soient de véritables conciles œcuméniques. *Mais la présence ou la représentation des pontifes romains garantissait leur oecuménicité ?* Alors nous tournons dans un cercle vicieux : si l'on veut prouver les prérogatives des Pontifes romains par des décisions conciliaires, on ne peut pas prouver l'oecuménicité de ces conciles par les prérogatives des Pontifes romains. Je reconnais d'ailleurs que, dans cette matière, on ne peut pas atteindre une évidence ou une certitude mathématique.

C'est un grand débat ouvert entre l'Orient et l'Occident : on ne peut émettre une opinion qu'avec beaucoup d'humilité et de charité. Mais, s'il me faut donner sincèrement mon opinion (certes je peux me tromper), je dois oser dire ceci : *L'ecclésiologie romaine ne me semble pas suffisamment justifiée par les raisons apportées en sa faveur.* N'est-il pas présomptueux de ma part de mettre en doute ce que des hommes éminents admettent sans difficulté ? Mais des deux côtés se trouvent des scholars éminents et, en dernière analyse, il n'y a pas de motifs de crédibilité sans une certaine opinion personnelle. Si nous élargissons la question, il me semble que la déviation dont parle Gloubokovskyi ne concerne pas seulement le *primatus Petri,* mais que le catholicisme romain actuel constitue (j'emploie ces mots sans intention offensante) un impérialisme et un juridisme qui s'écartent considérablement de la tradition et de l'esprit de l'ancienne Église chrétienne ; ce que l'Église ancienne concevait en termes de service et d'humilité, comme un ministère d'amour, on l'a traduit en termes de domination.

Le protestantisme a été une réaction assez explicable ; mais il a méconnu et la notion d'Église et la notion d'une Révélation objective, et il a abouti à l'individualisme pur. Quant à l'orthodoxie, elle me paraît en tout plus proche des sources, plus proche de la tradition et de l'esprit chrétien primitifs. Elle a su opérer dans la соборность[534], dans l'amour, la synthèse de l'autorité et de la liberté. Vous me direz que ce sont là des idées déjà bien vieilles et qu'on trouve chez tous les penseurs religieux russes, de Khomiakof à Boulgakof. Oui, ce sont des lieux communs, si vous voulez ; mais il me semble que les penseurs russes ont bien saisi l'essence de l'orthodoxie. C'est surtout dans les consciences russes que je cherche la manifestation de l'orthodoxie. Il n'y a point là de particularisme contraire à l'universalité chrétienne ; on peut très bien professer l'œcuménicité, la catholicité de la Révélation du Christ, et croire cependant que la sainte Russie a, parmi les peuples, une vocation spéciale de théophore et de christophore. Le don de l'amour semble lui avoir été départi plus largement qu'aux autres. En pensant à l'Église russe, on rappellera aussitôt comme une objection, les souvenirs du Saint-Synode, des évêques carriéristes, de Raspoutine, et aujourd'hui les divisions entre hiérarques. Mais cela ne prouve pas plus contre l'Église russe que le grand schisme d'Occident, l'Inquisition, les Borgia, et certains jésuites ne prouvent contre l'Église romaine. La révolution russe a été, pour l'Église russe, génératrice d'une vie nouvelle, et intense, et sainte, soit là-bas, dans l'Église sanglante des martyrs, soit ici, dans l'Église souffrante des réfugiés, où des prêtres et des diacres sont ouvriers et chauffeurs de taxis. Je disais plus haut que, dans le débat ouvert entre l'Orient et l'Occident, il est difficile de trouver des arguments objectifs

---

534. *Sobornost* se traduit généralement par « conciliarité ». C'est le terme slavon pour désigner la « catholicité », employée, par exemple, dans le Symbole de Nicée-Constantinople. Alexei Khomiakov lui donna un sens théologique plus large afin d'insister sur le rôle joué par toute l'Église (clergé *et* laïcs) dans la préservation et la proclamation de la foi.

parfaitement probants. On est bien obligé de recourir à des raisons subjectives. Or, si je me place à ce point de vue subjectif, je dois dire que je trouve mieux Jésus-Christ dans l'orthodoxie que dans le catholicisme romain. J'y trouve l'image du Christ moins interceptée par des superfétations de toutes sortes, et sans que la hiérarchie et le juridisme fassent une sorte d'écran entre le Sauveur et les âmes. Ce que j'écris Vous semble peut-être blasphématoire ; pardonnez-moi, et ayez l'indulgence de me lire jusqu'au bout. Ma vie spirituelle s'épanouit plus pleinement, plus librement, dans l'Église orthodoxe. Tout contact avec l'orthodoxie semble la rendre plus chaude et plus lumineuse. Et je touche ici au fond même du processus qui s'opère actuellement en moi. Au fond, ce n'est pas telle ou telle raison particulière qui m'attire vers l'orthodoxie ; la vraie raison est tellement plus profonde et totale qu'elle supprime en quelque sorte toutes les raisons particulières et les rend insaisissables : c'est mon être entier qui tend vers la Russie orthodoxe ; je suis en ce moment si imprégné de l'essence russe (intoxiqué, direz-Vous) que je ne peux pas respirer une autre atmosphère. Encore une fois, ce n'est pas un particularisme exclusiviste. Il n'y a rien de moins exclusiviste que l'orthodoxie russe. De même que l'Église russe n'a pas craint d'aller s'associer à Lausanne[535] auprès des protestants et que, là, elle a répondu à la fois avec humilité et fermeté à ceux qui lui demandaient : *Que croyez-vous ?*, de même tout orthodoxe Russe éclairé rend justice aux trésors de sainteté, d'intelligence et de beauté contenus dans le catholicisme romain ; il pourrait signer des deux mains la célèbre profession de foi de Soloviev, y compris le passage relatif à la Papauté ; et il n'accepterait pas de dire : *Je suis séparé de l'Église d'Occident*, puisque jamais l'Église russe ne s'en est séparée et puisque jamais l'Église romaine n'a retranché la Russie de sa communion. Mais qu'ai-je besoin d'insister davantage, de m'étendre encore sur cet appel intérieur que m'adresse l'orthodoxie ? Vous connaissez l'essence religieuse russe. Vous me connaissez aussi. Vous comprenez tout, je pense.

Je Vous ai décrit avec une grande franchise mon état d'esprit actuel. Ceci étant, est-il loyal de continuer à me dire catholique

---

535. En 1927 se tenait, à Lausanne, la première Conférence mondiale Foi et Constitution suite à une proposition énoncée en 1910 à la Conférence missionnaire mondiale d'Édimbourg. Ces deux rassemblements ont joué un rôle déterminant dans la formation du Conseil œcuménique des églises.

romain ? On doit suivre le dictamen de la conscience, même erronée. N'ai-je pas le devoir d'aller là où je crois voir plus de lumière ? Si j'adhérais à l'orthodoxie, j'aurais le droit de dire : *Ce n'est pas le désir de l'argent qui m'a conduit là. Ce n'est pas le désir des honneurs. Ce n'est pas une femme. J'obéis à une persuasion intérieure.* Dieu sait bien qu'une telle démarche ne me rapporterait que l'insécurité du lendemain, la pauvreté matérielle, des déchirements intérieurs, peut-être la rupture avec mes proches. Je ne cherche qu'une chose : me dévouer et me sacrifier totalement pour mes frères russes. On me dira : *Tout cela, c'est de l'orgueil. C'est le* non serviam *de Satan.* J'ai prié. En célébrant la liturgie, je dis à Dieu : *Mon Dieu ! montre-moi ce que Tu veux de moi et je le ferai. Je crois et je veux croire ce que Tu veux que je croie. Si l'orthodoxie est l'erreur, je la déteste et veux m'en écarter. Guide-moi !* Priez Dieu pour moi dans le même sens. Mais, jusqu'ici, je n'ai pas entendu de voix intérieure qui me dise : Ne va pas là. J'ai pensé à ces choses à genoux, en présence de Dieu. Et, de plus en plus, l'idée de la Russie orthodoxe s'imposait à moi et barrait tout autre issue.

On me dira : *Vous avez prêté un serment. Vous avez émis des vœux. Tout cela ne compte donc pour rien ?* Mais, encore une fois, le *dictamen* actuel de la conscience, même erronée, ne doit-il pas primer tout le reste ? En ce qui concerne les vœux, j'espère, avec la grâce de Dieu, ne pas cesser d'être un hiéromoine, et jamais je n'oublierai d'où et de qui je tiens ce caractère.

Et maintenant je vais vous dire, avec la simplicité d'un petit enfant, ce qui me tourmente. C'est de penser à Vous, au Père Higoumène, à mes frères. Vous et le Père Higoumène, je vous considère (je vous parle sans flatterie) comme des saints et comme de grands cœurs. Vers Vous, mon évêque et mon archimandrite[536], je suis allé avec une confiance et une affection totales ; Vous m'avez traité avec une bonté sans mesure ; mon plus vif désir était de travailler auprès de Vous et pour Vous. Le Père Higoumène et les

---

536. Du grec *archo* (je commande) et *mandra* (un troupeau de moutons), un archimandrite est d'habitude l'abbé d'un seul monastère, mais par le passé, certains archimandrites étaient aussi les supérieurs de plusieurs monastères dans une région donnée (un peu comme un abbé général en Occident). Le titre et la dignité sont aussi parfois conférés pour honorer certains prêtres célibataires non moines dans les Églises de rite byzantin. Gillet fait ici référence au fait que Cheptytsky était archimandrite des studites.

studites ont eu pour moi toutes les délicatesses, toutes les prévenances. Vous comptiez sur moi. Vous aviez confiance en moi. Vais-je vous trahir ? Vais-je vous causer une douleur si grande ? Vais-je accomplir ce qui vous semblera une monstruosité ? Je sais bien que les gens intelligents ne vous rendront pas responsable et ne rendront pas mes frères solidaires de mon scandale, et, d'autre part, je saurai, si ce scandale se produit, réduire ses proportions en vous mettant hors de cause avec les paroles qui conviennent et en m'interdisant tout désaveu de la croyance catholique et tout prosélytisme contraire à cette croyance ; mais enfin il y aura toujours un scandale, si discret soit-il ; vous laisserai-je en souffrir ? Cette pensée me désespère. Et pourtant il me semble que je ne dois pas m'arrêter à cette pensée. Lorsque j'essayais de détourner Deubner de sa décision, je lui disais : *Songez à votre père, confesseur de la foi ; songez à l'Exarque ; songez à la peine qu'éprouvera le Métropolite André.* Mais, en moi-même, j'éprouvais une sorte de honte à lui dire ces choses, et je pensais : *Il y a une certaine bassesse à vouloir combattre des convictions intellectuelles par des arguments d'ordre personnels ou sentimentales. Cette lutte devrait se dérouler sur le seul terrain des principes. Y mêler des noms propres, des émotions et des souvenirs personnels, si noble soient-ils, c'est pécher contre l'Esprit.* Je me dis la même chose en ce moment. J'ai le devoir cruel, mais réel, d'éliminer provisoirement du champs de ma conscience ces souvenirs déchirants et précieux : Vous, Univ... parce que de tels souvenirs ne peuvent que m'empêcher de voir avec calme. N'est-ce pas votre avis ? Ma peine est d'autant plus grande que j'ai l'impression de commettre à votre égard une vilenie d'ordre matériel. En effet, j'ai été à votre charge ; j'ai été pour Vous et les studites une cause de dépenses considérables ; et maintenant je vous en remercierais par une défection ? Cette idée m'accable de honte et de tristesse. Et cependant, la reconnaissance matérielle ne doit pas, non plus, entrer ici en ligne de compte, n'est-ce pas encore votre avis ? Dans cette question, je ne dois prendre en considération que l'âme seule.

À propos de questions matérielles, je dois vous donner une information, qui est peut-être l'aveu d'une faute de ma part. Je disposais ici d'une somme avec laquelle le Père Higoumène m'avait dit que je devais vivre jusqu'au premier août. Hors, de cette somme, il ne reste plus rien (je me hâte de dire que je ne demande pas des subsides). J'ai donné cet argent, dans deux cas de détresse russe vraiment urgente. Il y avait du chômage, des enfants, la menace d'être jeté dans la rue et même emprisonner pour dettes. On a fait appel à moi. Moi seul, je pouvais donner une somme assez forte (donner, car on ne prête pas aux réfugiés russes, ils ne peuvent jamais rendre…). Dans les deux cas, la chose était urgente. Je n'avais pas le temps de vous consulter. J'ai prié. Et j'ai donné. Je ne pouvais pas supporter de voir des enfants malades de faim, alors que moi-même j'avais à manger. J'étais persuadé que Vous auriez fait comme moi. Peut-être ai-je commis une faute. Mais c'est une bonne œuvre accomplie par les studites. Si vous désirez une justification de l'emploi que j'ai fait de cet argent, je suis prêt à en demander des reçus et à vous les envoyer. J'espère que Vous ne penserez pas que j'ai tout dissipé pour mon plaisir. J'ai pu assurer ma propre vie matérielle en demandant l'aumône à des parents ou à des relations. J'écris tout ceci pour vous expliquer que je ne puisse pas rendre au Père Higoumène ce qui, normalement, devrait rester de cette somme à la date d'aujourd'hui. Si je n'avais pas donné, je Vous enverrais ce qui reste (ou plutôt devrait rester), car, dans les conditions morales où je me trouve actuellement, je me ferais scrupule de continuer à subsister avec des fonds qui appartiennent à Univ. – Comment Vous exprimer ma reconnaissance *pour tout* ?

À cette heure de reddition de comptes, je dois Vous dire que je ne crois pas avoir totalement gaspillé ou enfoui sous la terre les cinq talents qui m'avaient été confiés, comme au serviteur dont parle l'évangile. Les dons spirituels que je tenais de vous par l'imposition des mains m'ont servi à transmettre à d'autres la grâce du Christ. Avec les dons matériels que je tenais de Votre générosité, j'ai pu faire un peu de bien à ceux qui souffraient.

J'espère que Vous m'écrirez. Je crois que tout ce que vous me direz pour me retenir au sein du bercail romain, je me le suis déjà dit. J'ajoute que jusqu'ici je n'ai rien fait [*mots illisibles*] très saint, ce que je devais vous dire aujourd'hui. Vous avez le droit de m'anathématiser comme un fils ingrat et rebelle. J'ai la persuasion que vous prierez pour moi, que vous ferez effort pour me comprendre, et que, tout en condamnant ce qui doit vous paraître un péché, vous ne condamnez pas la personne du pécheur. J'ai trois choses à Vous demander. Voici la première : je sais que vous ne pouvez pas me pardonner ce que vous considérez comme une défection doctrinale, puisque je ne peux pas vous en demander pardon ; mais je vous prie de me pardonner la peine que je vous cause. J'adresse la même prière au Père Higoumène. Voici la deuxième demande : comme je l'ai écrit plus haut, je sens que j'ai le devoir de ne pas laisser intervenir dans un débat de conscience des considérations purement personnelles ; mais je vous supplie de me le dire vous-même ; vous avez assez de grandeur d'âme pour me dire : *Cherchez la lumière et ne pensez pas en ce moment à moi.* Vous me soulagerez. Voici la troisième demande : Quoiqu'il arrive, ayez la bonté de me permettre de rester en rapports très étroits avec vous, de vous ouvrir mon âme, de puiser auprès de vous de la force spirituelle.

Mon Père et mon Seigneur, même si vous refusez à l'avenir de me considérer comme votre fils, je ne cesserai jamais de vous vénérer et de vous aimer, et jamais je ne célébrerai le sacrifice eucharistique sans faire mention de votre nom. J'associe à votre pensée celle du Père Higoumène et de tous mes frères. Ce serait pour moi une joie très grande que de vous revoir. Que Dieu vous bénisse toujours !

Votre très humblement dévoué dans le Christ.

fr. Lev.

N° 78

fol. 234 v

[Carte postale]

Nice, 24 avril 1928

Merci pour vos deux lettres et pour votre bonté infinie. Grâce à Dieu, le pas que vous pouviez craindre n'a pas été fait *et ne sera pas fait.* La crise semble surmontée. J'enverrai lettre bientôt.

L.G.

N° 79

fol. 235 v

[Carte postale]

23/5/28

Je me trouve provisoirement à *Valence* (Drôme), 6 rue de l'Équerre, où les lettres m'atteignent toujours. Mais moi je ne sais si Son Excellence est déjà partie ou encore à Lwow, et où je dois lui écrire; si d'ici à quelques jours je n'avais pas de nouvelles de Son Excellence, j'écrirais au Père Higoumène, à Univ. Ce que je crains, c'est que, Son Excellence étant partie, on ne fasse pas suivre les lettres. Je me recommande de très humblement aux prières de tous.

бр. Левъ[537]

N° 80

fol. 236 r

Valence (Drôme)
6 rue de l'Équerre
5 juin 1928

Excellence,

J'ai l'honneur de Vous accuser réception de votre lettre du 26 mai, qui m'est parvenue ce matin.

Cette lettre m'est arrivée au moment où j'allais moi-même faire partir pour Votre Excellence une lettre très détaillée sur tout ce qui m'est arrivé intérieurement et extérieurement depuis le mois de mai. Après réflexion, ayant reçu votre lettre du 26, j'ai préféré retenir encore la lettre que j'avais préparée. Je Vous dirai très franchement pourquoi. Ma lettre était surtout une longue ouverture de for interne. Or la dernière lettre de Votre Excellence était si nettement et exclusivement de for externe (je ne mets, certes, dans ces paroles

---

537. Frère Lev.

aucune intention de critique) que j'ai pensé qu'il valait mieux choisir un autre moment pour Vous demander de m'écouter sur ces matières intérieures. Je ne renonce aucunement à Vous dire tout ce que je voulais vous dire, car j'estime que c'est pour Vous et le Père Higoumène un droit de savoir et pour moi un devoir de vous parler. Mais aujourd'hui je me bornerai à répondre à votre dernière communication.

1) Dans la lettre que vous m'aviez envoyée relativement au renvoi de votre voyage en France sur l'invitation de Rome, Vous me disiez à peu près ceci : soyez discret et tâchez de faire savoir sans faire savoir à ceux qui m'attendent. J'ai envoyé votre lettre au père Grum en le priant de la communiquer au père Abrikosoff ; j'ai jugé que votre longue intimité avec eux et la situation officielle du dernier leur donneraient des droites égaux et même supérieurs aux miens à être mis au courant. J'ai encore jugé que les termes même dont vous vous serviez dans la lettre quant à la publicité ou non-publicité à donner aux événements était la meilleure norme pour l'usage que les pères Grum et Abrikosoff pourraient faire de cette lettre. Je n'ai communiqué à aucun Russe votre lettre, ni aucun extrait de votre lettre. Au baron Wrangel, qui vous attendait, j'ai écrit dans des termes très généraux, sans l'informer de rien de précis. Dans les milieux latins, j'ai évité jusqu'à prononcer votre nom. J'ai écrit au père Grum de *vous renvoyer directement* la lettre. J'ignore si des copies de vos lettres circulent ; en tout cas, je ne suis pas l'auteur de cette mise en circulation. Que des documents faussement attribuées à Vous ou à moi circulent, je n'en sais rien, mais je n'y vois rien d'impossible ; je sais, par une expérience personnelle, que de malheureux réfugiés russes n'hésitent pas, à seule fin d'exercer un chantage financier, à rédiger et à signer, même collectivement, des déclarations accusatrices mensongères. Tout est possible. Maintenant, je tiens d'une source russe que des prélats se trouvant à Rome ont écrit à Paris relativement aux récentes décisions romaines et que ces lettres ont été lues par des Russes. J'ajoute une chose. À deux reprises, de côté russe semi-officiel, on m'a demandé si vous n'adhéreriez pas éventuellement au patriarcat de Moscou et j'ai cru comprendre que l'on sondait le terrain auprès de moi

relativement à vos dispositions. J'ai répondu que, selon moi, vous ne quitteriez jamais l'Église romaine et que s'imaginer autre chose était entretenir une illusion.

2) Votre Excellence me prescrit de cesser tout travail auprès des Russes. C'était fait avant que j'eusse reçu votre lettre. J'ai précisément quitté le Sud de la France et suis venu temporairement à Valence, où il n'y a pas de Russes, pour me soustraire à tout ce qui, aux regards d'autrui, pourrait avoir l'apparence d'une pression morale ou influence morbide exercée sur moi par le milieu russe.

3) Votre Excellence me prescrit de passer un an soit en Galicie, soit dans un monastère contemplatif occidental. Entre ces deux perspectives, mon choix n'est pas douteux. Je suis venu à Valence avec l'intention de rentrer de suite en Galicie, si vous me le permettez, et non pas seulement pour y passer un an, – car je sais trop bien maintenant qu'il n'y a rien à faire (ou plutôt presque rien à faire) en travaillant en France, du côté catholique romain, pour les Russes. Je ne me conçois pas prêtre et moine catholique romain ailleurs qu'en Galicie et sous votre égide. Permettez-moi cependant de ne pas vous dire aujourd'hui même : *Je viens tout de suite*. Je vous demande une huitaine de jours encore pour vous dire ce que, en conscience, je croirai devoir dire. Et voilà pourquoi :

Le processus d'hésitation doctrinale que j'ai subi et que j'ai cru surmonté au début de mai n'est pas achevé. La première lettre que j'ai reçue de vous en réponse à celle où je vous faisais part de mon incertitude contenait exactement ce que j'attendais : *Je vous désapprouve. Je vous plains. Mais ne tenez pas compte de moi. Cherchez avant tout la vérité et la grâce.* Mais votre deuxième lettre était toute différente. Elle faisait appel à moi sur le terrain personnel. Elle soulignait que c'était aussi de votre cause qu'il s'agissait... Puis est arrivée la lettre si pathétique, si émouvante et déchirante du Père Higoumène. Comme je le craignais, j'ai glissé du terrain des idées sur le terrain des sentiments et des personnes. J'ai été bouleversé. J'ai pensé à vous. Par un acte de la volonté, par un véritable coup d'état, j'ai décidé que toute cette crise était finie, abolie. Mais bientôt il m'a semblé que je n'avais pas le droit de mettre fin à un débat intellectuel par un coup de force. Et de nouveau j'ai vu très nettement le *pour* et aussi le *contre* de la question. Sur chacune des considérations que me développaient vos deux lettres, j'aurais des pages et des pages à écrire. Je vous promets de tout vous dire. Aujourd'hui je ne m'en sens pas la force. Je voudrais seulement vous dire deux choses. L'argument du Père Higoumène : *Vous êtes moine ; vos vœux tranchent la question* : cet argument, l'opposeriez-vous à un moine orthodoxe qui se sentirait attiré par l'Église romaine ? Autre chose. Vous me dites : *Vous n'avez pas le droit de vous servir ainsi de votre jugement privé*. Mais toute l'apologétique catholique ne suppose-t-elle pas un jugement privé initial pour admettre des motifs de crédibilité – admission généralement antérieure à l'acte de foi (où la part de la grâce est la plus grande). Enfin – laissez-moi vous parler franchement – vous m'avez dit une chose cruelle quand vous m'avez écrit que je m'abritais derrière un prétendu *dictamen conscientiae* que je savais être faux. Croyez-vous que j'aie du plaisir à édifier ainsi un faux dictamen pour lequel il me faudrait sacrifier tout ce qui jusqu'ici a été pour moi paix et joie ? Ah, je vous le jure devant Dieu, si je *savais* (comme vous l'avez écrit) que ma conscience, en l'espèce, est fausse, je n'aurais pas une minute d'hésitation. Mais je n'en dirai pas plus long ici. Je vous le répète, d'ici à huit jours, vous saurez dans le détail tout ce que j'ai éprouvé et éprouve, et je sollicite de vous ce délai pour répondre à votre ordre (Galicie ou monastère Occident).

J'ai pensé que dans l'état d'esprit fluctuant où je me trouvais, et qui ne doit certainement pas être celui d'un studite catholique romain, je n'avais pas le droit d'utiliser à mon profit les 10 dollars que j'ai reçus dernièrement du P. H. Je voyais là quelque chose de répugnant. (D'ailleurs ma famille avait mis à ma disposition ce qui m'était nécessaire pour subsister pendant ce mois.) J'ai donc donné ces 10 dollars à une pauvre vieille réfugiée russe dénuée de tout, dans la misère extrême, en priant Dieu d'attribuer aux studites seuls tout le mérite de cette aumône.

J'espère que vous me comprenez. Je ne suis pas dans l'attitude d'un rebelle aigri. Je suis dans un état de déchirement intérieur, de souffrance. Vous m'avez écrit que *toujours*, quoiqu'il advînt, je pourrais m'adresser à vous avec confiance. J'espère que vous ne retirez pas cette parole. Et que répondrai-je au Père Higoumène ? Sa lettre était si magnanime, si bouleversante à lire. Je n'ai qu'à garder un silence bien douloureux pour moi. Mais ai-je le droit de ne pas voir, de ne pas entendre la voix de l'orthodoxie ? Je me hâte de dire, d'ailleurs, que je suis encore libre. Il n'y a eu ni réunion, ni *communio in sacris*[538]. La lutte est en moi. Ne me repoussez pas. Ne me maudissez pas. Priez pour moi. Je vous écrirai donc dans une semaine. Croyez, Père, à mon profond respect et à mon très sincère attachement et à ma reconnaissance infinie.

L.G.

N° 81

fol. 241 r

Lyon, 8 rue des Marronniers
15 juin 1928

Excellence,

Le père Grum, au lieu de vous renvoyer directement la lettre que vous m'aviez demandée, ainsi que je l'en ai prié, vient de me la retourner. Il est arrivé un malheur : en détruisant votre papier, j'ai, hier, déchiré cette lettre par erreur. Mais ainsi vous serez certain qu'aucun abus ne peut en être fait. Le père Grum m'a dit qu'il avait été de la plus grande discrétion au sujet du contenu de cette lettre.

J'ai réfléchi et prié. Avant de vous indiquer quelles conclusions j'ai atteint, je crois devoir revenir un peu en arrière.

Après vous avoir envoyé, de Marseille, la lettre où je m'ouvrais à vous de mes incertitudes, je suis parti pour Nice. D'une part, je désirais passer notre fête de Pâques dans un milieu russe. D'autre part, des questions d'aide matérielle aux Russes exigeaient, paraît-il, ma présence. Cette Pâque russe à Nice a été très belle, très

---

538. Le père Lev a pris le pas décisif le 25 mai 1928, en acceptant l'invitation de Mgr Euloge de concélébrer la divine Liturgie avec lui (voir *Un Moine de l'Église d'Orient*, p. 157-158), ce qui signifiait que Mgr Euloge le considérait comme faisant partie du clergé orthodoxe. Il y a un problème dans la chronologie. Le 23 mai, père Lev écrit qu'il se trouve « provisoirement à Lyon » – aucune mention de sa visite à Paris, sans doute déjà prévue. Aucune mention non plus dans la lettre du 5 juin des événements de Paris 10 jours auparavant – est-ce qu'il manque une lettre entre les deux ? La phrase ici est mystérieuse, car il écrit : « Il n'y a eu ni réunion, ni *communio in sacris*. » Il est inconcevable que le père Lev ait concélébrer la liturgie du 25 mai sans communier. Que donc veut dire la phrase dans sa lettre à Mgr Cheptytsky ? Ni dans cette lettre ni dans celle du 15 juin le père Lev ne dit explicitement ce qui s'est passé à Paris. Voulait-il épargner à Mgr Cheptytsky la douleur de le dire explicitement ?

émouvante. Je n'ai pas dissimulé mon état d'âme à l'archevêque Vladimir de Bielostok (en résidence à Nice) qui est un homme très simple mais un starets. Il m'a confirmé ce que je pensais déjà : seule la question du Vatican sépare en ce moment le catholicisme oriental (orthodoxie) et le catholicisme romain. Il n'y a pas d'autre question : pour le *Filioque*[539], un orthodoxe peut accepter la formule de Florence[540]. Je me sentais de plus en plus incliné vers l'orthodoxie. Là-dessus sont arrivées vos deux lettres. La seconde faisait à moi un appel en quelque sorte personnel, s'adressait à mon sentiment. J'ai été troublé. Je vous ai écrit que je ferais pas le pas. Dans les milieux de Nice, même dans celui de la curie épiscopale latine, j'ai dit et fait dire que je n'avais aucune intention de suivre l'exemple du P. Alexandre. Et je suis parti de Nice. Presque aussitôt après, les questions se sont reposées à moi. Il m'a semblé que je n'avais pas le droit de trancher ainsi un conflit de principes par des considérations personnelles. J'ai de nouveau étudié la question. J'ai lu tout ce que du côté catholique on a récemment écrit (Spačil[541], Battiffol[542],

---

539. L'interpolation latine « et du Fils » (*Filioque*) dans le Symbole de Nicée-Constantinople pour décrire la procession de l'Esprit saint (« qui procède du Père *et du Fils* ») fut d'abord utilisée en Espagne au VIᵉ siècle pour réfuter une variante locale de l'arianisme. Elle ne figure pas dans l'original grec du Symbole, et aucun concile œcuménique ne l'a jamais entérinée. Rome y résista jusqu'au début du XIᵉ siècle, mais presque tout l'Occident l'avait déjà adoptée à l'époque. En Orient, on continua d'omettre le *Filioque* jusqu'à ce que certains catholiques orientaux commencent à l'ajouter, après le XVIIᵉ siècle. Le *Filioque* fit l'objet d'une querelle entre catholiques et orthodoxes, bien que la plupart considèrent aujourd'hui qu'il n'y a pas de raison qu'il en soit ainsi lorsqu'on l'interprète d'une certaine façon.

540. On réfère ici au Concile de Florence. Commencé à Ferrara en 1438 et transféré à Florence en 1439, il avait pour objectif principal la réunion des chrétiens de l'Orient et de l'Occident. Après discussion des doctrines en litige, y compris la primauté du pape, le purgatoire, et la procession du Saint-Esprit, Rome et les diverses Églises de l'Orient ont rédigé et signé des décrets d'union, mais ceux-ci se sont dissous à la fois parce que plusieurs évêques d'Orient avaient signé essentiellement pour obtenir l'aide militaire de l'Ouest et parce que leurs synodes et les populations de leur pays ont refusé d'accepter cette union.

541. Théophile Spačil (1875-1950), jésuite tchèque et auteur d'œuvres spécialisées en théologie des « frères séparés d'Orient », a enseigné plusieurs années à l'Institut pontifical oriental de Rome.

542. Le parisien Pierre Batiffol (1861-1929), historien, prêtre et recteur de l'Université catholique de Toulouse, a écrit de nombreux livres et études dont *L'Eucharistie*, œuvre contestée. Il est peut-être mieux connu pour son œuvre *Le Siège apostolique* qui traite du début de l'histoire et de la juridiction de l'évêque de Rome. Batiffol a pris part aux Conversations de Malines et a publié ensuite un livre d'essais, *Catholicisme et papauté*.

d'Herbigny), etc. Du côté orthodoxe, j'ai eu en mains des manuscrits inédits de Boulgakoff et de Kartacheff[543]. Voici à quoi
j'aboutis :

    a) On a le droit d'user de son jugement privé, comme l'indique
        d'ailleurs l'apologétique catholique, pour discerner où sont la
        révélation et l'Église ;

    b) La place actuelle de la papauté dans l'Église latine n'est pas
        une déduction des textes évangéliques ni de l'enseignement
        des Pères (lesquels ont interprété ces textes d'une tout autre
        manière), ni des décisions des conciles œcuméniques ; elle
        semble être un état de fait, sanctionné par des conciles occi-
        dentaux, et résultant du long effort historique accompli par
        la papauté (donation de Charlemagne[544], fausses décré-
        tales[545], lutte contre Bâle, etc.) pour obtenir une juridiction
        vraiment impériale sur la chrétienté.

---

543. Né en 1875, Anton Vladimirovitch Kartachev fut professeur d'histoire à
l'Académie théologique de Saint-Pétersbourg, dernier *oberprocurator* du Saint-
Synode en 1917, et plus tard la même année, ministre des Affaires religieuses au
gouvernement provisoire russe. Bon nombre de ses points de vue font état d'une
préoccupation précoce pour l'œcuménisme, mais toutes ses opinions théologiques
n'étaient pas facilement conciliables avec celles de l'Église orthodoxe. À partir de
1925, il fut un professeur d'histoire influent à l'Institut Saint-Serge de Paris, ville
où il mourut en 1960.

544. Ce qu'on appelle la « donation de Charlemagne » était le don d'un vaste
territoire comprenant le duché de Rome et l'exarchat impérial de Ravenne, libéré,
désarmé, puis retourné à l'Église de Rome par Charlemagne pendant le pontificat
d'Adrien Ier, vers la fin du VIIIe siècle. Ce territoire avait été donné à l'origine à
l'évêque et à l'Église de Rome par Pépin le Bref en 754 (renouvelant ainsi, préten-
dait-on, le « patrimoine de saint Pierre », soit les terres censément léguées par la
fausse « donation de Constantin »), mais il fut par la suite envahi par les Lombards.
Poussé par sa profonde amitié pour Adrien (certains spécialistes parlent même de
« vénération »), Charlemagne vola à son secours – à grands frais –, le libéra ainsi que
l'Église de l'emprise des Lombards, et fit de l'Église une puissance temporelle,
propriétaire des deux tiers de la péninsule italienne pendant les onze siècles
suivants. On appelait ce territoire les États pontificaux.

545. Les Fausses Décrétales sont des lettres pontificales, fausses pour la
plupart, qui furent sans doute rédigées en France entre 847 et 852 sous le pseudonyme d'Isidore Mercator. Ces documents tendancieux – écrits principalement pour
appuyer les évêques dans leur lutte contre l'ingérence des autorités séculières, mais
utilisés plus tard pour justifier le rang élevé de la papauté – incluaient censément
des lettres ou décrets attribués aux papes, de saint Clément (88-97) à Grégoire II
(715-731), ainsi qu'un traité sur le concile de Nicée. Certaines de ces lettres sont
manifestement des faux, mais d'autres sont authentiques. Gratien incorpora les
Fausses Décrétales dans son droit canon, ce qui leur conféra une autorité certaine
au Moyen Âge.

c) L'Église catholique d'Orient continue en ligne droite *l'una, sancta, catholica* des Pères ; l'Église romaine s'y embranche, mais s'en écarte.

d) Les tentatives d'Union, Florence, Brest[546], ont été surtout des desseins politiques (empereurs de Byzance, rois de Pologne[547]).

e) Adhérer à l'Église russe n'est pas adhérer à une Église récente, mais à une des communautés ethniques qui constituent l'Église catholique ancienne ;

f) L'orthodoxie n'est pas l'adhésion à la lettre morte des conciles oecuméniques, considérée comme un bloc cristallisé, mais la vie de la vérité dans la соборность[548], par la charité, sous l'action du Saint-Esprit.

J'en conclus pratiquement :

- que je n'ai plus le droit de me dire catholique romain ;
- que je n'ai pas le droit de demander place dans un monastère studite actuel (quoique j'en sois où en étaient les moines d'Uniow avant l'Unia,) et que ma qualité de hiéromoine ne soit pas amissible.

Est-il nécessaire de dire ceci à ceux qui pourraient en être contristés ou scandalisés ? Vous êtes seul juge. Il me semble que le silence pourrait être gardé. En ce qui me concerne, je suis aussi résolu à éviter les publicités scandaleuses que les équivoques insincères.

Je suis invité à passer quelque temps au Serguievskoïé Padvorié pour y faire une connaissance plus directe et plus approfondie de l'orthodoxie. J'accepte cette invitation.

Je regrette, dans cette lettre, de sembler me borner à vous présenter quelques faits brutaux. Je ne vous exposerai pas une seconde fois mes sentiments *personnels*, puisque je l'ai fait en détail

---

546. L'Union de Brest : En 1595-96, les évêques de l'Église de Kiev – située à cette époque au sein de la Pologne-Lituanie – négocièrent avec le Pape de Rome l'union de leurs deux Églises. Ils soumirent un document requérant une entente et des concessions sur trente-trois points (que le pape Clément VIII a reçu, sans caution méthodique) et les évêques furent ensuite « absous de schisme ». En février 1596, un synode s'est réuni à Brest (l'actuelle Belarus) pour rendre cette union officielle.

547. Des études récentes démontrent le rôle *limité* qu'a joué le roi de Pologne dans l'Union de Brest. Voir Borys A. Gudziak, *Crisis and Reform: The Kyivan Metropolitanate, the Patriarchate of Constantinople, and the Genesis of the Union of Brest* (Cambridge, MA : Harvard Ukrainian Research Institute, 1998).

548. *Sobornost'*.

dans ma lettre de Marseille, avant Pâques. Je ne vous redirai que
deux choses :

- ma peine infinie de vous faire de la peine, à vous et aux
  vôtres,
- et combien je compte sur votre *promesse* que vous m'avez
  faite, de rester accessible, quoiqu'il arrive, à mes ouvertures et à mon attachement.

Je n'en dis pas plus long. Tout cela m'est si pénible. Mais en
même temps il me semble que je décharge ma conscience et m'engage sur une voie où tout est clair.

Ne doutez jamais, vous et le Père Higoumène, de mon respect
et de ma reconnaissance devant Dieu.

іеромонахъ Левъ[549]

Adresse provisoire à Lyon.

J'écrirai bientôt.

N° 82

fol. 231 r [*sic*]

4 avril 1929

Высокопреосвященный Владыко и Оче [*sic*] ![550]

C'est d'Angleterre que je Vous écris, car j'assiste en ce moment
à une conférence anglo-orthodoxe, en qualité de membre de la délégation russe. Mais mon adresse demeure *93 rue de Crimée, Paris 19ᵉ*,
au Сергіевское Подворье. Je vous ai écrit vers Noël. Je ne sais si
Vous avez reçu ma lettre. En ce moment, je veux répondre à celle où
Vous me donnez un délai d'un mois pour me présenter à Rome aux
autorités de l'Église romaine. Je ferai une remarque préalable. Il faut
vraiment être stupide ou mal intentionné pour interpréter l'expression mon évêque (que j'ai pu en effet employer, sans que je me
rappelle au juste où et quand) dans le sens d'une approbation
donnée par Vous à mon attitude actuelle. Je déclare donc bien haut,
devant tous ceux que cela regarde à un titre quelconque, que je sais
parfaitement que vous me désapprouvez et que j'agis contre votre
volonté formelle. Je continue cependant à penser à vous et à prier
pour vous comme étant mon évêque, pour deux raisons. Tout

---

549. « L'hiéromoine Lev ».
550. « Maître et Père très saint. »

d'abord, vous êtes le seul évêque envers lequel j'ai pris un engagement canonique. La hiérarchie russe n'a demandé de moi aucune preuve d'obédience, en sorte que je suis simplement un prêtre de l'éparchie de Lwow en *communio in sacris* et en collaboration pratique avec des orthodoxes. D'autre part, je crois que, canoniquement, le lien qui unit un Ordinaire à son sujet subsiste toujours, au moins *in radice,* même dans le cas d'apostasie. Peut-être désirez-vous trancher ce lien. Il ne m'appartient pas de protester ou de me plaindre. Quant à l'ordre que vous me donnez, était-il nécessaire de m'infliger cette épreuve ? Vous saviez bien que, si je me sentais prêt à obéir à un tel ordre, je ne serais plus à Paris, au Сергиевское Подворье. N'y a-t-il pas quelque chose de cruel dans votre mise en demeure ? Je ne puis vous répondre qu'une chose : c'est que je préfère ne pas vous répondre, – épargnez-moi cette douleur.

À Paris, Mme Berdiaeff, femme du philosophe russe, convertie à l'Église romaine, dit que je m'adonne au satanisme et que je célèbre des messes noires. *La Semaine religieuse*[551] de Paris dit que je célèbre le culte dans les locaux d'une organisation protestante ; elle se refuse à insérer la rectification que je lui adresse et ne finit par s'y décider que quand je la menace d'une poursuite en justice. Le P. Deubner écrit que je suis tout à fait protestant. À Lyon, le P. Kanski[552], jésuite russe, dit que je suis franc-maçon. À Rome, on raconte que j'ai prononcé à Paris une conférence où j'ai traité les catholiques d'orgueilleux, d'ignorants et de fanatiques, et je demande en vain qu'on me donne le nom d'une seule personne ayant entendu ces propos. Voilà quel souci de la vérité, de l'équité – sans parler de la charité – je rencontre du côté romain.

Du côté russe, un tel cercle de dévouement, d'affection, et j'ajouterai : de charismes, m'entoure… Je voudrais vous parler longuement de moi, de ce que je fais, – j'allais le faire quand j'ai reçu votre dernière lettre, – j'avoue qu'elle m'a arrêté… Peut-être parlerai-je plus tard, si Vous ne voulez pas rompre tout ce qui subsiste de nos liens.

Oh ! si vous saviez, si vous saviez combien votre nom est pour moi à part de tous les autres, et que je ne peux pas penser à vous

---

551. C'est sans doute un périodique catholique de l'époque.

552. Il peut s'agir de Kazimierz Kanski (1889-1971), un jésuite qui a fini ses jours comme confesseur de la foi en Estonie. Notez cependant que « Kazimierz » est un nom polonais plutôt que russe.

sans pleurer ! Vous pouvez me frapper, m'excommunier, – et cependant, je sens que vous resterez toujours pour moi mon évêque, mon seul évêque.

Je me jette à vos pieds et je vous demande de prier encore pour moi et de ne pas m'effacer complètement de votre cœur.

смиренный, многогрѣшный іеромонахъ Левъ[553]

---

553. « L'humble hiéromoine Lev, un grand pécheur. »

Épilogue

Près de quatre-vingt-dix ans se sont écoulés depuis la correspondance entre Gillet et Cheptytsky. Quels sont les modifications apportées et les éléments de stabilité du catholicisme grec slave, surtout dans les relations entre Rome et l'orthodoxie russe ? Jusqu'à la résurgence de l'Église grecque catholique en Ukraine en 1990, la question allait devenir hors de propos. L'entente des années 1970 entre Rome et Moscou qui assurait le retrait de l'appui du Vatican à l'Église clandestine d'Ukraine en échange d'un rapprochement œcuménique avec les orthodoxes, ainsi que le déclin des Églises grecques catholiques slaves de l'Ouest, ont à la fois conduit à quasi faire de « la question uniate » un sujet d'histoire. Et pendant que les Églises grecques catholiques de l'Ouest continuent de décliner, la renaissance de leurs homologues en Europe de l'Est les a pratiquement transformées à « la face du catholicisme » dans des endroits comme l'Ukraine.

L'étude de la correspondance Gillet-Cheptytsky nous aide à discerner plus clairement certains modèles ecclésiaux, culturels et théologiques qui persistent quelque quatre-vingt-dix ans plus tard, malgré l'intervention de Vatican II et de la fin du communisme. Afin de corriger ces modèles délétères de penser et d'agir qui subsistent et d'en promouvoir des bénéfiques, on doit d'abord les identifier.

D'abord, certaines autorités catholiques romaines perçoivent encore, quelques fois, les grecques catholiques comme des « objets » ou « choses » plutôt que comme des êtres ou personnes. La réification (ou chosification) de ces personnes portent des ressemblances à l'instrumentalisme évident des années 1920 (et ultérieures). Les chrétiens qui témoignent des aspects complémentaires de l'héritage apostolique sont forcés de sacrifier cette complémentarité parce que certains catholiques romains les trouvent gênants. Ainsi, au lieu de pouvoir remédier au manque de prêtres en formant des candidats mariés (une pratique en apparence garantie par le *Code des canons des Églises [catholiques] orientales* de 1990), on empêche encore les catholiques orientaux de l'Amérique du Nord d'entretenir ouvertement cette tradition. En France, en Italie et en Espagne, on défend même aux prêtres catholiques ukrainiens qui sont mariés de vivre avec leur épouse lorsqu'ils se déplacent de l'Ukraine pour y desservir les communautés naissantes d'émigrants. L'explication donnée revient toujours à ce que cela ouvrira (ou rouvrira) le débat sur le célibat facultatif pour les prêtres du rite romain. Vatican II a proclamé que tous les rites sont égaux, mais en apparence certains demeurent « plus égaux » que d'autres. Les familiers aux réalités pastorales des Églises catholiques orientales comprennent que l'étendue du problème n'en est pas un de « droits » (ou de « privilèges » !), mais plutôt de service. La crise du clergé affecte la catéchèse, le culte, le ministère social et la proximité. Si un clergé marié pose un problème à certains catholiques romains, il ne faut pas en attribuer la faute aux Églises catholiques orientales.

Toutefois, surtout après Vatican II, il serait illusoire de permettre aux catholiques orientaux de se servir de leur victimisation des autres comme une justification de leur sort. Et c'est là que la situation actuelle des catholiques orientaux diffère si manifestement de celle des années vingt. Tandis qu'avant Vatican II les catholiques orientaux avaient vraiment « les mains liées » canoniquement, ecclésialement et institutionnellement, aujourd'hui – du moins en principe – il existe peu de telles restrictions. Mais, si les catholiques orientaux, surtout les ukrainiens grecques catholiques, ont été si lents à embrasser la vision de Vatican II pour les Églises orientales et pour l'Église entière, c'est parce qu'ils n'étaient absolument pas préparés au Concile. On pourrait débattre que les catholiques romains également ne l'étaient pas (ce qui explique la crise postconciliaire), mais au moins ces derniers avaient eu, entre autres, des mouvements liturgique, biblique et catéchétique, nourris par la suite par la *nouvelle théologie*. Cette évolution a favorisé la création d'un ensemble de documents qui font autorité et auxquels les catholiques romains peuvent référer lorsqu'ils discutent des modes d'agir possible.

Toutefois, dans le catholicisme oriental, l'absence d'un « mouvement d'idées » (malgré, les tentatives, par exemple, de Cheptytsky

et de Beauduin d'en susciter un) l'a mené vers une situation étrange
où, quarante ans après le concile, on propose des lignes directrices
ou instructions aux catholiques orientaux, mais que fréquemment
les dirigeants grecs catholiques ukrainiens eux-mêmes – surtout
dans les pays occidentaux – n'en tiennent pas comptent. Et c'est ici
qu'émerge l'importance de comprendre l'autre aspect de la réification et de l'instrumentalisme : seuls ceux qui désirent guérir peuvent
être guéris. Le dynamisme du Corps du Christ doit être approprié
par chaque communauté et chaque individu dans une conversion
complète et continue de l'esprit et du cœur. Idéalement, cela
conduit « à revêtir une personnalité » – à la fois communautaire et
individuelle – capable de résister en même de guérir la faiblesse
extrême occasionnée par des siècles de manipulation.

Un autre modèle persistant s'apparente au problème d'identité, à
la Janus, du catholicisme oriental slave. Au cours des années 1920
et 1930, le Vatican a commencé à favoriser des communautés à « l'allure très orthodoxe » en Volhynie et en Biélorussie, la *néo-Unia,* tout en
appuyant simultanément les fervents de latinisation, tels que
Bohachevsky et Ivancio en Amérique du Nord et Khomyszyn
[Homychine] en Ukraine. Le modèle perdure. Aujourd'hui, c'est
l'Église grecque catholique d'Ukraine que Rome aimerait voir prendre
« l'allure orthodoxe », tandis qu'on ne peut parler ainsi de l'Amérique
du Nord. En Ukraine, en 2001, le Vatican a même contraint le Synode
grec catholique de choisir un moine studite pro-orthodoxe pour
diriger l'Église – un homme qui est aussi le meilleur candidat à ce
poste – tandis qu'en Occident où le Vatican peut intervenir plus directement, de telles interventions ne se sont pas produites.

Le problème de « l'allure orthodoxe » mentionné plus haut fait
lui-même partie de ce modèle persistant. Comme dans les
années 1920 et 1930, des clercs à l'esprit latin s'habillaient à l'occasion de vêtements grecs ou russes pour « démontrer » que « quelqu'un peut s'unir à Rome et maintenir ses propres traditions », de
même aujourd'hui la « mascarade » continue, sauf plus insidieu-
sement. Tandis qu'à l'époque de Cheptytsky on pouvait présumer
qu'un occidental vêtu à la mode orientale partageait avec l'orthodoxe une valorisation certaine de l'ascétisme chrétien classique,
sans parler de rigueur morale, ce n'est guère le cas aujourd'hui.

Tout ceci nous mène à la pertinence durable du témoignage de
Gillet (et de Cheptytsky). Malgré leur origine à une époque si diffé-

rente de la nôtre, les lettres de Gillet proclament la capacité de l'unique « QUI » ou « ÊTRE » pouvant changer les « objets » en « personnes ». L'amour inconditionnel de Gillet pour les toxicomanes, les prostitués mâles, les alcooliques et les sans-abri incarne l'évangile avec tant de vigueur que, sans égard aux « disputes d'identité » et au « malaise institutionnel », on voit le Christ transformer « groupes » et « circonscriptions » en confréries et en *koinonia*.

Enfin, le témoignage de Gillet se prolonge en raison de son attestation à l'unité dans la division. Sa conception de l'orthodoxie sans – du moins selon sa ferme intention – aucun rejet du catholicisme indique la voie aujourd'hui aux catholiques orientaux. Sans abandonner la communion romaine, même « de nom » comme l'a fait Gillet, les catholiques orientaux peuvent faire l'expérience de l'enseignement universel et vivifiant et du mode de vie de l'orthodoxie durant cette période de transition œcuménique et de crise spirituelle. Au moment où tant de communautés catholiques orientales abandonnent de plus en plus leurs traditions liturgiques maximalistes ainsi que leur rigueur ascétique et commencent aussi à bredouiller doctrinalement, ils peuvent entrer dans la *koinonia* offerte par les communautés orthodoxes qui persévèrent à célébrer vêpres et matines avec conviction et beauté, ils peuvent s'inscrire aux programmes éducatifs orthodoxes et ils peuvent créer des amitiés qui les soutiendront dans leur découverte de la « voie étroite ». S'ils le font, le jour de l'unité dans la *koinonia*, plutôt que dans la division, pourrait se lever plus tôt que nos esprits bornés ne peuvent l'imaginer.

Peter Galadza
3 mai, 2007

APPENDIX
Typicon de la Conféderation des monastères de l'Orient et de l'Occident pour l'œuvre de l'union des Églises[554]

CHAPITRE PREMIER.
– BUT ET PRINCIPES FONDAMENTAUX

1. Une Confédération de Monastères de l'Orient et de l'Occident qui désirent s'entr'aider pour se consacrer d'une manière spéciale à l'œuvre de l'Union des Églises est constituée sur les bases générales indiquées ci-dessous.

2. *But* – En vue de travailler efficacement à l'œuvre de l'Union qui est leur fin, les Monastères confédérés se proposent :

A. La pratique du monachisme primitif, tel qu'il existait au temps où la Chrétienté était encore indivise. Aussi tout Monastère ou Congrégation de notre Confédération doivent-ils affirmer dans leur Typicon que la « REGLE DES PÈRES » constitue la Règle fondamentale de tous les Monastères. Ce livre est une collection des passages des Pères de l'Église et de décisions conciliaires les mieux propres à synthétiser cet esprit monastique ancien dont tous les moines devront se pénétrer.

B. Les recherches scientifiques et études théologiques propres à frayer les voies de l'Union.

C. Des entreprises apostoliques organisées entre l'Occident et l'Orient pour rapprocher les Églises et préparer de loin l'Union visible et hiérarchique du troupeau du Christ,

---

554. Archives d'Amay-Chevetogne, Fonds Maison, Fondation, n° 15.

par une union spirituelle plus intime des esprits et des
cœurs.

3.   *Principes fondamentaux* – Dans son organisation, la
Confédération s'inspirera de deux principes fondamentaux
auxquels tous les statuts ultérieurs devront se conformer :

A. La plus large autonomie laissée aux monastères ou
congrégations de Monastères dans le domaine disciplinaire. Ces différents organismes auront leurs Typica
propres, leur gouvernement, leurs traditions et observances. Bref, le pouvoir fédératif n'entend pas s'immiscer
dans le régime disciplinaire et gouvernemental des
monastères et des congrégations ; il demandera seulement dans les Constitutions des Monastères confédérés le respect des principes fondamentaux du
monachisme des Pères, principes qui seront indiqués
plus loin.

B. Pouvoir législatif et exécutif de la Confédération fortement constitué, portant sur l'élément intérieur et spirituel de la vie monastique, sur les principes fondamentaux
de toute l'activité ascétique, intellectuelle et apostolique,
et assurant une parfaite unité d'esprit et de cœur au
milieu des diversités multiples de race, de traditions et de
discipline. Bref, le pouvoir fédératif veillera sur *l'esprit* qui
doit vivifier tous les membres de la Fédération.

CHAPITRE DEUXIEME.
AUTONOMIE DES MONASTERES.
PRINCIPES FONDAMENTAUX A SAUVEGARDER.

4.   Les multiples formes de l'activité monastique traditionnelle
sont admises dans les différentes maisons qui font partie de
la Confédération monastique. Le Typicon de chaque maison
est adapté à son activité propre. Dès lors la Confédération
pourra comprendre des monastères plus spécialement organisés pour l'exercice des arts et travaux manuels, des travaux
agricoles et de la vie apostolique comme les Laures et les
Kellia d'autres plus spécialement voués aux études théologiques, aux recherches scientifiques et a [*sic*] la formation du

clergé comme les Didascaleia, les Studia et les Pédagogies ; d'autres encore organisés plus particulièrement pour la vie contemplative comme les Skites, institutions de vie semi-érémitique dépendant des Laures. Cfr. l'ajoute p. 6.

5. Ces différentes institutions peuvent se développer dans un monastère ou se grouper en Congrégations. Elles jouissent de leur pleine indépendance tant pour le régime intérieur que pour le régime financier. Pour ce dernier point, elles s'efforceront, en cas de nécessité, de se prêter une aide fraternelle.

6. Cependant, pour sauvegarder les principes fondamentaux du monachisme, le pouvoir fédératif se réserve un droit de Veto, avant que les Typica et les décrets des Synaxes locales n'entrent en vigueur. Cet examen du pouvoir fédératif portera sur tout l'ensemble des Typica, et constituera une approbation positive, si le S. Siège ne s'est pas réservé le droit d'approuver les Typica propres des monastères et des Congrégations. Dans le cas contraire cet examen portera uniquement sur le maintien dans les Typica des règles fondamentales qui suivent :

A. Esprit de famille :

  a. autorité paternelle des Supérieurs

  Les Supérieurs ne sont pas des Prélats, à moins qu'ils ne jouissent de ce privilège avant d'entrer dans la Confédération. Les Typica se préoccuperont de sauvegarder autant que possible la stabilité du pouvoir familial.

  b. égalité des membres

  Tout en admettant aux études et au sacerdoce les moins jugés aptes par leurs Supérieurs d'après les Typica propres, le Typicon fondamental de la Confédération établit, conformément à la tradition antique, que dans chaque Famille de la Confédération tous les membres jouissent des mêmes droits, d'après leur degré monastique. L'ordre des préséances sera réglé d'après les Typica particuliers, sous réserve de la préséance d'honneur reconnue à l'Abbé de Grottaferrata sur tous les membres de la Confédération.

c.   *stabilité des membres*

Les moines émettent le vœu de stabilité pour leur monastère respectif dont ils deviennent les fils.

Les changements de cette stabilité ne peuvent avoir lieu que du consentement du moine. Quand elle se fera au sein de la Confédération, le consentement de l'Abbé « a quo » – ou de l'Epitaxie en cas de refus et du Chapitre « ad quod » sont requis. Pour sortir de la Confédération le recours au S. Siège est nécessaire.

La cession des moines sans changement de stabilité étant très conforme à l'esprit de notre œuvre, exige des moines autant que des Supérieurs un grand empressement et un grand esprit d'abnégation. Régulièrement cette cession est décidée par les Supérieurs locaux respectifs. Les Typica particuliers en règleront les conditions, mais le moine peut exiger son retour après un laps de 3 ans. L'intervention de l'Epitaxie pourra se produire dans les 2 cas suivants : 1) Tout moine pourra se mettre à la disposition de l'Epitaxie pour les entreprises de la Confédération. Si l'Epitaxie, s'inspirant d'une grande discrétion pour ne pas compromettre le bien du monastère, juge fondée la demande du moine, après avoir entendu le Supérieur, le moine s'en remettra à la décision de l'Epitaxie pour toutes les conditions de la cession, y compris la durée de celle-ci. 2) Pour les fonctions de Maître des Novices, de Préfet des Études ou de Professeur, l'Epitaxie, en cas de nécessité, pourra proposer aux Supérieurs la cession temporaire d'un moine ; elle pourra même, dans un cas tout à fait extrême et exceptionnel, imposer cette cession.

B. Renoncement :

Le renoncement dans l'ascèse monastique est réalisé par les engagements pris par le moine lors de sa profession, et qui se résument dans le vœu de conversion des mœurs. Il comprend :

> a. la vie de *chasteté* parfaite.

> b. la vie de *pauvreté*. La pauvreté monastique traditionnelle exclut tout pécule personnel, mais admet pour chaque monastère de larges revenus permettant d'abondantes aumônes aux pauvres, l'hospitalité généreuse, la provision de tous les besoins de chaque moine, toutes les installations scientifiques et les entreprises apostoliques qui répondent au but spécial des moines de la Confédération.

> c. *la vie d'obéissance*. L'obéissance sera rendue facile par le zèle de tous les membres pour la règle monastique et la discrétion du Père de famille dans le gouvernement du monastère.

> L'accomplissement en obéissance de toutes les bonnes œuvres qui se rapportent à l'apostolat de l'Union des Églises, toutes ces œuvres, quelque diverses qu'elles soient, étant, selon la tradition monastique, des instruments de la vie ascétique et de l'union à Dieu.

CHAPITRE TROISIEME.
POINTS SOUMIS DIRECTEMENT A LA JURIDICTION DE LA FEDERATION.

7. La Confédération, qui respecte l'autonomie des monastères dans toute l'organisation disciplinaire et les observances monastiques, se réserve une juridiction directe et très effective sur l'élément intérieur et l'esprit de tous les monastères confédérés, de façon à assurer une grande unité de vues et de

tendances entre tous les membres : Cor unum et anima una.
Cette juridiction de la Confédération portera :

1) sur la formation ascétique des aspirants à la vie monastique, et sur la vie spirituelle des moines de la Confédération.

2) sur la direction et l'orientation des études théologiques et scientifiques dans la Confédération.

3) sur les principes directeurs et les normes fondamentales de l'activité apostolique.

L'organe essentiel par lequel la Confédération exerce cette juridiction est l'Epitaxie ou Chapitre Général.

L'Epitaxie exerce cette juridiction par elle-même ou par des délégués appelés Epitropes.

CHAPITRE QUATRIEME.
CHAPITRE GENERAL.
SA COMPOSITION ET SES DROITS.

A.   *Sa Composition*

8.   L'Epitaxie, qui seule représente toute la Confédération, est composée :

1) de trois Epitaxes ou Délégués de chaque Congrégation confédérée, et d'un Epitaxe de chaque monastère isolé directement confédéré ;

2) de l'Higoumène du Studion de Rome, qui est le Procureur de la Confédération en cour de Rome ;

3) du Supérieur de la maison ou se réunit l'Epitaxie ;

4) de membres cooptés selon les règles établies plus loin ;

5) des Epitropes en fonction au moment de la réunion de l'Epitaxie.

9.   L'Epitaxie se réunit tous les trois ans, dans la maison désignée à sa réunion précédente. Le Supérieur de cette maison en est le Proestos-Président ; il la convoque six mois à l'avance, en propose le programme aux membres et le modifie sur leurs indications ; il en préside les sessions. Cette présidence est limitée aux sessions.

10. L'Epitaxie élira jusqu'à révocation parmi les moines du Studion de Rome un Chartophylax ou Apocrisiaire, qui remplira les fonctions de Secrétaire de l'Epitaxie pendant les

sessions, et qui, dans les intervalles des sessions, conservera les archives de l'Epitaxie au Studion de Rome.

11. Les actes de l'Epitaxie sont rédigés en grec et en latin. Des traductions authentiques seront faites dans les langues usitées dans les différents monastères confédérés.

B. *Ses attributions*

12. L'Epitaxie exerce sa jurisdiction dans un triple domaine :

   1) Vie ascétique et spirituelle des monastères

   A) *Les novices*

   1. l'Epitaxie s'assurera avec la plus grande vigilance que la RÈGLE DES PÈRES est la base de la formation de tous les aspirants à la vie monastique ;

   2. elle veillera à ce que la Sainte Écriture, les saints Pères et la Liturgie soient la source principale de la spiritualité des novices, – elle publiera ou recommandera des éditions faciles et adaptées au degré de culture des différents moines, – elle encouragera de toute façon les novices dans la méditation et l'étude de la Sainte Écriture, spécialement des Évangiles – et des Pères.

   3. elle examinera et ratifiera les règlements et ordres du jour des noviciats ;

   4. elle exercera un droit de veto pour la nomination des maîtres des hovices nommés par les supérieurs locaux ;

   5. elle contrôlera la gestion des maîtres des novices, et, éventuellement, proposera aux supérieurs locaux et au besoin exigera leur démission.

13. B) *Les profès*

   1. l'Epitaxie veillera à ce que la RÈGLE DES PÈRES soit le livre de chevet de tous les moines ;

   2. elle exigera que les constitutions des différents monastères stipulent expressément l'obligation pour tous les moines de méditer chaque jour la Sainte Écriture, et de faire chaque jour une lecture sérieuse des Pères de l'Église. Elle veillera

soigneusement à ce que ce point soit fidèlement observé.

3. elle nommera un censeur chargé d'examiner au nom de l'Epitaxie les ouvrages ascétiques publiés par les moines de la confédération. Aucun livre ne peut paraître sans cette censure, qui peut remplacer la censure locale si l'abbé le désire.

4. elle encouragera de toute façon des études sur l'ascèse du monachisme des Pères, et cooptera comme membres de l'Epitaxie les moines qui auraient acquis une grande autorité, dans ces questions par des publications ascétiques et monastiques importantes.

5. elle exigera de chaque Higoumène un rapport triennal sur la marche ascétique et la vie spirituelle de leur monastère respectif. Ce rapport sera adressé à l'Epitaxie 3 mois avant la réunion de celle-ci, et indiquera autant que possible les ouvrages et publications ascétiques acquis et mis à la disposition des moines depuis la dernière réunion de l'Epitaxie.

14.

2) *Formation théologique et scientifique.*
    Ce § regarde les Studia, les Didascaleia & les Hiéromoines.

    A. *Les Étudiants*

    1. l'Epitaxie fixera le nombre d'années des études théologiques, et veillera à l'observation de cette règle ; elle se réservera les dispenses jugées nécessaires ;

    2. elle approuvera les règlements des maisons d'études ;

    3. elle exercera un droit de veto pour la nomination des préfets des études et des professeurs nommés par les supérieurs locaux ;

    4. elle surveillera les études théologiques, lesquelles se feront ou du moins se compléteront le plus possible à Rome où les moines puiseront cet esprit catholique et cet attachement au Siège

romain si nécessaire aux apôtres de l'Union : leur
suprême règle sera toujours le Magistère vivant
de l'Église catholique romaine ;

5. elle veillera à ce qu'une grande importance soit
donnée à la théologie symbolique et à l'histoire
des conciles, à la théologie comparative de
l'Orient et de l'Occident, et à l'étude théologique
des Pères. Dans ce but on enverra un grand
nombre de sujets au Studion de Rome pour
suivre les cours de l'Institut oriental ;

6. elle exigera un examen devant un Epitrope
délégué, portant sur la connaissance du rite
nouveau que les moines doivent pratiquer ;

7. elle désignera un délégué, étranger au corps
professoral du studion, pour assister aux examens
et pour en faire rapport à l'Epitaxie. Ce point ne
concerne pas les moines de la confédération qui
font leurs études dans les universités, académies
théologiques, grands séminaires, etc.

8. elle se réservera d'organiser des études théologiques plus sommaires pour la formation des
hiéromoines catéchistes et missionnaires.

15. B. *Les profès*

1. L'Epitaxie veillera à ce que dans chaque monastère soient établies des séances mensuelles, ou les
hiéromoines examinent une question théologique ;

2. elle déléguera un censeur pour donner l'*imprimatur* aux ouvrages théologiques publiés par les
moines de la confédération ;

3. elle provoquera, coordonnera et dirigera les travaux
scientifiques les plus utiles et les plus actuels pour
l'œuvre de l'Union des Églises, et prendra à cette
fin toutes les mesures jugées nécessaires ;

4. elle encouragera les études byzantines & l'art
byzantin ;

5. elle cooptera comme membres de l'Epitaxie les
moines qui ont acquis une autorité spéciale par

leurs publications en matière théologique, et scientifique ;

6. elle exigera un rapport triennal fait par l'higoumène sur la vie théologique des Hiéromoines de sa maison, en renseignant les ouvrages théologiques acquis depuis la dernière réunion de l'Epitaxie.

16.

3) Activité apostolique

1. L'Epitaxie doit veiller à ce que les supérieurs entretiennent dans leur maison l'esprit d'apostolat. Tous les moines sans exceptions, ceux qui n'ont aucune part active aux œuvres de l'apostolat comme ceux qui exercent activement l'apostolat de l'Union, doivent vivre leur vie ascétique, monastique et liturgique en communion intime avec la grande idée de l'Union des Églises, et prendre comme devise de leur activité spirituelle cette parole du Maître : « UT UNUM SINT ». Tout ce qui intéresse cette grande cause doit les préoccuper.

2. L'Epitaxie exercera un droit de veto sur les œuvres entreprises par les Monastères confédérés pour s'assurer que dans la direction et l'orientation de ces œuvres rien ne soit contraire au but et à l'esprit de la confédération.

3. Elle désignera un censeur pour donner l'*imprimatur* aux ouvrages publiés sur l'apostolat de l'Union des Églises par les moines de la confédération.

4. Elle cooptera comme membres de l'Epitaxie les moines qui auront acquis une grande expérience et une grande compétence dans les œuvres de l'Union des Églises.

5. Elle exigera un rapport triennal des supérieurs sur la marche des œuvres de leur maison.

17. C. *Son fonctionnement*

Les décisions de l'Epitaxie seront prises :

a) à l'unanimité des membres présents pour les changements à introduire dans les constitutions de la confédération.

b) aux 2/3 des voix pour
  1) les changements des maîtres des novices ou du personnel enseignant.
  2) l'exercice du droit de veto.
  3) la décision d'une visite canonique.
  4) l'admission dans la confédération d'un monastère ou d'une congrégation.
  5) et en général pour les mesures graves à prendre par l'Epitaxie.
c) à la majorité absolue pour toutes les autres décisions.

CHAPITRE CINQUIÈME. LA COMMISSION DES EPITROPES OU DÉLÉGUÉS DE L'EPITAXIE.

18. L'Epitaxie nomme une commission d'Epitropes, chargée d'exécuter la jurisdiction de l'Epitaxie, dans l'intervalle des sessions, en son nom et sous son contrôle.

19. Cette commission, qui devra compter un minimum de 3 membres, est composée d'un membre au moins de chaque groupe confédéré ; elle est présidée par le membre le plus ancien de profession. Elle se réunit au moins une fois par an successivement dans les différents groupes. À cette occasion les Epitropes feront la visite canonique des Monastères de ce groupe.

20. Cette commission aura la surveillance des monastères sur les points qui relèvent de l'Epitaxie, recevra les observations et communications des supérieurs et des moines, s'efforcera d'être renseignée exactement sur toutes les matières qui relèvent de l'Epitaxie, fera les visites canoniques décidées par celle-ci, et prendra s'il le faut les mesures nécessaires. Ces mesures seront provisoires, et devront être ratifiées par l'Epitaxie. La commission pourra enfin, dans des cas exceptionnels, proposer au Président de la future réunion de l'Epitaxie une session extraordinaire.

21. Dans l'exercice de leurs fonctions les Epitropes prendront pour règle de conduite le fait qu'ils ne sont pas des supérieurs, mais seulement les délégués et les vicaires de l'Epitaxie. À la session suivante de l'Epitaxie la commission

fera un rapport complet sur l'exercice de ses fonctions et sur la marche des monastères.

22. En cas de décès d'un Epitrope dans l'intervalle de la session de l'Epitaxie, le défunt est remplacé par le membre de l'Epitaxie le plus ancien de profession qui appartient au même groupe.

23. Les membres de l'Epitaxie résidant dans leur monastère respectif y restent soumis au Supérieur local, et n'ont droit à aucune préséance, sauf pendant la visite canonique.

À ajouter au Chapitre Deuxième, No 4, page 2 :

La Confédération admet également les institutions rattachées aux Monastères, comprenant des « Riasophores » sans vœux ou des Oblats. Les Typica particuliers organiseront ces institutions.

SIGNATURES + Andrei Szeptycki [Cheptytsky], Dom Lambert Beauduin, OSB
fr. [*sic*] Clément [Cheptytsky], Dom André Stoelen, OSB, бр. Лев, студит [fr. Lev, studite (en ukrainien)]

Dossier Gillet – Szepticky

Les lettres du métropolite Szepticky et du P. Lev Gillet adressées à Mgr Gérard van Caloen ainsi que la copie de la lettre de ce dernier au métropolite sont conservées dans le *Fonds van Caloen* aux Archives de l'abbaye de Saint-André à Bruges (Zevenkerken).

Le bénédictin, Ildefonse Dirks, au monastère studite, rue P. Skarga à Lviv, en 1925. Sa chasuble (« moscovite ») a sans doute choqué les gréco-catholiques de Lviv, mais ils ont dû être apaisés par l'assurance qu'avec de tels vêtements sacerdotaux « la conversion des Russes » en serait facilitée.

Au monastère gréco-catholique studite d'Univ, en Ukraine occidentale, lors de la signature du document «Typicon de la confédération de Monastères de l'Orient et de l'Occident pour l'œuvre de l'Union des Églises». De gauche à droite : Dom Lambert Beauduin, Lev Gillet (debout), Andrei Cheptytsky, Dom André Stoelen et Clément Cheptytsky, 1925.

Dom Ildefonse Dirks et un groupe d'étudiants à l'Académie de théologie gréco-catholique de Lviv. À sa gauche (avec le collet complet d'un pasteur), P. Bohdan Lypsky, le renommé pasteur ukrainien catholique qui a émigré à Toronto, Canada.

L'archevêque Michel d'Herbigny, jésuite, président de la Commission pontificale pour la Russie.

Le monastère bénédictin d'Amay.

Le clergé catholique russe à Rome, le 30 octobre 1930. Assis de gauche à droite :
A. Deubner, A. Sipiaguine, A. Evréinov, l'évêque P. Bučys [Boutchys], S. Véréghine,
S. Grum-Grz[h]imailo, le prince (et prêtre) A. Volkonsky. Dans la deuxième rangée,
de gauche à droite : Kuzmin-Karavaev [Kouzmin-Karavaiev], Zedenov, Arseniev (et
non Nicholas), Georgi Tsebrikov, V. Dlussky, N. Bratko. Aucun des clercs de la troisième rangée n'est mentionné dans la correspondance de Gillet à Cheptytsky.

Le métropolite Cheptytsky parmi les studites à Univ, 1927 ou 1928.

Le monastère studite d'Univ durant l'entre-deux-guerres.

L'iconostase (construite en 1730) du monastère studite de Univ. Photo datant des années 1920.

Lev Gillet et David Balfour à la Conférence du Fellowship de Saint-Alban et Saint-Serge à High Leigh,Herts,Angleterre, en juillet 1975.

Semaine pour l'Union des Églises (Bruxelles, 21-25 septembre 1925)
1ᵉʳ rang (de gauche à droite):
1. Abbé Fernand Portal, prêtre de la Mission.
2. Mgr Joseph Schyrgens, rédacteur de la Revue catholique des Idées et des Faits. Il fut président des séances.
3. Mgr Cheptytsky.
4. Cardinal Désiré Joseph Mercier, archevêque de Malines.
5. Mgr Gérard Van Caloen, OSB, évêque de Phocée, directeur de l'Œuvre diocésaine de l'apostolat des Orientaux.
6. Dom Lambert Beauduin, OSB, fondateur d'Amay-Chevetogne.
2ᵉ rang (de gauche à droite):
1. Dom Ildephonse Dirks, OSB, moine du Mont César (Louvain). Ancien économe du Collège Grec de Rome, il fut le premier compagnon de dom Lambert Beauduin à Amay.
2. Père Stanislas Tyzkiewicz, S.J.. D'origine ukrainienne, il se consacrait au ministère auprès des colonies russes et ukrainiennes de France.
3. Père Lev Gillet.
4. Père Willaert, S.J., provincial de Belgique.
5. Dom Augustin von Galen.
6. Père Maurice de la Taille, S.J., professeur à l'Université grégorienne (Rome).
7. Mgr Alexandre Sipiaguine, prêtre russe-catholique responsable de l'internat [russe] Saint-Georges, à Namur.
8. Chanoine Francis Dessain, secrétaire du cardinal Mercier.
9. Père Auguste Maniglier, assomptionniste. Il s'est consacré pendant plus de trente ans à l'apostolat de l'Orient slave. Selon Étienne Fouilloux, Les catholiques et l'unité chrétienne du XIXe au XXe siècle (Paris, 1982), p. 95 n., il fut curé d'Odessa jusqu'en 1920.
10. Père Y. Nikoloff, prêtre bulgare du Séminaire russe de Lille. Il fut moine à Amay de 1927 à 1931.

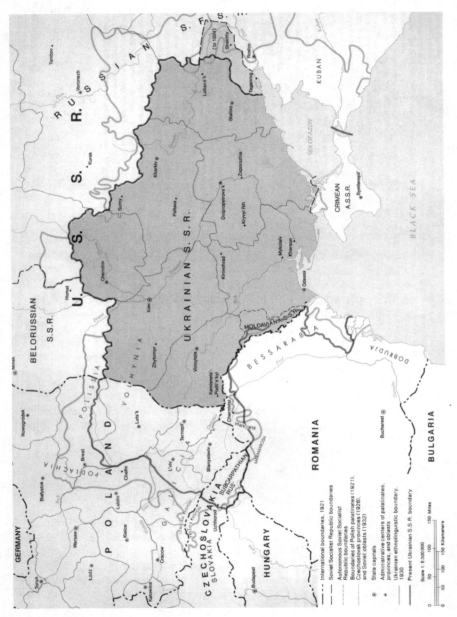

Carte de l'Ukraine durant l'entre-deux-guerres.

Index

Sont exclus de cette liste les mots Galicie, Nice, orthodoxes, Rome, Russes, studites, qui apparaissent plus de cent fois.

Remerciements

Le travail sur ce livre a commencé il y a très longtemps – en 1992! Il s'est poursuivi dans diverses conditions. Gloire et honneur à Dieu pour sa réalisation !

Parmi les personnes qui ont contribué à ce projet, au commencement sont Oksana Hayova de l'Archive centrale historique de l'Ukraine (succursale Lviv), et Virginie et Horia Roscanu de Montréal. Les Roscanus ont entrepris un travail intense de transcription du manuscrit; sans leur générosité, cette publication n'aurait jamais vu le jour.

Merci aux pères Andriy Chirovsky, Andrew Onuferko et Stephen Wojcichowsky de l'Institut métropolite Andrey-Sheptytsky pour l'étude de christianisme oriental, qui m'ont tous encouragé et évité les déconvenues administratives. Le soutien financier que nous apporté la Fondation de l'Institut métropolite Andrey-Sheptytsky, dirigée par Eugene Cherwick, et l'Université Saint-Paul nous a été précieux. Enfin, Rosemary O'Hearn et son mari Michael – ancien directeur de Novalis à Ottawa – nous ont fourni une large assistance.

Parmi les traducteurs qui ont travaillé assidûment afin de transmettre ma pensée en français mentionnons: Huguette Isabelle et Marie Cousineau. Merci à Sylvain Destrempes et Platon Boyko pour leur aide pour d'autres aspects de la traduction.

Deux communautés monastiques méritent d'être mentionnées pour leur aide avec la provision des documents d'archives supplémentaires et des photos : le monastère bénédictin de Chevetogne en Belgique, notamment son archiviste le père Lambert et son bibliothécaire le père Antoine, et de le monastère de la Lavra Studite à Univ avec son hegoumen le père Venedykt.

Merci aussi au docteur Antoine Arjakovsky qui a accepté avec bienveillance d'écrire une réflexion à ce volume et nous a orientés vers son éditeur, Parole et Silence.

Mon assistant de recherche, Dr. Adam Deville, a travaillé sans fatigue, jours et nuits, pour trouver l'information sur les individus méconnus et les événements, mentionnés dans les lettres de Gillet. Qu'il soit ici vivement remercié.

Enfin, deux érudits, Dr. Léon Tretjakewitsch et Paul Ladouceur, ont fait preuve de beaucoup d'altruisme sans frontières par la lecture de chaque page de ce manuscrit et par la correction des erreurs factuelles et stylistiques en offrant de l'information supplémentaire sur les personnes et événements. La volonté de Messieurs Tretjakewitsch et Ladouceur de faire ce travail sans aucune rémunération est un céleste exemple de l'amour de la vérité.

En conclusion, permettez-moi de remercier ma femme Olenka et nos enfants Daniel, Marika et Ivanka pour leur patience pendant la durée de ce projet.

L'institut métropolite Andrey Sheptytsky pour l'étude du christianisme oriental

Notre mission

Centre de hautes études, de recherche, d'entente œcuménique et de prière, l'Institut est une unité académique de la Faculté de théologie de l'université Saint-Paul à Ottawa qui offre des programmes accrédités en études du christianisme oriental aux 1er, 2e et 3e cycles tant à des hommes qu'à des femmes – laïcs, religieux et clercs.

Notre engagement

Centre de hautes études, l'Institut s'engage à diffuser un enseignement de qualité en théologie du christianisme oriental et dans des disciplines connexes, tant à l'université Saint-Paul à Ottawa que dans ses programmes satellites.

Centre de recherche, l'Institut s'engage à l'excellence académique et à la publication dans les domaines variés des études du christianisme oriental en collaboration avec d'autres chercheurs, institutions académiques et sociétés savantes.

Centre d'entente œcuménique, l'Institut s'engage à favoriser des rencontres respectueuses et fécondes entre les diverses églises chrétiennes orientales (orthodoxe et catholique) et entre les chrétiens et chrétiennes de l'Orient et de l'Occident.

Centre de prière, l'Institut se consacre à l'intégration des études à l'adoration du Dieu trin : Père, Fils et Saint-Esprit.

Notre histoire

Fondé à la *Catholic Theological Union* de Chicago en 1986, l'Institut passe sous le patronage des évêques ukrainiens catholiques du Canada en 1989, et en 1990 se joint à l'université Saint-Paul à Ottawa.

Notre espoir

En dialogue avec les sociétés contemporaines, l'Institut souhaite transmettre la puissance de la foi chrétienne et de la Tradition vivante afin que tous et toutes puissent partager la vie même de Dieu.

Source : www.ustpaul.ca/sheptytsky

Achevé d'imprimer en France
le 27 mars 2009
sur les presses de
LP
G
52200 Langres - Saints-Geosmes

Composition et mise en pages réalisées par
Sud Compo - 66140 - Canet en Roussillon
422/2009

Dépôt légal : avril 2009 - N° d'imprimeur : 7803

Pour être informé des publications
des Éditions Parole et Silence et recevoir notre catalogue,
envoyez vos coordonnées à :

Éditions Parole et Silence
47, rue de Charenton
F - 75592 Paris cedex 12

ou

Le Muveran
CH - 1880 Les Plans sur Bex

paroleetsilence@omedia.ch

-------------------✂--

Nom : . . . .
Prénom : . . . .
Adresse : . . . .
. . . .
Code postal : . . . .
Ville : . . . .
E-mail : . . . .
Téléphone : . . . .
Fax : . . . .

Je souhaite être informé(e) des publications
des Éditions Parole et Silence.